CONTES GRIVOIS

D1408883

Dans Le Livre de Poche :

GUY DE MAUPASSANT

Contes grivois

CHOIX, PRÉFACE ET DOSSIER
DE GEORGES BELLE

FRANCE LOISIRS

Editeur des œuvres de Jules Vallès, de Guy de Maupassant et d'Henri Troyat à France Loisirs, Georges Belle – ancien délégué général des « Jeunesses littéraires de France » et coauteur de *La Bibliothèque idéale de poche* (Editions universitaires) – est formateur-animateur dans le cadre des professions du livre.

PRÉFACE

Les amours de la main gauche

Parce que invité à le faire par le journal **Gil Blas,**
publication de son temps quelque peu boulevardière,
adonnée aux plaisirs et aux potins, **Guy de Maupassant**
— qui ne le sait et ne s'en amuse? — céda souvent au
charme guilleret, équivoque du récit grivois. Comme la
farce, la gauloiserie était dans sa nature. Outre le
défoulement, elle lui permettait, sans jamais s'oublier,
de tout oublier. Réponse joueuse, jouisseuse, au malheur
d'exister, à l'obligation de feindre, à la tristesse de
déchoir. Revanche libertine ou sadique (philosophique,
en somme) sur l'ignominie de la vie et du monde.
Moyen divertissant et réparateur de sortir un moment
de l'infernal enfermement. Illustration enfin d'une
incroyance bien pesée.

Mais grivois, son récit n'est point graveleux. « Char-
gés d'érotisme souvent, les contes de Maupassant ne sont
jamais pornographiques », fait remarquer le professeur
Pierre Cogny[1]. *Seulement, qui dit nature (violente) dit*

1. *Maupassant, l'homme sans dieu,* La Renaissance du Livre,
1968.

amoralité (foncière). Grande force et vif tourment que le désir intempestif chez Maupassant : volupté et désillusion assurées. Au tempérament débordant des uns répondent le maniérisme ampoulé des autres, la présence latente — appel ou peur — de la mort chez tous. Et puis, il suffit de parcourir les dictionnaires et anthologies des œuvres érotiques (textes que les amateurs baptisent parfois « curiosités » ou « fantaisies »), de Guillaume Apollinaire, de Pascal Pia ou de Jean-Jacques Pauvert, pour découvrir que, dans le genre, il y a mieux ou pire. Gaillard et leste, Maupassant l'est assurément, mais lascif et obscène, pas du tout. Là comme ailleurs, c'est sa faculté de tout voir et de tout dire qui est « vertigineuse », et non les excès de plume, les abus de langage. Loin d'être insistant ou indécent, son conte grivois glisse comme son écriture, se faisant à peine remarquer, intuitif et allusif à la manière d'une invitation silencieuse, d'une complicité secrète. Et, suggérant sans gêne le sentiment, l'auteur dévoile ou provoque la passion. Quel art de jongler avec l'interdit, le refoulé, la tentation! Chez Maupassant, la peinture des fantasmes égale en vraisemblance et en justesse la vision du fantastique. C'est l'homme, voilà tout, souffle-t-il, imperturbable. Décidément, notre illusionniste n'était pas un illuminé. Il savait ce qu'il faisait, où il allait. Un monteur et un montreur de spectacles nus. Tel un bateleur présentant sur une estrade Les Enfants du Paradis, *Maupassant lance à la cantonade : « Mesdames et messieurs, si le cœur vous en dit? »*

A l'heure, justement, où se multiplient en librairie dictionnaires, anthologies et autres recueils de misogynie, souvent des compilations de femmes plus ou moins

intriguées ou indignées, il est plutôt « rafraîchissant »
(comme se plaisaient à dire Flaubert et Mallarmé) de
lire Maupassant. C'est qu'aimant la vie « malgré
tout », il aimait aussi les femmes « malgré elles ».
Attitude qui signe haut la main son cynisme, sa lucidité,
son humour, sa virile désespérance. Et qui reste moins
marquée d'ambivalence qu'empreinte d'ubiquité. Et
puis, ainsi que le relève Henri Troyat[1]*, « Maupassant*
a mis dans ses livres les femmes qu'il a connues et celles
dont il a rêvé. On y rencontre aussi bien les filles
séduites et abandonnées que les riches héritières qui
s'ennuient, les pucelles sentimentales que les veuves au
tempérament de feu, les épouses adultères que les
pensionnaires de maisons closes. Toutes excitent à la
fois sa verve et son appétit. » On dirait qu'il les croque
à pleines dents, toujours sensible – lui « l'homme-fille »
(homme à filles qui a quelque chose du caractère et du
tempérament des filles) – à la société des femmes. A ses
yeux, appel, don, art et menace dessinent leur intimité
troublante, qu'il va jusqu'à évoquer avec compassion,
délicatesse parfois. Reines de la fête et du rêve, pour lui
les femmes ne se départent jamais de quelque secrète
noblesse.

Aussi est-il réducteur de voir en Maupassant, fervent
des jeux amoureux et de leurs prêtresses, le seul peintre
des filles de noce et des femmes galantes. L'échelle de
Vénus, chez lui, touche à tous les milieux, se hisse à
tous les étages. Certes, dans ce domaine étranger aux
bonnes mœurs, tout a commencé avec Boule de Suif
(1880) et tout s'est terminé avec Les Tombales

---

1. *Maupassant : le païen tragique*, article, *Le Figaro littéraire*, 28 mai
1993. A lire d'Henri Troyat, *Maupassant*, Le Livre de Poche.

(1891). De plus, Maupassant n'a jamais fait mystère de son goût des prostituées ; il fait même dire à Bel-Ami : « *Il aimait les coudoyer, leur parler, les tutoyer, flairer leurs parfums violents, se sentir près d'elles. C'étaient des femmes enfin, des femmes d'amour. Il ne les méprisait point du mépris inné des hommes de famille.* » *Tout est clair dans cet aveu : il n'était pas un homme de famille et elles étaient des femmes d'amour. Et, ni mégères, ni ménagères, ni mères, ne le sont-elles pas toutes,* « *femmes d'amour* », *pour un Priape des jardins, un Orphée des boulevards, un Apollon des boudoirs ? Aussi, tout autant que les filles des rues et des maisons, dans les* Contes grivois, *Maupassant montre-t-il dans leurs œuvres — gâteries, gentillesses, galanteries... — les* « *comètes parisiennes* », *ses chères petites marquises, baronnes et comtesses. Drolatiques et frivoles, ce sont de vraies comédiennes de salon. Comment ne pas les entendre, mignardes et malignes, fredonner* Les lauriers sont coupés [1], *dans un monologue complaisant ou dans un caquetage satisfait ? Gare à leurs parleries ! Gare à leurs manigances ! Qui les a mieux démasquées qu'*Henri Gervex (*un ami académique et pompier de Maupassant*), *dans ses peintures bourgeoises et mondaines qu'on a pu voir en 1993 au Musée Carnavalet ? (Il reste que, littérairement et artistiquement, on est en droit de préférer au* Maupassant/Gervex Le Maupassant/Toulouse-Lautrec.) *Ce sont elles, encore, dans* Au bord du lit *et* Le Signe, *qui ont inspiré Luchino Visconti (*Boccace 70) *et Jean-Luc Godard (*Masculin-Féminin). *On le voit,* « *emblèmes de la modernité* » *(Baudelaire),*

---

1. Titre du roman d'Edouard Dujardin, La Dilettante, 1989.

filles perdues et femmes sauvées peuplent sans souci de discrimination les Contes grivois. *Sans compter que les plus perverses et les moins honorables ne sont pas celles que l'intolérance et l'hypocrisie du temps désignaient d'un doigt accusateur. Maupassant, grand amateur de Vénus rustiques (son poème* Des vers : Au bord de l'eau*), de Sirènes fluviales (son conte* Mouche*), d'Eves nouvelles (son roman* Notre cœur*), en doutait-il vraiment?*

En fait, peintre de la femme, analyste de l'amour, Maupassant l'a toujours été. D'abord dans ses romans, puisque tous s'attachent à en comprendre les signes ; dans un très grand nombre de contes ensuite, où s'ébattent tant de leurs figures. Rappelons-nous quelques-unes des quinze longues nouvelles de l'auteur (non reprises dans le présent volume). Au moins cinq d'entre elles dessinent des portraits de femmes et disent les plaisirs et les dangers de l'amour. Dangers fatals dans La Femme de Paul[1] *et* Le Champ d'oliviers[2] ; *plaisirs galants dans* La Maison Tellier *et* Les Sœurs Rondoli[3] ; *quant à l'héroïne de* Yvette[4] *(une « fille de fille »), avant même de connaître les plaisirs de l'amour, elle en découvre les dangers. Dans le présent recueil, d'autres contes répondent magnifiquement à ces nouvelles parisiennes, normandes ou méditerranéennes, comme si pavé, eau et soleil invitaient sans fin à la folie d'aimer. Pensons à* Une partie de campagne, *ces*

---

1. Dans le recueil *La Maison Tellier*, Le Livre de Poche.
2. Dans le recueil *L'Inutile Beauté*, à paraître dans Le Livre de Poche.
3. *Les Sœurs Rondoli*, Le Livre de Poche.
4. Dans le montage de contes bâti par Pierre Cogny autour de *Une partie de campagne*, G-F/Flammarion.

quelques pages qui démarrent comme les tristes Dimanches d'un bourgeois de Paris *pour finir, avec quels
regrets! comme* Une vie. *Oui, en raccourci, déjà
l'histoire d'un amour déçu et d'une vie ratée. Mais
aussi, miracle de l'art et illusion des rêves, le récit
triomphant d'un jour de noces, avec la nature tentatrice,
les jeux interdits et les sens torturés, le tout chahuté par
une eau qui caresse, éblouit et emporte. On comprend le
bonheur de Jean Renoir mettant en images — en noir et
blanc — cette lumineuse et fuyante journée. Pauvre
rossignol que la tendre et jolie Henriette, livrée aux
bâillements de piètres quincailliers, père et mari... Autre
conte superbe de canotiers :* Mouche, *l'un des plus
délicieux textes de Maupassant. Peut-être parce que nul
n'y possède personne : ni les cinq joyeux lurons* Mouche
*la délurée, ni cette « petite créature fluette, vive,
sautillante, blagueuse et pleine de drôlerie » l'enfant
aux « cinq papas » qu'elle eût tant voulu mettre au
monde. Qu'importe le malheur d'un jour puisque,
généreux menteurs, tous lui promettent : « Console-toi,
petite Mouche, console-toi, nous t'en ferons un autre. »
Souvenir si heureux du canotier sur la Seine, jeune
encore et resplendissant de santé, qu'avait été l'ami
Maupassant... Avec* Mouche, *peuvent être saluées*
Marroca *et* Allouma, *deux filles, non de l'onde mais
du sable, qui illustrent l'amour du désert et l'amour
dans le désert (ces deux nouvelles sont aussi de remar-
quables reportages africains.)* Marroca *l'Espagnole
aux allures de Carmen et* Allouma *la gazelle nomade
sont des beautés sauvages, se livrant sans jalousie ni
honte aux plaisirs de l'amour, à la joie des sens. Loin
de tout sentiment intéressé ou réfléchi, elles vont et*

*viennent librement, enchaînées un court moment à qui
elles ont choisi de « se prêter »... L'Inconnue ou
quand un homme, en proie au temps qui le hante, flâne
et flaire dans Paris. Comme cet aristocrate s'effraie à la
vue de « la tache noire », que porte entre les épaules une
femme-méduse, le voilà à jamais ensorcelé, envoûté et
menacé, tel le roi Salomon par la reine de Saba.
Repoussée, méprisée, implacablement la juive d'Orient a
sévi... Quant à l'héroïne de* La Serre, *Céleste la jeune
bonne d'un couple fatigué de propriétaires bretons, sans
s'en douter elle réchauffe à merveille « le pain rassis du
ménage », comme l'écrit joliment Louis Forestier*[1].
*Voilà un conte plutôt polisson, tout de sous-entendus et
d'images entrevues, qui en dit long sur les exemples à
recommander... On le voit, comme au bon vieux temps
(lire aussi* Jadis, *qui montre une aïeule, très XVIIIᵉ siècle, suggérer à sa petite-fille qu'il y a de grands risques
à confondre mariage et amour, que ce dernier d'ailleurs,
plaisir parmi les plaisirs, est aussi agréable au corps
que tendre au souvenir), gauloiseries, gaudrioles et
galanteries sont loin de toujours répondre à l'érotisation
de la mort. L'art de séduire, le bonheur d'être séduit
relèvent d'abord, chez Maupassant, d'un libre courant
de pensée.*

Licence et libertinage donc au pays des Liaisons
dangereuses *et de* Manon Lescaut. *Gisèle d'Estoc*[2]
*— la folle « Androgyne » qui fut sa maîtresse, sa
complice et sa confidente — en savait quelque chose :
Maupassant était un amateur de livres à « couvertures*

---

1. *Contes et nouvelles*, Gallimard/La Pléiade (2 volumes, 1974-
1979).
2. *Cahier d'amour*, Arléa, 1993.

muettes ». *Son « Enfer » fleurait le XVIIIᵉ siècle : y
régnaient le Marquis de Sade, Denis Diderot, Crébillon
fils, Choderlos de Laclos, l'Abbé Prévost, Rétif de la
Bretonne, Casanova... Sans oublier, venant d'autres
temps et d'autres mondes, le Brantôme des* Dames
galantes, *le Boccace du* Décaméron, *le Pétrone du*
Satiricon, *l'Apulée de* L'Ane d'or... *Tous des maîtres du « regard froid », selon l'expression chère à
Roger Vailland, lesquels en effet avaient peu de goût
pour la « valse tendre ». Maupassant était bien des
leurs, comme il était de la race des Rabelais, Montai-
gne, Molière et La Fontaine. Fidèle à la grande
tradition française, il cédait sans façon à la farce et à
la grivoiserie, sa nature comme sa culture le prédispo-
sant à de semblables joutes. Et puis, n'oublions pas
qu'au XIXᵉ siècle la littérature érotique était un genre
très fréquenté. S'y produisirent par exemple, sans plus
de retenue, Musset, Gautier, Baudelaire, Rimbaud et
Verlaine, tous poètes inspirés. Oublions, en revanche, la
piécette de salon,* A la feuille de rose, Maison
turque[1], *salut épicé rendu par Maupassant au « fi-
nale » de* L'Education sentimentale *de Flaubert.
On sait que le « fils élu » l'interpréta lui-même,
secondé à la tâche par de fidèles et coquins amis, dont
Octave Mirbeau (tous les rôles étaient tenus par des
hommes), devant un parterre choisi, composé en particulier des deux Gustave (Maupassant père et, bien sûr,
Flaubert), d'Edmond de Goncourt et de nobles courtisa-
nes... Tenons aussi pour négligeable le conte scatologi-
que* La Toux, *ici offert aux curieux, et jamais recueilli
en volume par l'auteur. Inconvenant en diable, composé*

---

1. *A la feuille de rose, Maison turque*, Encre, 1984.

sur le modèle des plaisanteries de salles de garde (militaires ou hospitalières), il se présente comme une lettre envoyée à un ami chroniqueur. Variations en fait sur l'art et la manière de « tousser ou d'éternuer » en duo (comme d'autres sur Le Lit, Le Baiser, Les Caresses), quand, une première nuit d'amour, on se connaît peu et on se plaît fort. L'esprit du Chat-Noir n'est pas loin... Allons, honni soit qui mal y pense ou qui mal s'y prend !

Restons sérieux. Il est temps de donner quelques précisions sur la bibliographie des quarante Contes grivois réunis ici dans l'ordre chronologique de leur parution dans la presse. Nous savons que Guy de Maupassant (1850-1893), pour composer un recueil de nouvelles, se contentait de puiser dans ses tiroirs un certain nombre de récits brefs, le plus souvent déjà publiés ici ou là. (Il appelait ça : « Vider son sac. ») Or les Contes grivois réservent une surprise : treize d'entre eux, soit le tiers, appartiennent à deux recueils, Mademoiselle Fifi (sept), Le Rosier de Mme Husson (six). Ce fait est si rare, dans les quinze volumes de nouvelles montés, entre 1881 et 1890, par l'auteur lui-même, qu'il changerait presque les deux titres en de véritables ensembles thématiques. Leurs dates de sortie paraissent aussi significatives : Mademoiselle Fifi a vu le jour en 1882, Le Rosier de Mme Husson en 1888. Ainsi, comme le montrent encore Monsieur Parent (quatre contes), paru en 1885, et Toine (quatre aussi), paru en 1886, Maupassant a-t-il édité, sinon écrit, autant de Contes grivois entre 1886 et 1890 qu'entre 1881 et 1885. Pareille fidélité au genre prouve, s'il en était besoin, que *notre auteur s'est plu, de recueil en recueil, à jouer avec de tels morceaux de bravoure. Manière, sans doute, de lancer un clin d'œil amusé, en dépit de tout (maladie et morale), à ses amours comme à ses lecteurs. Il a fallu qu'adviennent les mois inhumains de sa fin, cette catastrophe sur laquelle on a tant glosé, pour que — repos ou répression? — l'obsession sexuelle désertât l'homme. Fou, Maupassant n'a jamais été aussi sage... Lucide jusqu'à la prémonition, n'avait-il pas écrit dans* Au bord de l'eau *: « Nous hâtons sans répit cet amour qui nous mange. »; et plus tard à Zola : « Quant à moi [...] j'ai brûlé mes vaisseaux de façon à supprimer toute chance de retour »?*

Bien sûr, la mort était au rendez-vous. L'amour vénal, allégorie de la mort, avait la particularité, au XIXᵉ siècle, de convertir phtisie et syphilis en maladies littéraires. Bohèmes et dandies, dans leur refus d'une vie « honnête », en payèrent le prix, « la taxe du plaisir et du génie », susurrait Pierre Louÿs. L'imaginaire horrifié aidant, n'en va-t-il pas de même, aujourd'hui, pour le sida? Mais qu'en est-il exactement dans les Contes grivois? *Pas plus que le picaresque, le pathologique ne passionnait Maupassant. Quant au « mal noir », il le voyait trop dans la cruelle dépossession de l'existence pour le dépeindre dans les seuls corps défaits ou les seuls esprits déviants. Chez lui, bien avant Jean-Paul Sartre, la nausée n'est pas une maladie, c'est une clairvoyance. Et puis, la réserve qu'il manifestait sur sa vie intime, sur ses réjouissances personnelles, lui interdisait tout aveu comme toute condamnation. Seule son œuvre était du domaine public, et elle ne mettait en scène que la vision qu'il avait de tout et de tous. Fier, honnête et*

*courageux Maupassant... Non, rien de foncièrement
tragique ou morbide dans ces* Contes grivois. *Passant
à l'acte ou tentant d'y passer, contant encore comment on
réussit ou on rate la chose, les personnages, ainsi pris en
flagrant délit, paraissent souvent plus sympathiques
(moins féroces en tout cas) que ceux des « contes
farceurs ». Cas, anecdotes et variations multiplient les
jeux de rôle. La « petite amoureuse funéraire » par
exemple, oui la « sépulcrale chasseresse » du cimetière
Montmartre, dans* Les Tombales, *loin d'être repous-
sante, ne manque ni de charme ni d'à-propos. Certes,
faire le cimetière comme on fait le trottoir n'est guère
convenable, mais l'amour, la mort, l'argent, la vie
quoi! par les temps qui courent, ne laissent pas de
surprendre.*

Au bon lecteur comme au beau joueur, les Contes
grivois *donnent des goûts d'escapade. Saintes et pouli-
ches, braves et gandins, tous, à la mode du temps et sous
la plume de Maupassant, jouant à corps perdus,
célèbrent, de* Confidence *en* Confession, *les* Mots
d'amour. *Rien de bien méchant – à peine un cercle
vicieux – puisque, comme toujours avec l'auteur de* Un
coq chanta, *tout est vite fini, rien ne laisse de prise. A*
La Rouille *des jours, ces hommes et ces femmes, moins
enragés qu'on a bien voulu le dire, répondent par
quelque* Ruse. Imprudence *sans doute, mais aussi*
Revanche; *pas sauvés pour autant, ils sont seulement
ragaillardis un instant, voire réconfortés dans leur
altérité menacée, bafouée ou écornée. Laissons-les, ces
êtres qui se croient affranchis, badiner à leur aise.
Après tout, bonne ou bagnard, bonne et bagnard (c'est*
Rose, *un conte qui en dit long sur l'ambiguité des*

sexes, sur l'équivoque des sentiments), chacun reste seul
et multiple. Sans illusion sur les situations comme sur
les attitudes, Maupassant a écrit : « Multitude,
solitude, termes égaux et convertibles. ». Décadent ou
pas, il est bien un fils de cette seconde moitié du
XIXe siècle qui a été, comme l'ont tour à tour montré
Marie-Claire Bancquart[1] et Claude Mouchard[2], « un
grand désert d'hommes », hommes enfouis dans les
campagnes, ou étrangers dans la ville. A l'ennui
congénital et existentiel, historique en fin de compte,
Guy de Maupassant s'est acharné à opposer les plaisirs
compensateurs. Et puis, sensuel et provocateur, il ne
pouvait s'empêcher de chanter, comme le poète Jean
Richepin : « Amour de bourgeois, jardin d'invalide. »
Tout, en lui, paraît avoir été défi. C'est ce défi, cent
ans après sa mort, qui le rend si rare, si vrai et si
présent. Comme ses personnages, tous des antihéros
misérables et glorieux.

Georges BELLE.

1. *Images littéraires du Paris fin de siècle*, La Différence, 1979.
2. *Un grand désert d'hommes : 1851-1885*, Hatier, 1991.

Jadis

L E CHÂTEAU, DE STYLE ANCIEN, est sur une colline boisée ; de grands arbres l'entourent d'une verdure sombre, et le parc infini étend ses perspectives tantôt sur des profondeurs de forêt, tantôt sur les pays environnants. À quelques mètres de la façade se creuse un bassin de pierre où se baignent des dames de marbre ; d'autres bassins étagés se succèdent jusqu'au pied du coteau, et une source emprisonnée fait des cascades de l'un à l'autre. Du manoir, qui fait des grâces comme une coquette surannée, jusqu'aux grottes incrustées de coquillages, et où sommeillent des amours d'un autre siècle, tout en ce domaine antique a gardé la physionomie des vieux âges ; tout semble parler encore des coutumes anciennes, des mœurs d'autrefois, des galanteries passées et des élégances légères où s'exerçaient nos aïeules.

Dans un petit salon Louis XV, dont les murs sont couverts de bergers marivaudant avec des bergères, de belles dames en panier et des messieurs galants et frisés, une toute vieille femme, qui semble morte aussitôt qu'elle ne remue plus, est presque couchée dans un grand fauteuil et laisse pendre de chaque côté ses mains osseuses de momie. Son regard voilé se perd au loin par la campagne comme pour suivre

à travers le parc des visions de sa jeunesse. Un
souffle d'air, parfois, arrive par la fenêtre ouverte,
apporte des senteurs d'herbe et des parfums de
fleurs ; il fait voltiger ses cheveux blancs autour de
son front ridé et des souvenirs vieux dans son cœur.

À ses côtés, sur un tabouret de velours, une jeune
fille, aux longs cheveux blonds tressés sur le dos,
brode un ornement d'autel.

Elle a des yeux rêveurs, et, pendant que travail-
lent ses doigts agiles, on voit qu'elle songe.

Mais l'aïeule a tourné la tête.

« Berthe, dit-elle, lis-moi donc un peu les gazet-
tes, afin que je sache encore quelquefois ce qui se
passe en ce monde. » La jeune fille prit un journal
et le parcourut du regard :

« Il y a beaucoup de politique, grand-mère,
faut-il passer ?

— Oui, oui, mignonne. N'y a-t-il pas d'histoires
d'amour ? La galanterie est donc morte, en France,
qu'on ne parle plus d'enlèvements, ni de combats
pour les dames, ni d'aventures comme autrefois ! »

La jeune fille chercha longtemps.

« Voilà, dit-elle, c'est intitulé : "Drame
d'amour". »

La vieille femme sourit dans ses rides.

« Lis-moi cela », dit-elle.

Et Berthe commença.

C'était une histoire de vitriol. Une dame, pour se
venger de la maîtresse de son mari, lui avait brûlé
les deux yeux. Elle était sortie des assises acquittée,
innocentée, félicitée, aux applaudissements de la
foule.

L'aïeule s'agitait sur son siège et répétait :

« C'est affreux, mais c'est affreux, cela !
Trouve-moi donc autre chose, mignonne. »

Berthe chercha ; et plus loin, toujours aux tribunaux, se mit à lire : « Sombre drame ». Une jeune fille de vertu trop mûre s'était laissée choir tout à coup entre les bras d'un jeune homme, et, pour se venger de son amant dont le cœur était volage et la rente insuffisante, lui avait tiré à bout portant quatre coups de revolver.

Deux balles étaient demeurées dans la poitrine, une dans l'épaule, l'autre dans la hanche. Le monsieur resterait estropié toute sa vie. La jeune fille avait été acquittée aux applaudissements de la foule, et le journal maltraitait fort ce séducteur de vierges faciles.

Cette fois la vieille grand-mère se révolta tout à fait, et, la voix tremblante :

« Mais vous êtes donc fous aujourd'hui, vous êtes fous. Le bon Dieu vous a donné l'amour, la seule séduction de la vie ; l'homme y a mêlé la galanterie, la seule distraction de nos heures, et voilà que vous y mettez du vitriol et du revolver, comme on mettrait de la boue dans un flacon de vin d'Espagne ! »

Berthe ne paraissait pas comprendre l'indignation de son aïeule.

« Mais, grand-mère, cette femme s'est vengée. Songe donc, elle était mariée, et son mari la trompait. »

La grand-mère eut un soubresaut.

« Quelles idées vous donne-t-on, à vous autres, jeunes filles d'aujourd'hui ? »

Berthe répondit :

« Mais le mariage, c'est sacré, grand-mère. »

L'aïeule tressaillit en son cœur de femme née encore au grand siècle galant.

« C'est l'amour qui est sacré, dit-elle. Écoute,

fillette, une vieille qui a vécu trois générations et qui
en sait long, bien long sur les hommes et sur les
femmes. Le mariage et l'amour n'ont rien à voir
ensemble. On se marie pour fonder une famille, et
on forme une famille pour constituer la société. La
société ne peut pas se passer du mariage. Si la
société est une chaîne, chaque famille en est un
anneau.

« Pour souder ces anneaux-là, on cherche toujours les métaux pareils. Quand on se marie, il faut
unir les convenances, combiner les fortunes, join-
dre les races semblables, travailler pour l'intérêt
commun qui est la richesse et les enfants. On ne se
marie qu'une fois, fillette, et parce que le monde
l'exige ; mais on peut aimer vingt fois dans sa vie,
parce que la nature nous a faits ainsi. Le mariage !
c'est une loi, vois-tu, et l'amour, c'est un instinct qui
nous pousse tantôt à droite, tantôt à gauche. On a
fait des lois qui combattent nos instincts, il le
fallait ; mais les instincts toujours sont les plus forts,
et on a tort de leur résister, puisqu'ils viennent de
Dieu, tandis que les lois ne viennent que des
hommes.

« Si on ne poudrait pas la vie avec de l'amour, le
plus d'amour possible, mignonne, comme on met
du sucre dans les drogues pour les enfants, personne ne voudrait la prendre telle qu'elle est. »

Berthe, effarée, ouvrait ses grands yeux ; elle
murmura :

« Oh ! grand-mère, grand-mère, on ne peut aimer qu'une fois ! »

L'aïeule leva vers le ciel ses mains tremblantes
comme pour invoquer encore le dieu défunt des
galanteries.

Elle s'écria, indignée :

« Vous êtes devenus une race de vilains, une race du commun.

« Depuis la Révolution, le monde n'est plus reconnaissable. Vous avez mis de grands mots partout ; vous croyez à l'égalité et à la passion éternelle. Des gens ont fait des vers pour vous dire qu'on mourait d'amour. De mon temps on faisait des vers pour nous apprendre à aimer beaucoup. Quand un gentilhomme nous plaisait, fillette, on lui envoyait un page. Et quand il nous venait au cœur un nouveau caprice, on congédiait son dernier amant, à moins qu'on ne les gardât tous les deux. »

La jeune fille, toute pâle, balbutia :

« Alors les femmes n'avaient pas d'honneur ? »

La vieille bondit :

« Pas d'honneur ! parce qu'on aimait, qu'on osait le dire et même s'en vanter ? Mais, fillette, si une de nous, parmi les plus grandes dames de France, était demeurée sans amant, toute la cour en aurait ri. Et vous vous imaginez que vos maris n'aimeront que vous toute leur vie ? Comme si ça se pouvait, vraiment !

« Je te dis, moi, que le mariage est une chose nécessaire pour que la société vive, mais qu'il n'est pas dans la nature de notre race, entends-tu bien ? Il n'y a dans la vie qu'une bonne chose, c'est l'amour, et on veut nous en priver. On vous dit maintenant : "Il ne faut aimer qu'un homme", comme si on voulait me forcer à ne manger toute ma vie que du dindon. Et cet homme-là aura autant de maîtresses qu'il y a de mois dans l'année !

« Il suivra ses instincts galants, qui le poussent vers toutes les femmes, comme les papillons vont à toutes les fleurs ; et alors, moi, je sortirai par les

rues, avec du vitriol dans une bouteille, et j'aveugle-
rai les pauvres filles qui auront obéi à la volonté de
leur instinct ! Ce n'est pas sur lui que je me vengerai, mais sur elles ! Je ferai un monstre. Je ferai un
monstre d'une créature que le bon Dieu a faite
pour plaire, pour aimer et pour être aimée !

« Et votre société d'aujourd'hui, votre société de
manants, de bourgeois, de valets parvenus m'ap-
plaudira et m'acquittera. Je te dis que c'est infâme,
que vous ne comprenez pas l'amour ; et je suis
contente de mourir plutôt que de voir un monde
sans galanteries et des femmes qui ne savent plus
aimer.

« Vous prenez tout au sérieux à présent ; la
vengeance des drôlesses qui tuent leurs amants fait
verser des larmes de pitié aux douze bourgeois
réunis pour sonder les cœurs des criminels. Et voilà
votre sagesse, votre raison ? Les femmes tirent sur
les hommes et se plaignent qu'ils ne sont plus
galants ! »

La jeune fille prit en ses mains tremblantes les
mains ridées de la vieille :

« Tais-toi, grand-mère, je t'en supplie. » Et à
genoux, les larmes aux yeux, elle demandait au ciel
une grande passion, une seule passion éternelle,
selon le rêve nouveau des poètes romantiques,
tandis que l'aïeule la baisant au front, toute pénétrée encore de cette charmante et saine raison dont
les philosophes galants emplirent le XVIIIe siècle,
murmura :

« Prends garde, pauvre mignonne, si tu crois à
des folies pareilles, tu seras bien malheureuse. »

Une partie de campagne

ON AVAIT PROJETÉ DEPUIS CINQ MOIS d'aller déjeuner aux environs de Paris, le jour de la fête de Mme Dufour, qui s'appelait Pétronille. Aussi, comme on avait attendu cette partie impatiemment, s'était-on levé de fort bonne heure ce matin-là.

M. Dufour, ayant emprunté la voiture du laitier, conduisait lui-même. La carriole, à deux roues, était fort propre ; elle avait un toit supporté par quatre montants de fer où s'attachaient des rideaux qu'on avait relevés pour voir le paysage. Celui de derrière, seul, flottait au vent, comme un drapeau. La femme, à côté de son époux, s'épanouissait dans une robe de soie cerise extraordinaire. Ensuite, sur deux chaises, se tenaient une vieille grand-mère et une jeune fille. On apercevait encore la chevelure jaune d'un garçon qui, faute de siège, s'était étendu tout au fond, et dont la tête seule apparaissait.

Après avoir suivi l'avenue des Champs-Élysées et franchi les fortifications à la porte Maillot, on s'était mis à regarder la contrée.

En arrivant au pont de Neuilly, M. Dufour avait dit : « Voici la campagne, enfin ! » et sa femme, à ce signal, s'était attendrie sur la nature.

Au rond-point de Courbevoie, une admiration

les avait saisis devant l'éloignement des horizons. À droite, là-bas, c'était Argenteuil, dont le clocher se dressait ; au-dessus apparaissaient les buttes de Sannois et le moulin d'Orgemont. À gauche, l'aqueduc de Marly se dessinait sur le ciel clair du matin, et l'on apercevait aussi, de loin, la terrasse de Saint-Germain ; tandis qu'en face, au bout d'une chaîne de collines, des terres remuées indiquaient le nouveau fort de Cormeilles. Tout au fond, dans un reculement formidable, par-dessus des plaines et des villages, on entrevoyait une sombre verdure de forêts.

Le soleil commençait à brûler les visages ; la poussière emplissait les yeux continuellement, et, des deux côtés de la route, se développait une campagne interminablement nue, sale et puante. On eût dit qu'une lèpre l'avait ravagée, qui rongeait jusqu'aux maisons, car des squelettes de bâtiments défoncés et abandonnés, ou bien des petites cabanes inachevées, faute de payement aux entrepreneurs, tendaient leurs quatre murs sans toit.

De loin en loin, poussaient dans le sol stérile de longues cheminées de fabrique, seule végétation de ces champs putrides où la brise du printemps promenait un parfum de pétrole et de schiste mêlé à une autre odeur moins agréable encore.

Enfin, on avait traversé la Seine une seconde fois, et, sur le pont, ç'avait été un ravissement. La rivière éclatait de lumière ; une buée s'en élevait, pompée par le soleil, et l'on éprouvait une quiétude douce, un rafraîchissement bienfaisant à respirer enfin un air plus pur qui n'avait point balayé la fumée noire des usines ou les miasmes des dépotoirs.

Un homme qui passait avait nommé le pays : Bezons.

La voiture s'arrêta, et M. Dufour se mit à lire l'enseigne engageante d'une gargote : « Restaurant Poulin, matelotes et fritures, cabinets de société, bosquets et balançoires. Eh bien ! madame Dufour, cela te va-t-il ? Te décideras-tu à la fin ? »

La femme lut à son tour : « Restaurant Poulin, matelotes et fritures, cabinets de société, bosquets et balançoires. » Puis elle regarda la maison longuement.

C'était une auberge de campagne, blanche, plantée au bord de la route. Elle montrait, par la porte ouverte, le zinc brillant du comptoir devant lequel se tenaient deux ouvriers endimanchés.

À la fin, Mme Dufour se décida : « Oui, c'est bien, dit-elle ; et puis il y a de la vue. » La voiture entra dans un vaste terrain planté de grands arbres qui s'étendaient derrière l'auberge et qui n'était séparé de la Seine que par le chemin de halage.

Alors on descendit. Le mari sauta le premier, puis ouvrit les bras pour recevoir sa femme. Le marchepied, tenu par deux branches de fer, était très loin, de sorte que, pour l'atteindre, Mme Dufour dut laisser voir le bas d'une jambe dont la finesse primitive disparaissait à présent sous un envahissement de graisse tombant des cuisses.

M. Dufour, que la campagne émoustillait déjà, lui pinça vivement le mollet, puis, la prenant sous les bras, la déposa lourdement à terre, comme un énorme paquet.

Elle tapa avec la main sa robe de soie pour en faire tomber la poussière, puis regarda l'endroit où elle se trouvait.

C'était une femme de trente-six ans environ, forte en chair, épanouie et réjouissante à voir. Elle respirait avec peine, étranglée violemment par

l'étreinte de son corset trop serré ; et la pression de
cette machine rejetait jusque dans son double
menton la masse fluctuante de sa poitrine surabon-
dante.

La jeune fille ensuite, posant la main sur l'épaule
de son père, sauta légèrement toute seule. Le
garçon aux cheveux jaunes était descendu en
mettant un pied sur la roue, et il aida M. Dufour à
décharger la grand-mère.

Alors on dételé le cheval, qui fut attaché à un
arbre ; et la voiture tomba sur le nez, les deux
brancards à terre. Les hommes, ayant retiré leurs
redingotes, se lavèrent les mains dans un seau
d'eau, puis rejoignirent leurs dames installées déjà
sur les escarpolettes.

Mlle Dufour essayait de se balancer debout, toute
seule, sans parvenir à se donner un élan suffisant.
C'était une belle fille de dix-huit à vingt ans ; une
de ces femmes dont la rencontre dans la rue vous
fouette d'un désir subit, et vous laisse jusqu'à la nuit
une inquiétude vague et un soulèvement des sens.
Grande, mince de taille et large des hanches, elle
avait la peau très brune, les yeux très grands, les
cheveux très noirs. Sa robe dessinait nettement les
plénitudes fermes de sa chair qu'accentuaient encore les efforts des reins qu'elle faisait pour s'enlever. Ses bras tendus tenaient les cordes au-dessus de
sa tête, de sorte que sa poitrine se dressait, sans une
secousse, à chaque impulsion qu'elle donnait. Son
chapeau, emporté par un coup de vent, était tombé
derrière elle ; et l'escarpolette peu à peu se lançait,
montrant à chaque retour ses jambes fines jusqu'au
genou, et jetant à la figure des deux hommes, qui
la regardaient en riant, l'air de ses jupes, plus
capiteux que les vapeurs du vin.

Assise sur l'autre balançoire, Mme Dufour gémissait d'une façon monotone et continue : « Cyprien, viens me pousser ; viens donc me pousser, Cyprien ! » À la fin, il y alla et, ayant retroussé les manches de sa chemise, comme avant d'entreprendre un travail, il mit sa femme en mouvement avec une peine infinie.

Cramponnée aux cordes, elle tenait ses jambes droites, pour ne point rencontrer le sol, et elle jouissait d'être étourdie par le va-et-vient de la machine. Ses formes, secouées, tremblotaient continuellement comme de la gelée sur un plat. Mais, comme les élans grandissaient, elle fut prise de vertige et de peur. À chaque descente, elle poussait un cri perçant qui faisait accourir tous les gamins du pays ; et là-bas, devant elle, au-dessus de la haie du jardin, elle apercevait vaguement une garniture de têtes polissonnes que des rires faisaient grimacer diversement.

Une servante étant venue, on commanda le déjeuner.

« Une friture de Seine, un lapin sauté, une salade et du dessert », articula Mme Dufour, d'un air important. « Vous apporterez deux litres et une bouteille de bordeaux », dit son mari. « Nous dînerons sur l'herbe », ajouta la jeune fille.

La grand-mère, prise de tendresse à la vue du chat de la maison, le poursuivait depuis dix minutes en lui prodiguant inutilement les plus douces appellations. L'animal, intérieurement flatté sans doute de cette attention, se tenait toujours tout près de la main de la bonne femme, sans se laisser atteindre cependant, et faisait tranquillement le tour des arbres, contre lesquels il se frottait, la queue dressée, avec un petit ronron de plaisir.

« Tiens ! cria tout à coup le jeune homme aux
cheveux jaunes qui furetait dans le terrain, en voilà
des bateaux qui sont chouet ! » On alla voir. Sous
un petit hangar en bois étaient suspendues deux
superbes yoles de canotiers, fines et travaillées
comme des meubles de luxe. Elles reposaient côte
à côte, pareilles à deux grandes filles minces, en
leur longueur étroite et reluisante, et donnaient
envie de filer sur l'eau par les belles soirées douces
ou les claires matinées d'été, de raser les berges
fleuries où des arbres entiers trempent leurs branches dans l'eau, où tremblote l'éternel frisson des
roseaux et d'où s'envolent, comme des éclairs bleus,
de rapides martins-pêcheurs.

Toute la famille, avec respect, les contemplait.
« Oh ! ça, oui, c'est chouet », répéta gravement
M. Dufour. Et il les détaillait en connaisseur. Il avait
canoté, lui aussi, dans son jeune temps, disait-il ;
voire même qu'avec ça dans la main – et il faisait le
geste de tirer sur les avirons – il se fichait de tout le
monde. Il avait rossé en course plus d'un Anglais,
jadis, à Joinville ; et il plaisanta sur le mot *dames*,
dont on désigne les deux montants qui retiennent
les avirons, disant que les canotiers, et pour cause,
ne sortaient jamais sans leurs *dames*. Il s'échauffait
en pérorant et proposait obstinément de parier
qu'avec un bateau comme ça, il ferait six lieues à
l'heure sans se presser.

« C'est prêt », dit la servante qui apparut à l'entrée. On se précipita ; mais voilà qu'à la meilleure
place, qu'en son esprit Mme Dufour avait choisie
pour s'installer, deux jeunes gens déjeunaient déjà.
C'étaient les propriétaires des yoles, sans doute, car
ils portaient le costume des canotiers.

Ils étaient étendus sur des chaises, presque couchés. Ils avaient la face noircie par le soleil et la
poitrine couverte seulement d'un mince maillot de
coton blanc qui laissait passer leurs bras nus, robustes comme ceux des forgerons. C'étaient deux
solides gaillards, posant beaucoup pour la vigueur,
mais qui montraient en tous leurs mouvements
cette grâce élastique des membres qu'on acquiert
par l'exercice, si différente de la déformation
qu'imprime à l'ouvrier l'effort pénible, toujours le
même.

Ils échangèrent rapidement un sourire en voyant
la mère, puis un regard en apercevant la fille.
« Donnons notre place, dit l'un, ça nous fera faire
connaissance. » L'autre aussitôt se leva et, tenant à
la main sa toque mi-partie rouge et mi-partie noire,
il offrit chevaleresquement de céder aux dames le
seul endroit du jardin où ne tombât point le soleil.
On accepta en se confondant en excuses ; et pour
que ce fût plus champêtre, la famille s'installa sur
l'herbe sans table ni sièges.

Les deux jeunes gens portèrent leur couvert
quelques pas plus loin et se remirent à manger.
Leurs bras nus, qu'ils montraient sans cesse, gênaient un peu la jeune fille. Elle affectait même de
tourner la tête et de ne point les remarquer, tandis
que Mme Dufour, plus hardie, sollicitée par une
curiosité féminine qui était peut-être du désir, les
regardait à tout moment, les comparant sans doute
avec regret aux laideurs secrètes de son mari.

Elle s'était éboulée sur l'herbe, les jambes pliées
à la façon des tailleurs, et elle se trémoussait
continuellement, sous prétexte que des fourmis lui
étaient entrées quelque part. M. Dufour, rendu
maussade par la présence et l'amabilité des étran-

gers, cherchait une position commode qu'il ne trouva pas du reste, et le jeune homme aux cheveux jaunes mangeait silencieusement comme un ogre.

« Un bien beau temps, monsieur », dit la grosse dame à l'un des canotiers. Elle voulait être aimable à cause de la place qu'ils avaient cédée. « Oui, madame, répondit-il ; venez-vous souvent à la campagne ?

— Oh ! une fois ou deux par an seulement, pour prendre l'air ; et vous, monsieur ?

— J'y viens coucher tous les soirs.

— Ah ! ça doit être bien agréable ?

— Oui, certainement, madame. »

Et il raconta sa vie de chaque jour, poétiquement, de façon à faire vibrer dans le cœur de ces bourgeois privés d'herbe et affamés de promenades aux champs cet amour bête de la nature qui les hante toute l'année derrière le comptoir de leur boutique.

La jeune fille, émue, leva les yeux et regarda le canotier. M. Dufour parla pour la première fois. « Ça, c'est une vie », dit-il. Il ajouta : « Encore un peu de lapin, ma bonne. — Non, merci, mon ami. »

Elle se tourna de nouveau vers les jeunes gens, et, montrant leurs bras : « Vous n'avez jamais froid comme ça ? » dit-elle.

Ils se mirent à rire tous les deux, et ils épouvantèrent la famille par le récit de leurs fatigues prodigieuses, de leurs bains pris en sueur, de leurs courses dans le brouillard des nuits ; et ils tapèrent violemment sur leur poitrine pour montrer quel son ça rendait. « Oh ! vous avez l'air solides », dit le mari qui ne parlait plus du temps où il rossait les Anglais.

La jeune fille les examinait de côté maintenant ; et le garçon aux cheveux jaunes, ayant bu de travers, toussa éperdument, arrosant la robe de soie cerise de la patronne qui se fâcha et fit apporter de l'eau pour laver les taches.

Cependant, la température devenait terrible. Le fleuve étincelant semblait un foyer de chaleur, et les fumées du vin troublaient les têtes.

M. Dufour, que secouait un hoquet violent, avait déboutonné son gilet et le haut de son pantalon ; tandis que sa femme, prise de suffocations, dégrafait sa robe peu à peu. L'apprenti balançait d'un air gai sa tignasse de lin et se versait à boire coup sur coup. La grand-mère, se sentant grise, se tenait fort raide et fort digne. Quant à la jeune fille, elle ne laissait rien paraître ; son œil seul s'allumait vaguement, et sa peau très brune se colorait aux joues d'une teinte plus rose.

Le café les acheva. On parla de chanter et chacun dit son couplet, que les autres applaudirent avec frénésie. Puis on se leva difficilement, et, pendant que les deux femmes, étourdies, respiraient, les deux hommes, tout à fait pochards, faisaient de la gymnastique. Lourds, flasques, et la figure écarlate, ils se pendaient gauchement aux anneaux sans parvenir à s'enlever ; et leurs chemises menaçaient continuellement d'évacuer leurs pantalons pour battre au vent comme des étendards.

Cependant les canotiers avaient mis leurs yoles à l'eau et ils revenaient avec politesse proposer aux dames une promenade sur la rivière.

« Monsieur Dufour, veux-tu ? je t'en prie ! » cria sa femme. Il la regarda d'un air d'ivrogne sans comprendre. Alors un canotier s'approcha, deux lignes de pêcheur à la main. L'espérance de prendre du goujon, cet idéal des boutiquiers, alluma les yeux mornes du bonhomme, qui permit tout ce qu'on voulut, et s'installa à l'ombre sous le pont, les pieds ballants au-dessus du fleuve, à côté du jeune homme aux cheveux jaunes qui s'endormit auprès de lui.

Un des canotiers se dévoua : il prit la mère. « Au petit bois de l'île aux Anglais ! » cria-t-il en s'éloignant.

L'autre yole s'en alla plus doucement. Le rameur regardait tellement sa compagne qu'il ne pensait plus à autre chose, et une émotion l'avait saisi qui paralysait sa vigueur.

La jeune fille, assise dans le fauteuil du barreur, se laissait aller à la douceur d'être sur l'eau. Elle se sentait prise d'un renoncement de pensée, d'une quiétude de ses membres, d'un abandonnement d'elle-même, comme envahie par une ivresse multiple. Elle était devenue fort rouge, avec une respiration courte. Les étourdissements du vin, développés par la chaleur torrentielle qui ruisselait autour d'elle, faisaient saluer sur son passage tous les arbres de la berge. Un besoin vague de jouissance, une fermentation du sang parcouraient sa chair excitée par les ardeurs de ce jour ; et elle était aussi troublée dans ce tête-à-tête sur l'eau, au milieu de ce pays dépeuplé par l'incendie du ciel, avec ce jeune homme qui la trouvait belle, dont l'œil lui baisait la peau, et dont le désir était pénétrant comme le soleil.

Leur impuissance à parler augmentait leur émotion, et ils regardaient les environs. Alors, faisant un effort, il lui demanda son nom. « Henriette », dit-elle. « Tiens ! moi je m'appelle Henri », reprit-il.

Le son de leur voix les avait calmés ; ils s'intéressèrent à la rive. L'autre yole s'était arrêtée et paraissait les attendre. Celui qui la montait cria :

« Nous vous rejoindrons dans le bois ; nous allons jusqu'à Robinson, parce que madame a soif. » Puis il se coucha sur les avirons et s'éloigna si rapidement qu'on cessa bientôt de le voir.

Cependant un grondement continu qu'on distinguait vaguement depuis quelque temps s'approchait très vite. La rivière elle-même semblait frémir comme si le bruit sourd montait de ses profondeurs.

« Qu'est-ce qu'on entend ? » demanda-t-elle. C'était la chute du barrage qui coupait le fleuve en deux à la pointe de l'île. Lui se perdait dans une explication lorsque, à travers le fracas de la cascade, un chant d'oiseau qui semblait très lointain les frappa. « Tiens ! dit-il, les rossignols chantent dans le jour : c'est donc que les femelles couvent. »

Un rossignol ! Elle n'en avait jamais entendu, et l'idée d'en écouter un fit se lever dans son cœur la vision des poétiques tendresses. Un rossignol ! c'est-à-dire l'invisible témoin des rendez-vous d'amour qu'invoquait Juliette sur son balcon ; cette musique du ciel accordée aux baisers des hommes ; cet éternel inspirateur de toutes les romances langoureuses qui ouvrent un idéal bleu aux pauvres petits cœurs des fillettes attendries !

Elle allait donc entendre un rossignol.

« Ne faisons pas de bruit, dit son compagnon, nous pourrons descendre dans le bois et nous asseoir tout près de lui. »

La yole semblait glisser. Des arbres se montrèrent sur l'île, dont la berge était si basse que les yeux plongeaient dans l'épaisseur des fourrés. On s'arrêta ; le bateau fut attaché, et, Henriette s'appuyant sur le bras de Henri, ils s'avancèrent entre les branches. « Courbez-vous », dit-il. Elle se courba, et ils pénétrèrent dans un inextricable fouillis de lianes, de feuilles et de roseaux, dans un asile introuvable qu'il fallait connaître et que le jeune homme appelait en riant « son cabinet particulier ».

Juste au-dessus de leur tête, perché dans un des arbres qui les abritaient, l'oiseau s'égosillait toujours. Il lançait des trilles et des roulades, puis filait de grands sons vibrants qui emplissaient l'air et semblaient se perdre à l'horizon, se déroulant le long du fleuve et s'envolant au-dessus des plaines, à travers le silence de feu qui appesantissait la campagne.

Ils ne parlaient pas de peur de le faire fuir. Ils étaient assis l'un près de l'autre, et, lentement, le bras de Henri fit le tour de la taille de Henriette et l'enserra d'une pression douce. Elle prit, sans colère, cette main audacieuse, et elle l'éloignait sans cesse à mesure qu'il la rapprochait, n'éprouvant du reste aucun embarras de cette caresse, comme si c'eût été une chose toute naturelle qu'elle repoussait aussi naturellement.

Elle écoutait l'oiseau, perdue dans une extase. Elle avait des désirs infinis de bonheur, des tendresses brusques qui la traversaient, des révélations de poésies surhumaines, et un tel amollissement des nerfs et du cœur, qu'elle pleurait sans savoir pourquoi. Le jeune homme la serrait contre lui maintenant ; elle ne le repoussait plus, n'y pensant pas.

Le rossignol se tut soudain. Une voix éloignée cria : « Henriette ! »

« Ne répondez point, dit-il tout bas, vous feriez envoler l'oiseau. »

Elle ne songeait guère non plus à répondre.

Ils restèrent quelque temps ainsi. Mme Dufour s'était assise quelque part, car on entendait vaguement, de temps en temps, les petits cris de la grosse dame que lutinait sans doute l'autre canotier.

La jeune fille pleurait toujours, pénétrée de sensations très douces, la peau chaude et piquée partout de chatouillements inconnus. La tête de Henri était sur son épaule ; et, brusquement, il la baisa sur les lèvres. Elle eut une révolte furieuse et, pour l'éviter, se rejeta sur le dos. Mais il s'abattit sur elle, la couvrant de tout son corps. Il poursuivit longtemps cette bouche qui le fuyait, puis, la joignant, y attacha la sienne. Alors affolée par un désir formidable, elle lui rendit son baiser en l'étreignant sur sa poitrine, et toute sa résistance s'abattit comme écrasée par un poids trop lourd.

Tout était calme aux environs. L'oiseau se remit à chanter. Il jeta d'abord trois notes pénétrantes qui semblaient un appel d'amour, puis, après un silence d'un moment, il commença d'une voix affaiblie des modulations très lentes.

Une brise molle glissa, soulevant un murmure de feuilles, et dans la profondeur des branches passaient deux soupirs ardents qui se mêlaient au chant du rossignol et au souffle léger du bois.

Une ivresse envahissait l'oiseau, et sa voix, s'accélérant peu à peu comme un incendie qui s'allume ou une passion qui grandit, semblait accompagner sous l'arbre un crépitement de baisers. Puis le délire de son gosier se déchaînait éperdument. Il avait des pâmoisons prolongées sur un trait, de grands spasmes mélodieux.

Quelquefois il se reposait un peu, filant seulement deux ou trois sons légers qu'il terminait soudain par une note suraiguë. Ou bien il partait d'une course affolée, avec des jaillissements de gammes, des frémissements, des saccades, comme un chant d'amour furieux, suivi par des cris de triomphe.

Mais il se tut, écoutant sous lui un gémissement tellement profond qu'on l'eût pris pour l'adieu d'une âme. Le bruit s'en prolongea quelque temps et s'acheva dans un sanglot.

Ils étaient bien pâles, tous les deux, en quittant leur lit de verdure. Le ciel bleu leur paraissait obscurci ; l'ardent soleil était éteint pour leurs yeux ; ils s'apercevaient de la solitude et du silence. Ils marchaient rapidement l'un près de l'autre, sans se parler, sans se toucher, car ils semblaient devenus ennemis irréconciliables, comme si un dégoût se fût élevé entre leurs corps, une haine entre leurs esprits.

De temps à autre, Henriette criait : « Maman ! »

Un tumulte se fit sous un buisson. Henri crut voir une jupe blanche qu'on rabattait vite sur un gros mollet ; et l'énorme dame apparut, un peu confuse et plus rouge encore, l'œil très brillant et la poitrine orageuse, trop près peut-être de son voisin. Celui-ci devait avoir vu des choses bien drôles, car sa figure était sillonnée de rires subits qui la traversaient malgré lui.

Mme Dufour prit son bras d'un air tendre, et l'on regagna les bateaux. Henri, qui marchait devant, toujours muet à côté de la jeune fille, crut distinguer tout à coup comme un gros baiser qu'on étouffait.

Enfin l'on revint à Bezons.

M. Dufour, dégrisé, s'impatientait. Le jeune homme aux cheveux jaunes mangeait un morceau avant de quitter l'auberge. La voiture était attelée dans la cour, et la grand-mère, déjà montée, se désolait parce qu'elle avait peur d'être prise par la nuit dans la plaine, les environs de Paris n'étant pas sûrs.

On se donna des poignées de main, et la famille Dufour s'en alla. « Au revoir ! » criaient les canotiers. Un soupir et une larme leur répondirent.

Deux mois après, comme il passait rue des Martyrs, Henri lut sur une porte : Dufour, quincaillier.

Il entra.

La grosse dame s'arrondissait au comptoir. On se reconnut aussitôt, et, après mille politesses, il demanda des nouvelles. « Et mademoiselle Henriette, comment va-t-elle ?

— Très bien, merci ; elle est mariée.

— Ah !... »

Une émotion l'étreignit ; il ajouta :

« Et... avec qui ?

— Mais avec le jeune homme qui nous accompagnait, vous savez bien ; c'est lui qui prend la suite.

— Oh ! parfaitement. »

Il s'en allait fort triste, sans trop savoir pourquoi. Mme Dufour le rappela.

« Et votre ami ? dit-elle timidement.

— Mais il va bien.

— Faites-lui nos compliments, n'est-ce pas ; et quand il passera, dites-lui donc de venir nous voir... »

Elle rougit fort, puis ajouta : « Ça me fera bien plaisir ; dites-lui.

— Je n'y manquerai pas. Adieu !

— Non... à bientôt ! »

L'année suivante, un dimanche qu'il faisait très chaud, tous les détails de cette aventure, que Henri

n'avait jamais oubliée, lui revinrent subitement, si
nets et si désirables, qu'il retourna tout seul à leur
chambre dans le bois.

Il fut stupéfait en entrant. Elle était là, assise sur
l'herbe, l'air triste, tandis qu'à son côté, toujours en
manches de chemise, son mari, le jeune homme
aux cheveux jaunes, dormait consciencieusement
comme une brute.

Elle devint si pâle en voyant Henri qu'il crut
qu'elle allait défaillir. Puis ils se mirent à causer
naturellement, de même que si rien ne se fût passé
entre eux.

Mais comme il lui racontait qu'il aimait beaucoup cet endroit et qu'il y venait souvent se reposer,
le dimanche, en songeant à bien des souvenirs, elle
le regarda longuement dans les yeux.

« Moi, j'y pense tous les soirs, dit-elle.

– Allons, ma bonne, reprit en bâillant son mari,
je crois qu'il est temps de nous en aller. »

Le gâteau

DISONS QU'ELLE S'APPELAIT Mme ANSERRE, pour qu'on ne découvre point son vrai nom.

C'était une de ces comètes parisiennes qui laissent comme une traînée de feu derrière elles. Elle faisait des vers et des nouvelles, avait le cœur poétique et était belle à ravir. Elle recevait peu, rien que des gens hors ligne, de ceux qu'on appelle communément les princes de quelque chose. Être reçu chez elle constituait un titre, un vrai titre d'intelligence ; du moins on appréciait ainsi ses invitations.

Son mari jouait le rôle de satellite obscur. Être l'époux d'un astre n'est point chose aisée. Celui-là cependant avait eu une idée forte, celle de créer un État dans l'État, de posséder son mérite à lui, mérite de second ordre, il est vrai ; mais enfin, de cette façon, les jours où sa femme recevait, il recevait aussi ; il avait son public spécial qui l'appréciait, l'écoutait, lui prêtait plus d'attention qu'à son éclatante compagne.

Il s'était adonné à l'agriculture ; à l'agriculture en chambre. Il y a comme cela des généraux en chambre, – tous ceux qui naissent, vivent et meurent sur les ronds de cuir du ministère de la Guerre, ne le sont-ils pas ? – des marins en chambre, voir au

ministère de la Marine, – des colonisateurs en
chambre, etc., etc. Il avait donc étudié l'agriculture,
mais il l'avait étudiée profondément, dans ses
rapports avec les autres sciences, avec l'économie
politique, avec les arts, – on met les arts à toutes les
sauces, puisqu'on appelle bien « travaux d'art » les
horribles ponts des chemins de fer. Enfin, il était
arrivé à ce qu'on dît de lui : « C'est un homme fort. »
On le citait dans les revues techniques ; sa femme
avait obtenu qu'il fût nommé membre d'une commission au ministère de l'Agriculture.

Cette gloire modeste lui suffisait.

Sous prétexte de diminuer les frais, il invitait ses
amis le jour où sa femme recevait les siens, de sorte
qu'on se mêlait, ou plutôt non, on formait deux
groupes. Madame, avec son escorte d'artistes,
d'académiciens, de ministres, occupait une sorte de
galerie, meublée et décorée dans le style Empire.
Monsieur se retirait généralement avec ses laboureurs dans une pièce plus petite, servant de fumoir,
et que Mme Anserre appelait ironiquement le salon
de l'Agriculture.

Les deux camps étaient bien tranchés. Monsieur,
sans jalousie, d'ailleurs, pénétrait quelquefois dans
l'Académie, et des poignées de main cordiales
étaient échangées ; mais l'Académie dédaignait
infiniment le salon de l'Agriculture, et il était rare
qu'un des princes de la science, de la pensée ou
d'autre chose se mêlât aux laboureurs.

Ces réceptions se faisaient sans frais : un thé, une
brioche, voilà tout. Monsieur, dans les premiers
temps, avait réclamé deux brioches, une pour
l'Académie, une pour les laboureurs ; mais Madame ayant justement observé que cette manière
d'agir semblerait indiquer deux camps, deux

réceptions, deux partis, Monsieur n'avait point insisté ; de sorte qu'on ne servait qu'une seule brioche, dont Mme Anserre faisait d'abord les honneurs à l'Académie et qui passait ensuite dans le salon de l'Agriculture.

Or, cette brioche fut bientôt, pour l'Académie, un sujet d'observations des plus curieuses. Mme Anserre ne la découpait jamais elle-même. Ce rôle revenait toujours à l'un ou l'autre des illustres invités. Cette fonction particulière, spécialement honorable et recherchée, durait plus ou moins longtemps pour chacun : tantôt trois mois, rarement plus ; et l'on remarqua que le privilège de « découper la brioche » semblait entraîner avec lui une foule d'autres supériorités, une sorte de royauté ou plutôt de vice-royauté très accentuée.

Le découpeur régnant avait le verbe plus haut, un ton de commandement marqué ; et toutes les faveurs de la maîtresse de maison étaient pour lui, toutes.

On appelait ces heureux dans l'intimité, à mi-voix, derrière les portes, les « favoris de la brioche », et chaque changement de favori amenait dans l'Académie une sorte de révolution. Le couteau était un sceptre, la pâtisserie un emblème ; on félicitait les élus. Les laboureurs jamais ne découpaient la brioche. Monsieur lui-même était toujours exclu, bien qu'il en mangeât sa part.

La brioche fut successivement taillée par des poètes, par des peintres et des romanciers. Un grand musicien mesura les portions pendant quelque temps, un ambassadeur lui succéda. Quelquefois, un homme moins connu, mais élégant et recherché, un de ceux qu'on appelle, suivant les époques, vrai gentleman, ou parfait cavalier, ou dandy, ou autrement, s'assit à son tour devant le gâteau symbolique. Chacun d'eux, pendant son règne éphémère, témoignait à l'époux une considération plus grande ; puis quand l'heure de sa chute était venue, il passait à un autre le couteau et se mêlait de nouveau dans la foule des suivants et admirateurs de la « belle Mme Anserre ».

Cet état de choses dura longtemps, longtemps ; mais les comètes ne brillent pas toujours du même éclat. Tout vieillit par le monde. On eût dit, peu à peu, que l'empressement des découpeurs s'affaiblissait ; ils semblaient hésiter parfois, quand on leur tendait le plat ; cette charge jadis tant enviée devenait moins sollicitée ; on la conservait moins longtemps ; on en paraissait moins fier. Mme Anserre prodiguait les sourires et les amabilités ; hélas ! on ne coupait plus volontiers. Les nouveaux venus semblaient s'y refuser. Les « anciens favoris » reparurent un à un comme des princes détrônés qu'on replace un instant au pouvoir. Puis, les élus devinrent rares, tout à fait rares. Pendant un mois, ô prodige, M. Anserre ouvrit le gâteau ; puis il eut l'air de s'en lasser ; et l'on vit un soir Mme Anserre, la belle Mme Anserre, découper elle-même.

Mais cela paraissait l'ennuyer beaucoup ; et le lendemain, elle insista si fort auprès d'un invité qu'il n'osa point refuser.

Le symbole était trop connu cependant ; on se regardait en dessous avec des mines effarées, anxieuses. Couper la brioche n'était rien, mais les privilèges auxquels cette faveur avait toujours donné droit épouvantaient maintenant ; aussi, dès que paraissait le plateau, les académiciens passaient pêle-mêle dans le salon de l'Agriculture comme pour se mettre à l'abri derrière l'époux qui souriait sans cesse. Et quand Mme Anserre, anxieuse, se montrait sur la porte avec la brioche d'une main et le couteau de l'autre, tous semblaient se ranger autour de son mari comme pour lui demander protection.

Des années encore passèrent. Personne ne découpait plus ; mais par suite d'une vieille habitude invétérée, celle qu'on appelait toujours galamment la « belle Mme Anserre » cherchait de l'œil, à chaque soirée, un dévoué qui prît le couteau, et chaque fois le même mouvement se produisait autour d'elle : une fuite générale, habile, pleine de manœuvres combinées et savantes, pour éviter l'offre qui lui venait aux lèvres.

Or, voilà qu'un soir on présenta chez elle un tout jeune homme, un innocent et un ignorant. Il ne connaissait pas le mystère de la brioche ; aussi lorsque parut le gâteau, lorsque chacun s'enfuit, lorsque Mme Anserre prit des mains du valet le plateau et la pâtisserie, il resta tranquillement près d'elle.

Elle crut peut-être qu'il savait ; elle sourit, et, d'une voix émue :

« Voulez-vous, cher monsieur, être assez aimable pour découper cette brioche ? »

Il s'empressa, ôta ses gants, ravi de l'honneur.

« Mais comment donc, madame, avec le plus grand plaisir. »

Au loin, dans les coins de la galerie, dans l'encadrement de la porte ouverte sur le salon des laboureurs, des têtes stupéfaites regardaient. Puis, lorsqu'on vit que le nouveau venu découpait sans hésitation, on se rapprocha vivement.

Un vieux poète plaisant frappa sur l'épaule du néophyte :

« Bravo ! jeune homme », lui dit-il à l'oreille.

On le considérait curieusement. L'époux lui-même parut surpris. Quant au jeune homme, il s'étonnait de la considération qu'on semblait soudain lui montrer, il ne comprenait point surtout les gracieusetés marquées, la faveur évidente et l'espèce de reconnaissance muette que lui témoignait la maîtresse de la maison.

Il paraît cependant qu'il finit par comprendre.

À quel moment, en quel lieu la révélation lui fut-elle faite ? On l'ignore ; mais quand il reparut à la soirée suivante, il avait l'air préoccupé, presque honteux, et regardait avec inquiétude autour de lui. L'heure du thé sonna. Le valet parut. Mme Anserre, souriante, saisit le plat, chercha des yeux son jeune ami ; mais il avait fui si vite qu'il n'était déjà plus là. Alors elle partit à sa recherche et le retrouva bientôt tout au fond du salon des laboureurs. Lui, le bras passé sous le bras du mari, le consultait avec angoisse sur les moyens employés pour la destruction du phylloxera.

« Mon cher monsieur, lui dit-elle, voulez-vous être assez aimable pour me découper cette brioche ? »

Il rougit jusqu'aux oreilles, balbutia, perdant la tête. Alors M. Anserre eut pitié de lui et, se tournant vers sa femme :

« Ma chère amie, tu serais bien aimable de ne point nous déranger : nous causons agriculture. Fais-la donc couper par Baptiste, ta brioche. »

Et personne depuis ce jour ne coupa plus jamais la brioche de Mme Anserre.

La bûche

LE SALON ÉTAIT PETIT, tout enveloppé de tentures épaisses, et discrètement odorant. Dans une cheminée large, un grand feu flambait, tandis qu'une seule lampe posée sur le coin de la cheminée versait une lumière molle, ombrée par un abat-jour d'ancienne dentelle, sur les deux personnes qui causaient.

Elle, la maîtresse de la maison, une vieille à cheveux blancs, mais une de ces vieilles adorables dont la peau sans ride est lisse comme un fin papier et parfumée, tout imprégnée de parfums, pénétrée jusqu'à la chair vive par les essences fines dont elle se baigne, depuis si longtemps, l'épiderme : une vieille qui sent, quand on lui baise la main, l'odeur légère qui vous saute à l'odorat lorsqu'on ouvre une boîte de poudre d'iris florentine.

Lui était un ami d'autrefois, resté garçon, un ami de toutes les semaines, un compagnon de voyage dans l'existence. Rien de plus d'ailleurs.

Ils avaient cessé de causer depuis une minute environ, et tous deux regardaient le feu, rêvant à n'importe quoi, en l'un de ces silences amis des gens qui n'ont point besoin de parler toujours pour se plaire l'un près de l'autre.

Et soudain une grosse bûche, une souche

hérissée de racines enflammées, croula. Elle bondit par-dessus les chenets, et, lancée dans le salon, roula sur le tapis en jetant des éclats de feu tout autour d'elle.

La vieille femme, avec un petit cri, se dressa comme pour fuir, tandis que lui, à coups de botte, rejetait dans la cheminée l'énorme charbon et ratissait de sa semelle toutes les éclaboussures ardentes répandues autour.

Quand le désastre fut réparé, une forte odeur de roussi se répandit, et l'homme se rasseyant en face de son amie, la regarda en souriant : « Et voilà, dit-il en montrant la bûche replacée dans l'âtre, voilà pourquoi je ne me suis jamais marié. »

Elle le considéra, tout étonnée, avec cet œil curieux des femmes qui veulent savoir, cet œil des femmes qui ne sont plus toutes jeunes, où la curiosité est réfléchie, compliquée, souvent malicieuse ; et elle demanda : « Comment ça ? »

Il reprit :

Oh ! c'est toute une histoire, une assez triste et vilaine histoire.

Mes anciens camarades se sont souvent étonnés du froid survenu tout à coup entre un de mes meilleurs amis qui s'appelait, de son petit nom, Julien, et moi. Ils ne comprenaient point comment deux intimes, deux inséparables comme nous étions, avaient pu tout à coup devenir presque étrangers l'un à l'autre. Or voici le secret de notre éloignement.

Lui et moi, nous habitions ensemble, autrefois. Nous ne nous quittions jamais ; et l'amitié qui nous liait semblait si forte que rien n'aurait pu la briser.

Un soir, en rentrant, il m'annonça son mariage.

Je reçus un coup dans la poitrine, comme s'il m'avait volé ou trahi. Quand un ami se marie, c'est fini, bien fini. L'affection jalouse d'une femme, cette affection ombrageuse, inquiète et charnelle, ne tolère point l'attachement vigoureux et franc, cet attachement d'esprit, de cœur et de confiance qui existe entre deux hommes.

Voyez-vous, madame, quel que soit l'amour qui les soude l'un à l'autre, l'homme et la femme sont toujours étrangers d'âme, d'intelligence ; ils restent deux belligérants ; ils sont d'une race différente ; il faut qu'il y ait toujours un dompteur et un dompté, un maître et un esclave ; tantôt l'un, tantôt l'autre ; ils ne sont jamais deux égaux. Ils s'étreignent les mains, leurs mains frissonnantes d'ardeur ; ils ne se les serrent jamais d'une large et forte pression loyale, de cette pression qui semble ouvrir les cœurs, les mettre à nu, dans un élan de sincère et forte et virile affection. Les sages, au lieu de se marier et de procréer, comme consolation pour les vieux jours, des enfants qui les abandonneront, devraient chercher un bon et solide ami, et vieillir avec lui dans cette communion de pensées qui ne peut exister qu'entre deux hommes.

Enfin, mon ami Julien se maria. Elle était jolie, sa femme, charmante, une petite blonde frisottée, vive, potelée, qui semblait l'adorer.

D'abord, j'allais peu dans la maison, craignant de gêner leur tendresse, me sentant de trop entre eux. Ils semblaient pourtant m'attirer, m'appeler sans cesse, et m'aimer.

Peu à peu je me laissai séduire par le charme doux de cette vie commune, et je dînais souvent chez eux ; et souvent, rentré chez moi la nuit, je songeais à faire comme lui, à prendre une femme, trouvant bien triste à présent ma maison vide.

Eux, paraissaient se chérir, ne se quittaient point. Or, un soir, Julien m'écrivit de venir dîner. J'y allai. « Mon bon, dit-il, il va falloir que je m'absente, en sortant de table, pour une affaire. Je ne serai pas de retour avant onze heures ; mais à onze heures précises, je rentrerai. J'ai compté sur toi pour tenir compagnie à Berthe. »

La jeune femme sourit : « C'est moi, d'ailleurs, qui ai eu l'idée de vous envoyer chercher », reprit-elle.

Je lui serrai la main : « Vous êtes gentille comme tout. » Et je sentis sur mes doigts une amicale et longue pression. Je n'y pris pas garde. On se mit à table ; et, dès huit heures, Julien nous quittait.

Aussitôt qu'il fut parti, une sorte de gêne singulière naquit brusquement entre sa femme et moi. Nous ne nous étions encore jamais trouvés seuls, et, malgré notre intimité grandissant chaque jour, le tête-à-tête nous plaçait dans une situation nouvelle. Je parlai d'abord de choses vagues, de ces choses insignifiantes dont on emplit les silences embarrassants. Elle ne me répondait rien et restait en face de moi, de l'autre côté de la cheminée, la tête baissée, le regard indécis, un pied tendu vers la flamme, comme perdue en une difficile méditation. Quand je fus à sec d'idées banales, je me tus. C'est étonnant comme il est difficile quelquefois de trouver des choses à dire. Et puis, je sentais du nouveau dans l'air, je sentais de l'invisible, un je-ne-sais-quoi impossible à exprimer, cet avertissement mystérieux qui vous prévient des intentions secrètes, bonnes ou mauvaises, d'une autre personne à votre égard.

Ce pénible silence dura quelque temps. Puis Berthe me dit : « Mettez donc une bûche au feu, mon ami, vous voyez bien qu'il va s'éteindre. » J'ouvris le coffre à bois, placé juste comme le vôtre, et je pris une bûche, la plus grosse bûche, que je plaçai en pyramide sur les autres morceaux de bois aux trois quarts consumés.

Et le silence recommença.

Au bout de quelques minutes, la bûche flambait de telle façon qu'elle nous grillait la figure. La jeune femme releva sur moi ses yeux, des yeux qui me parurent étranges. « Il fait trop chaud, maintenant, dit-elle ; allons donc là-bas, sur le canapé. »

Et nous voilà partis sur le canapé.

Puis tout à coup, me regardant bien en face : « Qu'est-ce que vous feriez si une femme vous disait qu'elle vous aime ? »

Je répondis, fort interloqué : « Ma foi, le cas n'est pas prévu, et puis, ça dépendrait de la femme. »

Alors elle se mit à rire, d'un rire sec, nerveux, frémissant, un de ces rires faux qui semblent devoir casser les verres fins, et elle ajouta :

« Les hommes ne sont jamais audacieux ni malins. » Elle se tut, puis reprit :

« Avez-vous quelquefois été amoureux, monsieur Paul ? »

Je l'avouai ; oui, j'avais été amoureux. « Racontez-moi ça », dit-elle.

Je lui racontai une histoire quelconque. Elle m'écoutait attentivement, avec des marques fréquentes d'improbation et de mépris ; et soudain : « Non, vous n'y entendez rien. Pour que l'amour fût bon, il faudrait, il me semble, qu'il bouleversât le cœur, tordît les nerfs et ravageât la tête, il faudrait qu'il fût – comment dirai-je ? – dangereux, terrible même, presque criminel, presque sacrilège, qu'il fût une sorte de trahison ; je veux dire qu'il a besoin de rompre des obstacles sacrés, des lois, des liens fraternels ; quand l'amour est tranquille, facile, sans périls, légal, est-ce bien de l'amour ? »

Je ne savais plus quoi répondre, et je jetais en moi-même cette exclamation philosophique : Ô cervelle féminine, te voilà bien !

Elle avait pris, en parlant, un petit air indifférent, sainte-nitouche ; et, appuyée sur les coussins, elle était allongée, couchée, la tête contre mon épaule, la robe un peu relevée, laissant voir un bas de soie rouge que les éclats du foyer enflammaient par instants.

Au bout d'une minute : « Je vous fais peur », dit-elle. Je protestai. Elle s'appuya tout à fait contre ma poitrine et, sans me regarder : « Si je vous disais, moi, que je vous aime, que feriez-vous ? » Et avant que j'eusse pu trouver ma réponse, ses bras avaient pris mon cou, avaient attiré brusquement ma tête, et ses lèvres joignaient les miennes.

Ah ! ma chère amie, je vous réponds que je ne m'amusais pas ! Quoi ! tromper Julien ! devenir l'amant de cette petite folle perverse et rusée, effroyablement sensuelle sans doute, à qui son mari déjà ne suffisait plus ! Trahir sans cesse, tromper toujours, jouer l'amour pour le seul attrait du fruit défendu, du danger bravé, de l'amitié trahie ! Non, cela ne m'allait guère. Mais que faire ? imiter Joseph ! rôle fort sot et, de plus, fort difficile, car elle était affolante en sa perfidie, cette fille, et enflammée d'audace, et palpitante et acharnée. Oh ! que celui qui n'a jamais senti sur sa bouche le baiser profond d'une femme prête à se donner, me jette la première pierre...

... Enfin, une minute de plus... vous comprenez,
n'est-ce pas ? Une minute de plus et... j'étais... non,
elle était... pardon c'est lui qui l'était !... ou plutôt
qui l'aurait été, quand voilà qu'un bruit terrible
nous fit bondir.

La bûche, oui, la bûche, madame, s'élançait dans
le salon, renversant la pelle, le garde-feu, roulant
comme un ouragan de flamme, incendiant le tapis
et se gîtant sous un fauteuil qu'elle allait infailliblement flamber.

Je me précipitai comme un fou, et pendant que
je repoussais dans la cheminée le tison sauveur, la
porte brusquement s'ouvrit ! Julien, tout joyeux,
rentrait. Il s'écria : « Je suis libre, l'affaire est finie
deux heures plus tôt ! »

Oui, mon amie, sans la bûche, j'étais pincé en
flagrant délit. Et vous apercevez d'ici les conséquences !

Or je fis en sorte de n'être plus repris dans une
situation pareille, jamais, jamais. Puis je m'aperçus
que Julien me battait froid, comme on dit. Sa
femme évidemment sapait notre amitié ; et peu à
peu, il m'éloigna de chez lui ; et nous avons cessé de
nous voir.

Je ne me suis point marié. Cela ne doit plus vous
étonner.

Mots d'amour

Dimanche

MON GROS COQ CHÉRI,

Tu ne m'écris pas, je ne te vois plus, tu ne viens jamais. Tu as donc cessé de m'aimer ? Pourquoi ? Qu'ai-je fait ? Dis-le-moi, je t'en supplie, mon cher amour ! Moi, je t'aime tant, tant, tant ! Je voudrais t'avoir toujours près de moi, et t'embrasser tout le jour, en te donnant, ô mon cœur, mon chat aimé, tous les noms tendres qui me viendraient à la pensée. Je t'adore, je t'adore, je t'adore, ô mon beau coq.

Ta poulette.

Sophie.

Lundi

MA CHÈRE AMIE,

Tu ne comprendras absolument rien à ce que je vais te dire. N'importe. Si ma lettre tombe, par hasard, sous les yeux d'une autre femme, elle lui sera peut-être profitable.

Si tu avais été sourde et muette, je t'aurais sans

doute aimée longtemps, longtemps. Le malheur vient
de ce que tu parles ; voilà tout. Un poète a dit :

Tu n'as jamais été dans tes jours les plus rares
Qu'un banal instrument sous mon archet vainqueur,
Et comme un air qui sonne au bois creux des guitares,
J'ai fait chanter mon rêve au vide de ton cœur.

En amour, vois-tu, on fait toujours chanter des
rêves ; mais pour que les rêves chantent, il ne faut pas
qu'on les interrompe. Or, quand on parle entre deux
baisers, on interrompt toujours le rêve délirant que
font les âmes, à moins de dire des mots sublimes, et les
mots sublimes n'éclosent pas dans les petites caboches
des jolies filles.

Tu ne comprends rien, n'est-ce pas ? Tant mieux. Je
continue. Tu es assurément une des plus charmantes,
une des plus adorables femmes que j'aie jamais vues.

Est-il sur la terre des yeux qui contiennent plus de
SONGE que les tiens, plus de promesses inconnues, plus
d'infini d'amour ? Je ne le crois pas. Et quand ta
bouche sourit avec ses deux lèvres rondes qui montrent tes dents luisantes, on dirait qu'il va sortir de
cette bouche ravissante une ineffable musique, quelque chose d'invraisemblablement suave, de doux à
faire sangloter.

Alors tu m'appelles tranquillement : « Mon gros
lapin adoré. » Et il me semble tout à coup que j'entre
dans ta tête, que je vois fonctionner ton âme, ta petite
âme de petite femme jolie, jolie, mais... et cela me
gêne, vois-tu, me gêne beaucoup. J'aimerais mieux ne
pas voir.

Tu continues à ne point comprendre, n'est-ce pas ?
J'y comptais.

Te rappelles-tu la première fois que tu es venue
chez moi ? Tu es entrée brusquement avec une odeur
de violette envolée de tes jupes ; nous nous sommes
regardés longtemps sans dire un mot, puis embrassés

comme des fous..., puis... puis jusqu'au lendemain nous n'avons point parlé.

Mais, quand nous nous sommes quittés, nos mains tremblaient et nos yeux se disaient des choses, des choses... qu'on ne peut exprimer dans aucune langue. Du moins, je l'ai cru. Et tout bas, en me quittant, tu as murmuré : « À bientôt ! » Voilà tout ce que tu as dit, et tu ne t'imagineras jamais quel enveloppement de rêve tu me laissais, tout ce que j'entrevoyais, tout ce que je croyais deviner en ta pensée.

Vois-tu, ma pauvre enfant, pour les hommes pas bêtes, un peu raffinés, un peu supérieurs, l'amour est un instrument si compliqué qu'un rien le détraque. Vous autres femmes, vous ne percevez jamais le ridicule de certaines choses, quand vous aimez, et le grotesque des expressions vous échappe.

Pourquoi une parole juste dans la bouche d'une petite femme brune est-elle souverainement fausse et comique dans celle d'une grosse femme blonde ? Pourquoi le geste câlin de l'une sera-t-il déplacé chez l'autre ? Pourquoi certaines caresses, charmantes de la part de celle-ci, seront-elles gênantes de la part de celle-là ? Pourquoi ? parce qu'il faut en tout, mais principalement en amour, une parfaite harmonie, une accordance absolue du geste, de la voix, de la parole, de la manifestation tendre, avec la personne qui agit, parle, manifeste, avec son âge, la grosseur de sa taille, la couleur de ses cheveux et la physionomie de sa beauté.

Une femme de trente-cinq ans, à l'âge des grandes passions violentes, qui conserverait seulement un rien de la mièvrerie caressante de ses amours de vingt ans, qui ne comprendrait pas qu'elle doit s'exprimer autrement, regarder autrement, embrasser autrement, qu'elle doit être une Didon et non plus une Juliette, écœurerait infailliblement neuf amants sur dix, même s'ils ne se rendaient nullement compte des raisons de leur éloignement.

Comprends-tu ? Non. Je l'espérais bien.

À partir du jour où tu as ouvert ton robinet à tendresses, ce fut fini pour moi, mon amie.

Quelquefois nous nous embrassions cinq minutes, d'un seul baiser interminable, éperdu, un de ces baisers qui font se fermer les yeux, comme s'il pouvait s'en échapper par le regard, comme pour les conserver plus entiers dans l'âme enténébrée qu'ils ravagent. Puis, quand nous séparions nos lèvres, tu me disais en riant d'un rire clair : « C'est bon, mon gros chien ! » Alors je t'aurais battue.

Car tu m'as donné successivement tous les noms d'animaux et de légumes que tu as trouvés sans doute dans la *Cuisinière bourgeoise, Le Parfait Jardinier* et les *Éléments d'histoire naturelle à l'usage des classes inférieures.* Mais cela n'est rien encore.

La caresse d'amour est brutale, bestiale, et plus, quand on y songe. Musset a dit :

> *Je me souviens encor de ces spasmes terribles,*
> *De ces baisers muets, de ces muscles ardents,*
> *De cet être absorbé, blême et serrant les dents.*
> *S'ils ne sont pas divins, ces moments sont horribles,*

ou grotesques !... Oh ! ma pauvre enfant, quel génie farceur, quel esprit pervers, te pouvait donc souffler tes mots... de la fin ?

Je les ai collectionnés, mais, par amour pour toi, je ne les montrerai pas.

Et puis tu manquais vraiment d'à-propos, et tu trouvais moyen de lâcher un « *je t'aime* » exalté, en certaines occasions si singulières, qu'il me fallait comprimer de furieuses envies de rire. Il est des instants où cette parole-là : « *Je t'aime !* » est si déplacée qu'elle en devient inconvenante, sache-le bien.

Mais tu ne comprends pas.

Bien des femmes aussi ne me comprendront point et me jugeront stupide. Peu m'importe, d'ailleurs. Les affamés mangent en gloutons, mais les délicats sont dégoûtés, et ils ont souvent, pour peu de chose, d'invincibles répugnances. Il en est de l'amour comme de la cuisine.

Ce que je ne comprends pas, par exemple, c'est que certaines femmes qui connaissent si bien l'irrésistible séduction des bas de soie fins et brodés, et le charme exquis des nuances, et l'ensorcellement des précieuses dentelles cachées dans la profondeur des toilettes intimes, et la troublante saveur du luxe secret, des dessous raffinés, toutes les subtiles délicatesses des élégances féminines, ne comprennent jamais l'irrésistible dégoût que nous inspirent les paroles déplacées ou niaisement tendres.

Un mot brutal, parfois, fait merveille, fouette la chair, fait bondir le cœur. Ceux-là sont permis aux heures de combat. Celui de Cambronne n'est-il pas sublime ? Rien ne choque qui vient à temps. Mais il faut aussi savoir se taire et éviter en certains moments les phrases à la Paul de Kock.

Et je t'embrasse passionnément, à condition que tu ne diras rien.

René.

Marroca

MON AMI, TU M'AS DEMANDÉ de t'envoyer mes impressions, mes aventures, et surtout mes histoires d'amour sur cette terre d'Afrique qui m'attirait depuis si longtemps. Tu riais beaucoup, d'avance, de mes tendresses noires, comme tu disais, et tu me voyais déjà revenir suivi d'une grande femme en ébène, coiffée d'un foulard jaune, et ballottante en des vêtements éclatants.

Le tour des Mauricaudes viendra sans doute, car j'en ai vu déjà plusieurs qui m'ont donné quelque envie de me tremper en cette encre ; mais je suis tombé pour mon début sur quelque chose de mieux et de singulièrement original.

Tu m'as écrit, dans ta dernière lettre : « Quand je sais comment on aime dans un pays, je connais ce pays à le décrire, bien que ne l'ayant jamais vu. » Sache qu'ici on aime furieusement. On sent, dès les premiers jours, une sorte d'ardeur frémissante, un soulèvement, une brusque tension des désirs, un énervement courant au bout des doigts, qui surexcitent à les exaspérer nos puissances amoureuses et toutes nos facultés de sensation physique, depuis le simple contact des mains jusqu'à cet innommable besoin qui nous fait commettre tant de sottises.

Entendons-nous bien. Je ne sais si ce que vous

appelez l'amour du cœur, l'amour des âmes, si l'idéalisme sentimental, le platonisme enfin, peut exister sous ce ciel ; j'en doute même. Mais l'autre amour, celui des sens, qui a du bon, et beaucoup de bon, est véritablement terrible en ce climat. La chaleur, cette constante brûlure de l'air qui vous enfièvre, ces souffles suffocants du sud, ces marées de feu venues du grand désert si proche, ce lourd sirocco, plus ravageant, plus desséchant que la flamme, ce perpétuel incendie d'un continent tout entier brûlé jusqu'aux pierres par un énorme et dévorant soleil, embrasent le sang, affolent la chair, embestialisent.

Mais j'arrive à mon histoire. Je ne te dis rien de mes premiers temps de séjour en Algérie. Après avoir visité Bône, Constantine, Biskra et Sétif, je suis venu à Bougie par les gorges du Chabet et une incomparable route au milieu des forêts kabyles, qui suit la mer en la dominant de deux cents mètres et serpente selon les festons de la haute montagne, jusqu'à ce merveilleux golfe de Bougie aussi beau que celui de Naples, que celui d'Ajaccio et que celui de Douarnenez, les plus admirables que je connaisse. J'excepte dans ma comparaison cette invraisemblable baie de Porto, ceinte de granit rouge, et habitée par les fantastiques et sanglants géants de pierre qu'on appelle les « Calanche » de Piana, sur les côtes ouest de la Corse.

De loin, de très loin, avant de contourner le grand bassin où dort l'eau pacifique, on aperçoit Bougie. Elle est bâtie sur les flancs rapides d'un mont élevé et couronné par des bois. C'est une tache blanche dans cette pente verte ; on dirait l'écume d'une cascade tombant à la mer.

Dès que j'eus mis le pied dans cette toute petite

et ravissante ville, je compris que j'allais y rester longtemps. De partout l'œil embrasse un vaste cercle de sommets crochus, dentelés, cornus et bizarres, tellement fermé qu'on découvre à peine la pleine mer et que le golfe a l'air d'un lac. L'eau bleue, d'un bleu laiteux, est d'une transparence admirable, et le ciel d'azur, d'un azur épais, comme s'il avait reçu deux couches de couleur, étale au-dessus sa surprenante beauté. Ils semblent se mirer l'un dans l'autre et se renvoyer leurs reflets.

Bougie est la ville des ruines. Sur le quai, en arrivant, on rencontre un débris si magnifique qu'on le dirait d'opéra. C'est la vieille porte Sarrasine, envahie de lierre. Et dans les bois montueux autour de la cité, partout des ruines, des pans de murailles romaines, des morceaux de monuments sarrasins, des restes de constructions arabes.

J'avais loué dans la ville haute une petite maison mauresque. Tu connais ces demeures si souvent décrites. Elles ne possèdent point de fenêtres en dehors ; mais une cour intérieure les éclaire du haut en bas. Elles ont, au premier, une grande salle fraîche où l'on passe les jours, et tout en haut une terrasse où l'on passe les nuits.

Je me mis tout de suite aux coutumes des pays chauds ; c'est-à-dire à faire la sieste après mon déjeuner. C'est l'heure étouffante d'Afrique, l'heure où l'on ne respire plus, l'heure où les rues, les plaines, les longues routes aveuglantes sont désertes, où tout le monde dort, essaye au moins de dormir, avec aussi peu de vêtements que possible.

J'avais installé dans ma salle à colonnettes d'architecture arabe un grand divan moelleux, couvert de tapis du djebel Amour. Je m'étendais là-dessus à peu près dans le costume d'Assan, mais je n'y pouvais guère reposer, torturé par ma continence.

Oh ! mon ami, il est deux supplices de cette terre que je te souhaite de ne jamais connaître : le manque d'eau et le manque de femmes. Lequel est le plus affreux ? Je ne sais. Dans le désert, on commettrait toutes les infamies pour un verre d'eau claire et froide. Que ne ferait-on pas en certaines villes du littoral pour une belle fille fraîche et saine ? Car elles ne manquent pas, les filles, en Afrique ! Elles foisonnent, au contraire ; mais, pour continuer ma comparaison, elles y sont tout aussi malfaisantes et pourries que le liquide fangeux des puits sahariens.

Or, voici qu'un jour, plus énervé que de coutume, je tentai, mais en vain, de fermer les yeux. Mes jambes vibraient comme piquées en dedans ; une angoisse inquiète me retournait à tout moment sur mes tapis. Enfin, n'y tenant plus, je me levai et je sortis.

C'était en juillet, par une après-midi torride. Les pavés des rues étaient chauds à cuire du pain ; la chemise, tout de suite trempée, collait au corps, et, par tout l'horizon, flottait une petite vapeur blanche, cette buée ardente du sirocco, qui semble de la chaleur palpable.

Je descendis près de la mer et, contournant le port, je me mis à suivre la berge le long de la jolie baie où sont les bains. La montagne escarpée, couverte de taillis, de hautes plantes aromatiques aux senteurs puissantes, s'arrondit en cercle autour de cette crique où trempent, tout le long du bord, de gros rochers bruns.

Personne dehors ; rien ne remuait ; pas un cri de bête, un vol d'oiseau, pas un bruit, pas même un clapotement, tant la mer immobile paraissait engourdie sous le soleil. Mais dans l'air cuisant, je croyais saisir une sorte de bourdonnement de feu.

Soudain, derrière une de ces roches à demi noyées dans l'onde silencieuse, je devinai un léger mouvement et, m'étant retourné, j'aperçus, prenant son bain, se croyant bien seule à cette heure brûlante, une grande fille nue, enfoncée jusqu'aux seins. Elle tournait la tête vers la pleine mer et sautillait doucement sans me voir.

Rien de plus étonnant que ce tableau : cette belle femme dans cette eau transparente comme du verre, sous cette lumière aveuglante. Car elle était belle merveilleusement, cette femme, grande, modelée en statue.

Elle se retourna, poussa un cri, et, moitié nageant, moitié marchant, se cacha tout à fait derrière sa roche.

Comme il fallait bien qu'elle sortît, je m'assis sur la berge et j'attendis. Alors elle montra tout doucement sa tête surchargée de cheveux noirs liés à la diable. Sa bouche était large, aux lèvres retroussées comme des bourrelets ; ses yeux énormes, effrontés, et toute sa chair un peu brunie par le climat semblait une chair d'ivoire ancien, dure et douce, de belle race blanche teintée par le soleil des nègres.

Elle me cria : « Allez-vous-en. » Et sa voix pleine, un peu forte comme toute sa personne, avait un accent guttural. Je ne bougeai point. Elle ajouta : « Ça n'est pas bien de rester là, monsieur. » Les *r*, dans sa bouche, roulaient comme des chariots. Je ne remuai pas davantage. La tête disparut.

Dix minutes s'écoulèrent, et les cheveux, puis le front, puis les yeux se remontrèrent avec lenteur et prudence, comme font les enfants qui jouent à cache-cache pour observer celui qui les cherche.

Cette fois, elle eut l'air furieux ; elle cria : « Vous allez me faire attraper mal. Je ne partirai pas tant que vous serez là. » Alors je me levai et m'en allai, non sans me retourner souvent. Quand elle me jugea assez loin, elle sortit de l'eau, à demi courbée, me tournant ses reins, et elle disparut dans un creux du roc, derrière une jupe suspendue à l'entrée.

Je revins le lendemain. Elle était encore au bain, mais vêtue d'un costume entier. Elle se mit à rire en me montrant ses dents luisantes.

Huit jours après, nous étions amis. Huit jours de plus, et nous le devenions encore davantage.

Elle s'appelait Marroca, d'un surnom sans doute, et prononçait ce mot comme s'il eût contenu quinze *r*. Fille de colons espagnols, elle avait épousé un Français nommé Pontabèze. Son mari était employé de l'État. Je n'ai jamais su bien au juste quelles fonctions il remplissait. Je constatai qu'il était fort occupé, et je n'en demandai pas plus long.

Alors, changeant l'heure de son bain, elle vint chaque jour après mon déjeuner faire la sieste en ma maison. Quelle sieste ! Si c'est là se reposer !

C'était vraiment une admirable fille, d'un type un peu bestial, mais superbe. Ses yeux semblaient toujours luisants de passion ; sa bouche entrouverte, ses dents pointues, son sourire même avaient quelque chose de férocement sensuel, et ses seins étranges, allongés et droits, aigus comme des poires de chair, élastiques comme s'ils eussent renfermé des ressorts d'acier, donnaient à son corps quelque chose d'animal, faisaient d'elle une sorte d'être inférieur et magnifique, de créature destinée à l'amour désordonné, éveillaient en moi l'idée des obscènes divinités antiques dont les tendresses libres s'étalaient au milieu des herbes et des feuilles.

Et jamais femme ne porta dans ses flancs de plus inapaisables désirs. Ses ardeurs acharnées et ses hurlantes étreintes, avec des grincements de dents, des convulsions et des morsures, étaient suivies presque aussitôt d'assoupissements, profonds comme une mort. Mais elle se réveillait brusquement en mes bras, toute prête à des enlacements nouveaux, la gorge gonflée de baisers.

Son esprit, d'ailleurs, était simple comme deux et deux font quatre, et un rire sonore lui tenait lieu de pensée.

Fière par instinct de sa beauté, elle avait en horreur les voiles les plus légers, et elle circulait, courait, gambadait dans ma maison avec une impudeur inconsciente et hardie. Quand elle était enfin repue d'amour, épuisée de cris et de mouvement, elle dormait à mes côtés, sur le divan, d'un sommeil fort et paisible, tandis que l'accablante chaleur faisait pointer sur sa peau brunie de minuscules gouttes de sueur, dégageait d'elle, de ses bras relevés sous sa tête, de tous ses replis secrets, cette odeur fauve qui plaît aux mâles.

Quelquefois elle revenait le soir, son mari étant de service je ne sais où. Nous nous étendions alors sur la terrasse, à peine enveloppés en de fins et flottants tissus d'Orient.

Quand la grande lune illuminante des pays chauds s'étalait en plein dans le ciel, éclairant la ville et le golfe avec son cadre arrondi de montagnes, nous apercevions alors sur toutes les autres terrasses comme une armée de silencieux fantômes étendus qui parfois se levaient, changeaient de

place et se recouchaient sous la tiédeur langou-
reuse du ciel apaisé.

Malgré l'éclat de ces soirées d'Afrique, Marroca
s'obstinait à se mettre nue encore sous les clairs
rayons de la lune ; elle ne s'inquiétait guère de tous
ceux qui nous pouvaient voir, et souvent elle
poussait par la nuit, malgré mes craintes et mes
prières, de longs cris vibrants, qui faisaient au loin
hurler les chiens.

Comme je sommeillais un soir, sous le large
firmament tout barbouillé d'étoiles, elle vint s'agenouiller sur mon tapis, et approchant de ma bouche ses grandes lèvres retournées :

« Il faut, dit-elle, que tu viennes dormir chez
moi. »

Je ne comprenais pas. « Comment chez toi ?

– Oui, quand mon mari sera parti, tu viendras
dormir à sa place. »

Je ne pus m'empêcher de rire.

« Pourquoi ça, puisque tu viens ici ? »

Elle reprit, en me parlant dans la bouche, me
jetant son haleine chaude au fond de la gorge,
mouillant ma moustache de son souffle : « C'est
pour me faire un souvenir. » Et l'*r* de souvenir
traîna longtemps avec un fracas de torrent sur des
roches.

Je ne saisissais point son idée. Elle passa ses bras
à mon cou. « Quand tu ne seras plus là, dit-elle, j'y
penserai. Et quand j'embrasserai mon mari, il me
semblera que ce sera toi. »

Et les *rrrai* et les *rrra* prenaient en sa voix des
grondements de tonnerres familiers.

Je murmurai attendri et très égayé :

« Mais tu es folle. J'aime mieux rester chez moi. »

Je n'ai, en effet, aucun goût pour les rendez-vous
sous un toit conjugal ; ce sont là des souricières où
sont toujours pris les imbéciles. Mais elle me pria,
me supplia, pleura même, ajoutant : « Tu verras
comme je t'aimerrrai. »

T'aimerrrai retentissait à la façon d'un roulement
de tambour battant la charge.

Son désir me semblait tellement singulier que je
ne me l'expliquais point ; puis, en y songeant, je
crus démêler quelque haine profonde contre son
mari, une de ces vengeances secrètes de femme qui
trompe avec délices l'homme abhorré et le veut
encore tromper chez lui, dans ses meubles, dans ses
draps.

Je lui dis : « Ton mari est très méchant pour toi ? »
Elle prit un air fâché. « Oh non, très bon.
– Mais tu ne l'aimes pas, toi ? »
Elle me fixa avec ses larges yeux étonnés.
« Si, je l'aime beaucoup, au contraire, beaucoup,
beaucoup, mais pas tant que toi, mon cœurrr. »

Je ne comprenais plus du tout et, comme je
cherchais à deviner, elle appuya sur ma bouche une
de ces caresses dont elle connaissait le pouvoir, puis
elle murmura : « Tu viendras, dis ? »

Je résistai cependant. Alors elle s'habilla tout de
suite et s'en alla.

Elle fut huit jours sans se montrer. Le neuvième
jour elle reparut, s'arrêta gravement sur le seuil de
ma chambre et demanda :

« Viendras-tu ce soir dorrrmirrr chez moi ? Si tu
ne viens pas, je m'en vais. »

Huit jours, c'est long, mon ami, et, en Afrique,
ces huit jours-là valaient bien un mois. Je criai :
« Oui » et j'ouvris les bras. Elle s'y jeta.

Elle m'attendit, à la nuit, dans une rue voisine et me guida.

Ils habitaient près du port une petite maison basse. Je traversai d'abord une cuisine où le ménage prenait ses repas, et je pénétrai dans la chambre blanchie à la chaux, propre, avec des photographies de parents le long des murs et des fleurs de papier sous des globes. Marroca semblait folle de joie : elle sautait, répétant : « Te voilà chez nous, te voilà chez toi. »

J'agis en effet comme chez moi.

J'étais un peu gêné, je l'avoue, même inquiet. Comme j'hésitais, dans cette demeure inconnue, à me séparer de certain vêtement sans lequel un homme surpris devient aussi gauche que ridicule, et incapable de toute action, elle me l'arracha de force et emporta dans la pièce voisine, avec toutes mes autres hardes, ce fourreau de la virilité.

Je repris enfin mon assurance et je le lui prouvai de tout mon pouvoir, si bien qu'au bout de deux heures nous ne songions guère encore au repos, quand des coups violents frappés soudain contre la porte nous firent tressaillir, et une voix d'homme cria : « Marroca, c'est moi. »

Elle fit un bond : « Mon mari ! Vite, cache-toi sous le lit. » Je cherchais éperdument mon pantalon ; mais elle me poussa haletante : « Va donc, va donc. »

Je m'étendis à plat ventre et me glissai sans murmurer sous ce lit, sur lequel j'étais si bien.

Alors elle passa dans la cuisine. Je l'entendis ouvrir une armoire, la fermer, puis elle revint, apportant un objet que je n'aperçus pas, mais qu'elle posa vivement quelque part, et, comme son mari perdait patience, elle répondit d'une voix

forte et calme : « Je ne trrrouve pas les allumettes » ;
puis soudain : « Les voilà, je t'ouvrrre. » Et elle
ouvrit.

L'homme entra. Je ne vis que ses pieds, des pieds
énormes. Si le reste se trouvait en proportion, il
devait être un colosse.

J'entendis des baisers, une tape sur de la chair
nue, un rire ; puis il dit avec un accent marseillais :
« Z'ai oublié ma bourse, té, il a fallu revenir.
Autrement, je crois que tu dormais de bon cœur. »
Il alla vers la commode, chercha longtemps ce qu'il
lui fallait ; puis Marroca s'étant étendue sur le lit
comme accablée de fatigue, il revint à elle, et sans
doute il essayait de la caresser, car elle lui envoya,
en phrases irritées, une mitraille d'*r* furieux.

Les pieds étaient si près de moi qu'une envie
folle, stupide, inexplicable, me saisit de les toucher
tout doucement. Je me retins.

Comme il ne réussissait pas en ses projets, il se
vexa. « Tu es bien méçante aujourd'hui », dit-il.
Mais il en prit son parti. « Adieu, pétite. » Un
nouveau baiser sonna ; puis les gros pieds se re-
tournèrent, me firent voir leurs clous en s'éloignant, passèrent dans la pièce voisine et la porte de
la rue se referma.

J'étais sauvé !

Je sortis lentement de ma retraite, humble et
piteux, et tandis que Marroca, toujours nue, dansait
une gigue autour de moi en riant aux éclats et
battant des mains, je me laissai tomber lourdement
sur une chaise. Mais je me relevai d'un bond ; une
chose froide gisait sous moi, et comme je n'étais pas
plus vêtu que ma complice, le contact m'avait saisi.
Je me retournai. Je venais de m'asseoir sur une
petite hachette à fendre le bois, aiguisée comme un

couteau. Comment était-elle venue à cette place ?
Je ne l'avais pas aperçue en entrant.

Marroca, voyant mon sursaut, étouffait de gaieté,
poussait des cris, toussait, les deux mains sur son
ventre.

Je trouvai cette joie déplacée, inconvenante.
Nous avions joué notre vie stupidement ; j'en avais
encore froid dans le dos, et ces rires fous me
blessaient un peu.

« Et si ton mari m'avait vu », lui demandai-je.

Elle répondit : « Pas de danger.

– Comment ! pas de danger. Elle est raide
celle-là ! Il lui suffisait de se baisser pour me
trouver. »

Elle ne riait plus ; elle souriait seulement en me
regardant de ses grands yeux fixes, où germaient de
nouveaux désirs.

« Il ne se serait pas baissé. »

J'insistai. « Par exemple ! S'il avait seulement
laissé tomber son chapeau, il aurait bien fallu le
ramasser, alors... j'étais propre, moi, dans ce costume. »

Elle posa sur mes épaules des bras ronds et
vigoureux, et, baissant le ton, comme si elle m'eût
dit : « Je t'adorrre », elle murmura : « Alorrrs, il ne
se serait pas relevé. »

Je ne comprenais point :

« Pourquoi ça ? »

Elle cligna de l'œil avec malice, allongea sa main
vers la chaise où je venais de m'asseoir, et son doigt
tendu, le pli de sa joue, ses lèvres entrouvertes, ses
dents pointues, claires et féroces, tout cela me
montrait la petite hachette à fendre le bois, dont le
tranchant aigu luisait.

Elle fit le geste de la prendre ; puis, m'attirant du

bras gauche tout contre elle, serrant sa hanche à la mienne, du bras droit elle esquissa le mouvement qui décapite un homme à genoux !...

Et voilà, mon cher, comment on comprend ici les devoirs conjugaux, l'amour et l'hospitalité !

Le lit

PAR UNE TORRIDE APRÈS-MIDI du dernier été, le
vaste hôtel des ventes semblait endormi, et les
commissaires-priseurs adjugeaient d'une voix mourante. Dans une salle du fond, au premier étage, un
lot d'anciennes soieries d'église gisait en un coin.

C'étaient des chapes solennelles et de gracieuses
chasubles où des guirlandes brodées s'enroulaient
autour des lettres symboliques sur un fond de soie
un peu jaunie, devenue crémeuse de blanche
qu'elle fut jadis.

Quelques revendeurs attendaient, deux ou trois
hommes à barbes sales et une grosse femme ven-
true, une de ces marchandes dites *à la toilette*,
conseillères et protectrices d'amours prohibées, qui
brocantent sur la chair humaine jeune et vieille
autant que sur les jeunes et vieilles nippes.

Soudain on mit en vente une mignonne chasuble
Louis XV, jolie comme une robe de marquise,
restée fraîche avec une procession de muguets
autour de la croix, de longs iris bleus montant
jusqu'aux pieds de l'emblème sacré et, dans les
coins, des couronnes de roses. Quand je l'eus
achetée, je m'aperçus qu'elle était demeurée vaguement odorante, comme pénétrée d'un reste
d'encens, ou plutôt comme habitée encore par ces

si légères et si douces senteurs d'autrefois qui semblent des souvenirs de parfums, l'âme des essences évaporées.

Quand je l'eus chez moi, j'en voulus couvrir une petite chaise de la même époque charmante, et, la maniant pour prendre les mesures, je sentis sous mes doigts se froisser des papiers. Ayant fendu la doublure, quelques lettres tombèrent à mes pieds. Elles étaient jaunies et l'encre effacée semblait de la rouille. Une main fine avait tracé sur une face de la feuille pliée à la mode ancienne : « À monsieur, monsieur l'abbé d'Argencé. »

Les trois premières lettres fixaient simplement des rendez-vous. Et voici la quatrième :

Mon ami, je suis malade, toute souffrante, et je ne quitte pas mon lit. La pluie bat mes vitres, et je reste chaudement, mollement rêveuse, dans la tiédeur des duvets. J'ai un livre, un livre que j'aime et qui me semble fait avec un peu de moi. Vous dirai-je lequel ? Non. Vous me gronderiez. Puis, quand j'ai lu, je songe, et je veux vous dire à quoi.

On a mis derrière ma tête des oreillers qui me tiennent assise, et je vous écris sur ce mignon pupitre que j'ai reçu de vous.

Étant depuis trois jours en mon lit, c'est à mon lit que je pense, et même dans le sommeil j'y médite encore.

Le lit, mon ami, c'est toute notre vie. C'est là qu'on naît, c'est là qu'on aime, c'est là qu'on meurt.

Si j'avais la plume de M. de Crébillon, j'écrirais l'histoire d'un lit. Et que d'aventures émouvantes, terribles, aussi que d'aventures gracieuses, aussi que d'autres attendrissantes ! Que d'enseignements n'en pourrait-on pas tirer, et de moralités pour tout le monde ?

Vous connaissez mon lit, mon ami. Vous ne vous figurerez jamais que de choses j'y ai découvertes depuis trois jours et comme je l'aime davantage. Il me semble habité, hanté, dirai-je, par un tas de gens que je ne soupçonnais point et qui cependant ont laissé quelque chose d'eux en cette couche.

Oh ! comme je ne comprends pas ceux qui achètent des lits nouveaux, des lits sans mémoires. Le mien, le nôtre, si vieux, si usé, et si spacieux, a dû contenir bien des existences, de la naissance au tombeau. Songez-y, mon ami ; songez à tout ; revoyez des vies entières entre ces quatre colonnes, sous ce tapis à personnages tendu sur nos têtes, qui a regardé tant de choses. Qu'a-t-il vu depuis trois siècles qu'il est là ?

Voici une jeune femme étendue. De temps en temps elle pousse un soupir, puis elle gémit ; et les vieux parents l'entourent ; et voilà que d'elle sort un petit être miaulant comme un chat, et crispé, tout ridé. C'est un homme qui commence. Elle, la jeune mère, se sent douloureusement joyeuse ; elle étouffe de bonheur à ce premier cri, et tend les bras et suffoque ; et, autour, on pleure avec délices, car ce petit morceau de créature vivante séparé d'elle, c'est la famille continuée, la prolongation du sang, du cœur et de l'âme des vieux qui regardent, tout tremblants.

Puis voici que pour la première fois deux amants se trouvent chair à chair dans ce tabernacle de la vie. Ils tremblent, mais transportés d'allégresse, ils se sentent délicieusement l'un près de l'autre et, peu à peu, leurs bouches s'approchent. Ce baiser divin les confond, ce baiser, porte du ciel terrestre, ce baiser qui chante les délices humaines, qui les promet toutes, les annonce et les devance. Et leur lit s'émeut comme une mer soulevée, ploie et murmure, semble lui-même animé, joyeux, car sur lui le délirant mystère d'amour s'accomplit. Quoi de plus suave, de plus parfait en ce monde que ces étreintes faisant de deux êtres un seul et donnant à chacun, dans le même moment, la même pensée, la même attente et la même joie éperdue qui descend en eux comme un feu dévorant et céleste ?

Vous rappelez-vous ces vers que vous m'avez lus, l'autre année, dans quelque poète antique, je ne sais lequel, peut-être le doux Ronsard ?

> *Et quand au lit nous serons*
> *Entrelacés, nous ferons*
> *Les lascifs, selon les guises*
> *Des amants qui librement*
> *Pratiquent folâtrement*
> *Sous les draps cent mignardises.*

Ces vers-là, je les voudrais avoir brodés en ce plafond de mon lit, d'où Pyrame et Thisbé me regardent sans fin avec leurs yeux de tapisserie.

Et songez à la mort, mon ami, à tous ceux qui ont exhalé vers Dieu leur dernier souffle en ce lit. Car il est aussi le tombeau des espérances finies ; la porte qui ferme tout après avoir été la porte qui ouvre le monde. Que de cris, que d'angoisses, de souffrances, de désespoirs épouvantables, de gémissements d'agonie, de bras tendus vers les choses passées, d'appels aux bonheurs terminés à jamais ; que de convulsions, de râles, de grimaces, de bouches tordues, d'yeux retournés, dans ce lit, où je vous écris, depuis trois siècles qu'il prête aux hommes son abri !

Le lit, songez-y, c'est le symbole de la vie, je me suis aperçue de cela depuis trois jours. Rien n'est excellent hors du lit.

Le sommeil n'est-il pas encore un de nos instants les meilleurs ?

Mais c'est aussi là qu'on souffre ! Il est le refuge des malades, un lieu de douleurs aux corps épuisés.

Le lit, c'est l'homme. Notre Seigneur Jésus, pour

prouver qu'il n'avait rien d'humain, ne semble pas avoir jamais eu besoin d'un lit. Il est né sur la paille et mort sur la croix, laissant aux créatures comme nous leur couche de mollesse et de repos.

Que d'autres choses me sont encore venues ! mais je n'ai le temps de vous les marquer, et puis me les rappellerais-je toutes ? et puis je suis déjà tant fatiguée que je vais retirer mes oreillers, m'étendre tout au long et dormir quelque peu.

Me venez voir demain trois heures ; peut-être serai-je mieux et vous le pourrai-je montrer.

Adieu, mon ami ; voici mes mains pour que vous les baisiez, et je vous tends aussi mes lèvres.

Un coq chanta

À René Billotte

Mme Berthe d'Avancelles avait jusque-là repoussé toutes les supplications de son admirateur désespéré, le baron Joseph de Croissard. Pendant l'hiver, à Paris, il l'avait ardemment poursuivie, et il donnait pour elle maintenant des fêtes et des chasses en son château normand de Carville.

Le mari, M. d'Avancelles, ne voyait rien, ne savait rien, comme toujours. Il vivait, disait-on, séparé de sa femme, pour cause de faiblesse physique, que madame ne lui pardonnait point. C'était un gros petit homme, chauve, court de bras, de jambes, de cou, de nez, de tout.

Mme d'Avancelles était au contraire une grande jeune femme brune et déterminée, qui riait d'un rire sonore au nez de son maître, qui l'appelait publiquement « Madame Popote » et regardait d'un certain air engageant et tendre les larges épaules et l'encolure robuste et les longues moustaches blondes de son soupirant attitré, le baron Joseph de Croissard.

Elle n'avait encore rien accordé cependant. Le baron se ruinait pour elle. C'étaient sans cesse des fêtes, des chasses, des plaisirs nouveaux auxquels il invitait la noblesse des châteaux environnants.

Tout le jour les chiens courants hurlaient par les bois à la suite du renard et du sanglier, et, chaque soir, d'éblouissants feux d'artifice allaient mêler aux étoiles leurs panaches de feu, tandis que les fenêtres illuminées du salon jetaient sur les vastes pelouses des traînées de lumière où passaient des ombres.

C'était l'automne, la saison rousse. Les feuilles voltigeaient sur les gazons comme des volées d'oiseaux. On sentait traîner dans l'air des odeurs de terre humide, de terre dévêtue, comme on sent une odeur de chair nue, quand tombe, après le bal, la robe d'une femme.

Un soir, dans une fête, au dernier printemps, Mme d'Avancelles avait répondu à M. de Croissard qui la harcelait de ses prières : « Si je dois tomber, mon ami, ce ne sera pas avant la chute des feuilles. J'ai trop de choses à faire cet été pour avoir le temps. » Il s'était souvenu de cette parole rieuse et hardie ; et, chaque jour, il insistait davantage, chaque jour il avançait ses approches, il gagnait un pas dans le cœur de la belle audacieuse qui ne résistait plus, semblait-il, que pour la forme.

Une grande chasse allait avoir lieu. Et, la veille, madame Berthe avait dit, en riant, au baron : « Baron, si vous tuez la bête, j'aurai quelque chose pour vous. »

Dès l'aurore, il fut debout pour reconnaître où le solitaire s'était baugé. Il accompagna ses piqueurs, disposa les relais, organisa tout lui-même pour préparer son triomphe ; et, quand les cors sonnèrent le départ, il apparut dans un étroit vêtement de chasse rouge et or, les reins serrés, le buste large, l'œil radieux, frais et fort comme s'il venait de sortir du lit.

Les chasseurs partirent. Le sanglier débusqué fila, suivi des chiens hurleurs, à travers des broussailles ; et les chevaux se mirent à galoper, emportant par les étroits sentiers des bois les amazones et les cavaliers, tandis que, sur les chemins amollis, roulaient sans bruit les voitures qui accompagnaient de loin la chasse.

Mme d'Avancelles, par malice, retint le baron près d'elle, s'attardant, au pas, dans une grande avenue interminablement droite et longue et sur laquelle quatre rangs de chênes se repliaient comme une voûte.

Frémissant d'amour et d'inquiétude, il écoutait d'une oreille le bavardage moqueur de la jeune femme, et de l'autre il suivait le chant des cors et la voix des chiens qui s'éloignaient.

« Vous ne m'aimez donc plus ? » disait-elle.

Il répondait : « Pouvez-vous dire des choses pareilles ? »

Elle reprenait : « La chasse cependant semble vous occuper plus que moi. »

Il gémissait : « Ne m'avez-vous point donné l'ordre d'abattre moi-même l'animal ? »

Et elle ajoutait gravement : « Mais j'y compte. Il faut que vous le tuiez devant moi. »

Alors il frémissait sur sa selle, piquait son cheval qui bondissait et, perdant patience : « Mais sacristi ! madame, cela ne se pourra pas si nous restons ici. »

Et elle lui jetait, en riant : « Il faut que cela soit pourtant... ou alors... tant pis pour vous. »

Puis elle lui parlait tendrement, posant la main sur son bras, ou flattant, comme par distraction, la crinière de son cheval.

Puis ils tournèrent à droite dans un petit chemin couvert, et soudain, pour éviter une branche qui barrait la route, elle se pencha sur lui, si près qu'il sentit sur son cou le chatouillement des cheveux. Alors brutalement il l'enlaça, et appuyant sur la tempe ses grandes moustaches, il la baisa d'un baiser furieux.

Elle ne remua point d'abord, restant ainsi sous cette caresse emportée ; puis, d'une secousse, elle tourna la tête, et, soit hasard, soit volonté, ses petites lèvres à elle rencontrèrent ses lèvres à lui, sous leur cascade de poils blonds.

Alors, soit confusion, soit remords, elle cingla le flanc de son cheval, qui partit au grand galop. Ils allèrent ainsi longtemps, sans échanger même un regard.

Le tumulte de la chasse se rapprochait ; les fourrés semblaient frémir, et tout à coup, brisant les branches, couvert de sang, secouant les chiens qui s'attachaient à lui, le sanglier passa.

Alors le baron, poussant un rire de triomphe, cria : « Qui m'aime me suive ! » Et il disparut dans les taillis, comme si la forêt l'eût englouti.

Quand elle arriva, quelques minutes plus tard, dans une clairière, il se relevait souillé de boue, la jaquette déchirée, les mains sanglantes, tandis que la bête étendue portait dans l'épaule le couteau de chasse enfoncé jusqu'à la garde.

La curée se fit aux flambeaux par une nuit douce et mélancolique. La lune jaunissait la flamme rouge des torches qui embrumaient la nuit de leur fumée résineuse. Les chiens mangeaient les entrailles puantes du sanglier, et criaient, et se battaient. Et les piqueurs et les gentilshommes chasseurs, en cercle autour de la curée, sonnaient du cor à plein souffle. La fanfare s'en allait dans la nuit claire au-dessus des bois, répétée par les échos perdus des vallées lointaines, réveillant les cerfs inquiets, les renards glapissants et troublant en leurs ébats les petits lapins gris, au bord des clairières.

Les oiseaux de nuit voletaient, effarés, au-dessus de la meute affolée d'ardeur. Et des femmes, attendries par toutes ces choses douces et violentes, s'appuyant un peu au bras des hommes, s'écartaient déjà dans les allées, avant que les chiens eussent fini leur repas.

Tout alanguie par cette journée de fatigue et de tendresse, Mme d'Avancelles dit au baron :

« Voulez-vous faire un tour de parc, mon ami ? »

Mais lui, sans répondre, tremblant, défaillant, l'entraîna.

Et, tout de suite, ils s'embrassèrent. Ils allaient au pas, au petit pas, sous les branches presque dépouillées et qui laissaient filtrer la lune ; et leur amour, leurs désirs, leur besoin d'étreinte étaient devenus si véhéments qu'ils faillirent choir au pied d'un arbre.

Les cors ne sonnaient plus. Les chiens épuisés dormaient au chenil. « Rentrons », dit la jeune femme. Ils revinrent.

Puis, lorsqu'ils furent devant le château, elle murmura d'une voix mourante : « Je suis si fatiguée que je vais me coucher, mon ami. » Et, comme il ouvrait les bras pour la prendre en un dernier baiser, elle s'enfuit, lui jetant comme adieu : « Non... je vais dormir... Qui m'aime me suive ! »

Une heure plus tard, alors que tout le château silencieux semblait mort, le baron sortit à pas de loup de sa chambre et s'en vint gratter à la porte de son amie. Comme elle ne répondait pas, il essaya d'ouvrir. Le verrou n'était point poussé.

Elle rêvait, accoudée à la fenêtre.

Il se jeta à ses genoux qu'il baisait éperdument à travers la robe de nuit. Elle ne disait rien, enfonçant ses doigts fins, d'une manière caressante, dans les cheveux du baron.

Et soudain, se dégageant comme si elle eût pris une grande résolution, elle murmura de son air hardi, mais à voix basse : « Je vais revenir. Attendez-moi. » Et son doigt, tendu dans l'ombre, montrait au fond de la chambre la tache vague et blanche du lit.

Alors, à tâtons, éperdu, les mains tremblantes, il se dévêtit bien vite et s'enfonça dans les draps frais. Il s'étendit délicieusement, oubliant presque son amie, tant il avait plaisir à cette caresse du linge sur son corps las de mouvement.

Elle ne revenait point, pourtant ; s'amusant sans doute à le faire languir. Il fermait les yeux dans un bien-être exquis ; et il rêvait doucement dans l'attente délicieuse de la chose tant désirée. Mais peu à peu ses membres s'engourdirent, sa pensée s'assoupit, devint incertaine, flottante. La puissante fatigue enfin le terrassa ; il s'endormit.

Il dormit du lourd sommeil, de l'invincible sommeil des chasseurs exténués. Il dormit jusqu'à l'aurore.

Tout à coup, la fenêtre étant restée entrouverte, un coq, perché dans un arbre voisin, chanta. Alors brusquement, surpris par ce cri sonore, le baron ouvrit les yeux.

Sentant contre lui un corps de femme, se trouvant en un lit qu'il ne reconnaissait pas, surpris et ne se souvenant plus de rien, il balbutia dans l'effarement du réveil :

« Quoi ? Où suis-je ? Qu'y a-t-il ? »

Alors elle, qui n'avait point dormi, regardant cet homme dépeigné, aux yeux rouges, à la lèvre épaisse, répondit, du ton hautain dont elle parlait à son mari :

« Ce n'est rien. C'est un coq qui chante. Rendormez-vous, monsieur, cela ne vous regarde pas. »

Le verrou

À Raoul Denisane

LES QUATRE VERRES devant les dîneurs restaient à moitié pleins maintenant, ce qui indique généralement que les convives le sont tout à fait. On commençait à parler sans écouter les réponses, chacun ne s'occupant que de ce qui se passait en lui ; et les voix devenaient éclatantes, les gestes exubérants, les yeux allumés.

C'était un dîner de garçons, de vieux garçons endurcis. Ils avaient fondé ce repas régulier, une vingtaine d'années auparavant, en le baptisant : « le Célibat ». Ils étaient alors quatorze bien décidés à ne jamais prendre femme. Ils restaient quatre maintenant. Trois étaient morts et les sept autres mariés.

Ces quatre-là tenaient bon ; et ils observaient scrupuleusement, autant qu'il était en leur pouvoir, les règles établies au début de cette curieuse association. Ils s'étaient juré, les mains dans les mains, de détourner de ce qu'on appelle le droit chemin toutes les femmes qu'ils pourraient, de préférence celle des amis, de préférence encore celle des amis les plus intimes. Aussi, dès que l'un d'eux quittait la société pour fonder une famille, il avait soin de se fâcher d'une façon définitive avec tous ses anciens compagnons.

Ils devaient, en outre, à chaque dîner s'entre-confesser, se raconter avec tous les détails et les noms, et les renseignements les plus précis, leurs dernières aventures. D'où cette espèce de dicton devenu familier entre eux : « Mentir comme un célibataire. »

Ils professaient, en outre, le mépris le plus complet pour la Femme, qu'ils traitaient de « Bête à plaisir ». Ils citaient à tout instant Schopenhauer, leur dieu, réclamaient le rétablissement des harems et des tours, avaient fait broder sur le linge de table, qui servait au dîner du Célibat, ce précepte ancien : « *Mulier, perpetuus infans* », et, au-dessous, le vers d'Alfred de Vigny :

La femme, enfant malade et douze fois impure !

De sorte qu'à force de mépriser les femmes ils ne pensaient qu'à elles, ne vivaient que pour elles, tendaient vers elles tous leurs efforts, tous leurs désirs.

Ceux d'entre eux qui s'étaient mariés les appelaient vieux galantins, les plaisantaient et les craignaient.

C'était juste au moment de boire le champagne que devaient commencer les confidences au dîner du Célibat.

Ce jour-là, ces vieux, car ils étaient vieux à présent, et plus ils vieillissaient plus ils se racontaient de surprenantes bonnes fortunes, ces vieux furent intarissables. Chacun des quatre, depuis un mois, avait séduit au moins une femme par jour ; et quelles femmes ! les plus jeunes, les plus nobles, les plus riches, les plus belles !

Quand ils eurent terminé leurs récits, l'un d'eux, celui qui, ayant parlé le premier, avait dû, ensuite, écouter les autres, se leva.

Maintenant que nous avons fini de blaguer, dit-il, je me propose de vous raconter non pas ma dernière, mais ma première aventure, j'entends la première aventure de ma vie, ma première chute (car c'est une chute) dans les bras d'une femme. Oh ! je ne veux pas vous narrer mon... comment dirai-je ?... mon tout premier début, non. Le premier fossé sauté (je dis fossé au figuré) n'a rien d'intéressant. Il est généralement boueux, et on s'en relève un peu sali avec une charmante illusion de moins, un vague dégoût, une pointe de tristesse. Cette réalité de l'amour, la première fois qu'on la touche, répugne un peu ; on la rêvait tout autre, plus délicate, plus fine. Il vous en reste une sensation morale et physique d'écœurement, comme lorsqu'on a mis la main, par hasard, en des choses poisseuses et qu'on n'a pas d'eau pour se laver. On a beau frotter, ça reste.

Oui, mais comme on s'y accoutume bien, et vite ! Je te crois, qu'on s'y fait. Cependant... cependant, pour ma part j'ai toujours regretté de n'avoir pas pu donner de conseils au Créateur au moment où il a organisé cette chose-là. Qu'est-ce que j'aurais imaginé ; je ne le sais pas au juste ; mais je crois que je l'aurais arrangée autrement. J'aurais cherché une combinaison plus convenable et plus poétique, oui, plus poétique.

Je trouve que le bon Dieu s'est montré vraiment

trop... trop... naturaliste. Il a manqué de poésie dans son invention.

Donc, ce que je veux vous raconter, c'est ma première femme du monde, la première femme du monde que j'ai séduite. Pardon, je veux dire la première femme du monde qui m'a séduit. Car, au début, c'est nous qui nous laissons prendre, tandis que, plus tard... c'est la même chose.

C'était une amie de ma mère, une femme charmante d'ailleurs. Ces êtres-là, quand ils sont chastes, c'est généralement par bêtise, et quand ils sont amoureux, ils sont enragés. On nous accuse de les corrompre ! Ah bien oui ! Avec elles, c'est toujours le lapin qui commence, et jamais le chasseur. Oh ! elles n'ont pas l'air d'y toucher, je le sais, mais elles y touchent ; elles font de nous ce qu'elles veulent sans que cela paraisse ; et puis elles nous accusent de les avoir perdues, déshonorées, avilies, que sais-je ?

Celle dont je parle nourrissait assurément une furieuse envie de se faire avilir par moi. Elle avait peut-être trente-cinq ans ; j'en comptais à peine vingt-deux. Je ne songeais pas plus à la séduire que je ne pensais à me faire trappiste. Or, un jour, comme je lui rendais visite, et que je considérais avec étonnement son costume, un peignoir du matin considérablement ouvert, ouvert comme une porte d'église quand on sonne la messe, elle me prit la main, la serra, vous savez, la serra comme elles serrent dans ces moments-là, et avec un soupir demi-pâmé, ces soupirs qui viennent d'en bas, elle me dit : « Oh ! ne me regardez pas comme ça, mon enfant. »

Je devins plus rouge qu'une tomate et plus timide que d'habitude, naturellement. J'avais bien envie de

m'en aller, mais elle me tenait la main, et ferme.
Elle la posa sur sa poitrine, une poitrine bien
nourrie, et elle me dit : « Tenez, sentez mon cœur,
comme il bat. » Certes, il battait. Moi, je commençais à saisir, mais je ne savais comment m'y prendre
ni par où commencer. J'ai changé depuis.

Comme je demeurais toujours une main appuyée
sur la grasse doublure de son cœur, et l'autre main
tenant mon chapeau, et comme je continuais à la
regarder avec un sourire confus, un sourire niais,
un sourire de peur, elle se redressa soudain, et,
d'une voix irritée : « Ah çà, que faites-vous, jeune
homme, vous êtes indécent et malappris. » Je retirai
ma main bien vite, je cessai de sourire, et je
balbutiai des excuses, et je me levai, et je m'en allai
abasourdi, la tête perdue.

Mais, j'étais pris, je rêvai d'elle. Je la trouvais
charmante, adorable ; je me figurai que je l'aimais,
que je l'avais toujours aimée, je résolus d'être
entreprenant, téméraire même !

Quand je la revis, elle eut pour moi un petit
sourire en coulisse. Oh ! ce petit sourire, comme il
me troubla. Et sa poignée de main fut longue, avec
une insistance significative.

À partir de ce jour je lui fis la cour, paraît-il. Du
moins, elle m'affirma depuis que je l'avais séduite,
captée, déshonorée, avec un rare machiavélisme,
une habileté consommée, une persévérance de
mathématicien, et des ruses d'Apache.

Mais une chose me troublait étrangement. En
quel lieu s'accomplirait mon triomphe ? J'habitais
dans ma famille, et ma famille, sur ce point, se
montrait intransigeante. Je n'avais pas l'audace
nécessaire pour franchir, une femme au bras, une

porte d'hôtel en plein jour ; je ne savais à qui demander conseil.

Or mon amie, en causant avec moi d'une façon badine, m'affirma que tout jeune homme devait avoir une chambre en ville. Nous habitions à Paris. Ce fut un trait de lumière, j'eus une chambre ; elle y vint.

Elle y vint un jour de novembre. Cette visite, que j'aurais voulu différer, me troubla beaucoup parce que je n'avais pas de feu. Et je n'avais pas de feu parce que ma cheminée fumait. Le veille justement j'avais fait une scène à mon propriétaire, un ancien commerçant, et il m'avait promis de venir lui-même avec le fumiste, avant deux jours, pour examiner attentivement les travaux à exécuter.

Dès qu'elle fut entrée, je lui déclarai : « Je n'ai pas de feu parce que ma cheminée fume. » Elle n'eut pas même l'air de m'écouter, elle balbutia : « Ça ne fait rien, j'en ai... » Et comme je demeurais surpris, elle s'arrêta toute confuse ; puis reprit : « Je ne sais plus ce que je dis... je suis folle... je perds la tête... Qu'est-ce que je fais, Seigneur ! Pourquoi suis-je venue, malheureuse ! Oh ! quelle honte ! quelle honte !... » Et elle s'abattit en sanglotant dans mes bras.

Je crus à ses remords et je lui jurai que je la respecterais. Alors elle s'écroula à mes genoux en gémissant : « Mais tu ne vois donc pas que je t'aime, que tu m'as vaincue, affolée ! »

Aussitôt je crus opportun de commencer les approches. Mais elle tressaillit, se releva, s'enfuit jusque dans une armoire pour se cacher, en criant : « Oh ! ne me regardez pas, non, non. Ce jour me fait honte. Au moins si tu ne me voyais pas, si nous étions dans l'ombre, la nuit, tous les deux. Y songes-tu ? Quel rêve ! Oh ! ce jour ! »

Je me précipitai vers la fenêtre, je fermai les contrevents, je croisai les rideaux, je pendis un paletot sur un filet de lumière qui passait encore ; puis, les mains étendues pour ne pas tomber sur les chaises, le cœur palpitant, je la cherchai, je la trouvai.

Ce fut un nouveau voyage, à deux, à tâtons, les lèvres unies, vers l'autre coin où se trouvait mon alcôve. Nous n'allions pas droit, sans doute, car je rencontrai d'abord la cheminée, puis la commode, puis enfin ce que nous cherchions.

Alors j'oubliai tout dans une extase frénétique. Ce fut une heure de folie, d'emportement, de joie surhumaine ; puis, une délicieuse lassitude nous ayant envahis, nous nous endormîmes, aux bras l'un de l'autre.

Et je rêvai. Mais voilà que dans mon rêve il me sembla qu'on m'appelait, qu'on criait au secours ; puis je reçus un coup violent ; j'ouvris les yeux !...

Oh !... Le soleil couchant, rouge, magnifique, entrant tout entier par ma fenêtre grande ouverte, semblait nous regarder du bord de l'horizon, illuminait d'une lueur d'apothéose mon lit tumultueux, et, couchée dessus, une femme éperdue, qui hurlait, se débattait, se tortillait, s'agitait des pieds et des mains pour saisir un bout de drap, un coin de rideau, n'importe quoi, tandis que, debout au milieu de la chambre, effarés, côte à côte, mon propriétaire en redingote, flanqué du concierge et d'un fumiste noir comme un diable, nous contemplait avec des yeux stupides.

Je me dressai furieux, prêt à lui sauter au collet,

et je criai : « Que faites-vous chez moi, nom de Dieu ! »

Le fumiste, pris d'un rire irrésistible, laissa tomber la plaque de tôle qu'il portait à la main. Le concierge semblait devenu fou, et le propriétaire balbutia : « Mais, monsieur, c'était... c'était pour la cheminée... la cheminée... » Je hurlai : « F...ichez le camp, nom de Dieu ! »

Alors il retira son chapeau d'un air confus et poli, et, s'en allant à reculons, murmura : « Pardon, monsieur, excusez-moi, si j'avais cru vous déranger, je ne serais pas venu. Le concierge m'avait affirmé que vous étiez sorti. Excusez-moi. » Et ils partirent.

Depuis ce temps-là, voyez-vous, je ne ferme jamais les fenêtres ; mais je pousse toujours les verrous.

La rouille

I L N'AVAIT EU, TOUTE SA VIE, qu'une inapaisable passion : la chasse. Il chassait tous les jours, du matin au soir, avec un emportement furieux. Il chassait hiver comme été, au printemps comme à l'automne, au marais, quand les règlements interdisaient la plaine et les bois ; il chassait au tiré, à courre, au chien d'arrêt, au chien courant, à l'affût, au miroir, au furet. Il ne parlait que de chasse, rêvait chasse, répétait sans cesse : « Doit-on être malheureux quand on n'aime pas la chasse ! »

Il avait maintenant cinquante ans sonnés, se portait bien, restait vert, bien que chauve, un peu gros, mais vigoureux ; et il portait tout le dessous de la moustache rasé pour bien découvrir les lèvres et garder libre le tour de la bouche, afin de pouvoir sonner du cor plus facilement.

On ne le désignait dans la contrée que par son petit nom : monsieur Hector. Il s'appelait le baron Hector Gontran de Coutelier.

Il habitait, au milieu des bois, un petit manoir, dont il avait hérité, et, bien qu'il connût toute la noblesse du département et rencontrât tous ses représentants mâles dans les rendez-vous de chasse, il ne fréquentait assidûment qu'une famille : les

Courville, des voisins aimables, alliés à sa race
depuis des siècles.

Dans cette maison il était choyé, aimé, dorloté, et
il disait : « Si je n'étais pas chasseur, je voudrais ne
point vous quitter. » M. de Courville était son ami
et son camarade depuis l'enfance. Gentilhomme
agriculteur, il vivait tranquille avec sa femme, sa
fille et son gendre, M. de Darnetot, qui ne faisait
rien, sous prétexte d'études historiques.

Le baron de Coutelier allait souvent dîner chez
ses amis, surtout pour leur raconter ses coups de
fusil. Il avait de longues histoires de chiens et de
furets dont il parlait comme de personnages mar-
quants qu'il aurait beaucoup connus. Il dévoilait
leurs pensées, leurs intentions, les analysait, les
expliquait : « Quand Médor a vu que le râle le faisait
courir ainsi, il s'est dit : "Attends, mon gaillard,
nous allons rire." Alors, en me faisant signe de la
tête d'aller me placer au coin du champ de trèfle,
il s'est mis à quêter de biais, à grand bruit, en
remuant les herbes pour pousser le gibier dans
l'angle où il ne pourrait plus échapper. Tout est
arrivé comme il l'avait prévu ; le râle, tout d'un
coup, s'est trouvé sur la lisière. Impossible d'aller
plus loin sans se découvrir. Il s'est dit : "Pincé, nom
d'un chien !" et s'est tapi. Médor alors tomba en
arrêt en me regardant ; je lui fais un signe, il force.
– Brrrou – le râle s'envole – j'épaule – pan ! – il
tombe ; et Médor, en le rapportant, remuait la
queue pour me dire : "Est-il joué, ce tour-là,
monsieur Hector ?" »

Courville, Darnetot et les deux femmes riaient
follement de ces récits pittoresques où le baron
mettait toute son âme. Il s'animait, remuait les bras,
gesticulait de tout le corps, et quand il disait la mort

du gibier, il riait d'un rire formidable, et demandait toujours comme conclusion : « Est-elle bonne, celle-là ? »

Dès qu'on parlait d'autre chose, il n'écoutait plus et s'asseyait tout seul à fredonner des fanfares. Aussi, dès qu'un instant de silence se faisait entre deux phrases, dans ces moments de brusques accalmies qui coupent la rumeur des paroles, on entendait tout à coup un air de chasse : « Ton ton, ton laine ton ton », que le baron poussait en gonflant les joues comme s'il eût tenu son cor.

Il n'avait jamais vécu que pour la chasse et vieillissait sans s'en douter ni s'en apercevoir. Brusquement, il eut une attaque de rhumatisme et demeura deux mois au lit. Il faillit mourir de chagrin et d'ennui. Comme il n'avait pas de bonne, faisant préparer sa cuisine par un vieux serviteur, il n'obtenait ni cataplasmes chauds, ni petits soins, ni rien de ce qu'il faut aux souffrants. Son piqueur fut son garde-malade, et cet écuyer qui s'ennuyait au moins autant que son maître, dormait jour et nuit dans un fauteuil, pendant que le baron jurait et s'exaspérait entre ses draps.

Les dames de Courville venaient parfois le voir, et c'étaient pour lui des heures de calme et de bien-être. Elles préparaient sa tisane, avaient soin du feu, lui servaient gentiment son déjeuner, sur le bord du lit, et quand elles partaient il murmurait : « Sacrebleu ! vous devriez bien venir loger ici. » Et elles riaient de tout leur cœur.

Comme il allait mieux et recommençait à chasser au marais, il vint un soir dîner chez ses amis ; mais il n'avait plus son entrain ni sa gaieté. Une pensée incessante le torturait, la crainte d'être ressaisi par les douleurs avant l'ouverture. Au moment de prendre congé, alors que les femmes l'enveloppaient en un châle, lui nouaient un foulard au cou, et qu'il se laissait faire pour la première fois de sa vie, il murmura d'un ton désolé : « Si ça recommence, je suis un homme foutu. »

Lorsqu'il fut parti, Mme de Darnetot dit à sa mère : « Il faudrait marier le baron. »

Tout le monde leva les bras. Comment n'y avait-on pas encore songé ? On chercha toute la soirée parmi les veuves qu'on connaissait, et le choix s'arrêta sur une femme de quarante ans, encore jolie, assez riche, de belle humeur et bien portante, qui s'appelait Mme Berthe Vilers.

On l'invita à passer un mois au château. Elle s'ennuyait. Elle vint. Elle était remuante et gaie ; M. de Coutelier lui plut tout de suite. Elle s'en amusait comme d'un jouet vivant, et passait des heures entières à l'interroger sournoisement sur les sentiments des lapins et les machinations des renards. Il distinguait gravement les manières de voir différentes des divers animaux, et leur prêtait des plans et des raisonnements subtils comme aux hommes de sa connaissance.

L'attention qu'elle lui donnait le ravit, et, un soir, pour lui témoigner son estime, il la pria de chasser, ce qu'il n'avait encore jamais fait pour aucune femme. L'invitation parut si drôle qu'elle accepta. Ce fut une fête pour l'équiper ; tout le monde s'y mit, lui offrit quelque chose et elle apparut vêtue en manière d'amazone, avec des bottes, des culottes d'homme, une jupe courte, une jaquette de velours trop étroite pour la gorge et une casquette de valet de chiens.

Le baron semblait ému comme s'il allait tirer son premier coup de fusil. Il lui expliqua minutieusement la direction du vent, les différents arrêts des chiens, la façon de tirer les gibiers ; puis, il la poussa dans un champ, en la suivant pas à pas avec la sollicitude d'une nourrice qui regarde son nourrisson marcher pour la première fois.

Médor rencontra, rampa, s'arrêta, leva la patte. Le baron, derrière son élève, tremblait comme une feuille. Il balbutiait : « Attention, attention, des per... des per... des perdrix. »

Il n'avait pas fini qu'un grand bruit s'envola de terre – brrr, brrr, brrr –, et un régiment de gros oiseaux monta dans l'air en battant des ailes.

Mme Vilers, éperdue, ferma les yeux, lâcha les deux coups, recula d'un pas sous la secousse du fusil, puis, quand elle reprit son sang-froid, elle aperçut le baron qui dansait comme un fou, et Médor rapportant deux perdrix dans sa gueule.

À dater de ce jour, M. de Coutelier fut amoureux d'elle.

Il disait en levant les yeux : « Quelle femme ! » et il venait tous les soirs maintenant pour causer chasse. Un jour, M. de Courville, qui le reconduisait et l'écoutait s'extasier sur sa nouvelle amie, lui demanda brusquement : « Pourquoi ne l'épousez-vous pas ? » Le baron resta saisi : « Moi ? moi ? l'épouser ?... mais... au fait... » Et il se tut. Puis serrant précipitamment la main de son compagnon, il murmura : « Au revoir, mon ami », et disparut à grands pas dans la nuit.

Il fut trois jours sans revenir. Quand il reparut, il était pâli par ses réflexions, et plus grave que de coutume. Ayant pris à part M. de Courville : « Vous avez eu là une fameuse idée. Tâchez de la préparer à m'accepter. Sacrebleu, une femme comme ça, on la dirait faite pour moi. Nous chasserons ensemble toute l'année. »

M. de Courville, certain qu'il ne serait pas refusé, répondit : « Faites votre demande tout de suite, mon cher. Voulez-vous que je m'en charge ? » Mais le baron se troubla soudain ; et balbutiant : « Non... non..., il faut d'abord que je fasse un petit voyage... un petit voyage... à Paris. Dès que je serai revenu, je vous répondrai définitivement. » On n'en put obtenir d'autres éclaircissements et il partit le lendemain.

Le voyage dura longtemps. Une semaine, deux semaines, trois semaines, se passèrent, M. de Coute-lier ne reparaissait pas. Les Courville, étonnés, inquiets, ne savaient que dire à leur amie qu'ils avaient prévenue de la démarche du baron. On envoyait tous les deux jours prendre chez lui de ses nouvelles ; aucun de ses serviteurs n'en avait reçu.

Or, un soir, comme Mme Vilers chantait en s'accompagnant au piano, une bonne vint, avec un grand mystère, chercher M. de Courville, en lui disant tout bas qu'un monsieur le demandait. C'était le baron, changé, vieilli, en costume de voyage. Dès qu'il vit son vieil ami, il lui saisit les mains, et d'une voix un peu fatiguée : « J'arrive à l'instant, mon cher, et j'accours chez vous, je n'en puis plus. » Puis il hésita, visiblement embarrassé : « Je voulais vous dire... tout de suite... que cette affaire... vous savez bien... est manquée. »

M. de Courville le regardait stupéfait : « Comment ? manquée ? Et pourquoi ? – Oh ! ne m'interrogez pas, je vous prie, ce serait trop pénible à dire, mais soyez sûr que j'agis en... en honnête homme. Je ne peux pas... Je n'ai pas le droit, vous entendez, pas le droit, d'épouser cette dame. J'attendrai qu'elle soit partie pour revenir chez vous ; il me serait trop douloureux de la revoir. Adieu. »

Et il s'enfuit.

Toute la famille délibéra, discuta, supposa mille choses. On conclut qu'un grand mystère était caché dans la vie du baron, qu'il avait peut-être des enfants naturels, une vieille liaison. Enfin l'affaire paraissait grave et, pour ne point entrer en des complications difficiles, on prévint habilement Mme Vilers, qui s'en retourna veuve comme elle était venue.

Trois mois encore se passèrent. Un soir, comme il avait fortement dîné et qu'il titubait un peu, M. de Coutelier, en fumant sa pipe le soir avec M. de Courville, lui dit : « Si vous saviez comme je pense souvent à votre amie, vous auriez pitié de moi. »

L'autre, que la conduite du baron en cette circonstance avait un peu froissé, lui dit sa pensée vivement : « Sacrebleu, mon cher, quand on a des secrets dans son existence, on ne s'avance pas d'abord comme vous l'avez fait ; car, enfin, vous pouviez prévoir le motif de votre reculade, assurément. »

Le baron confus cessa de fumer.

« Oui, et non. Enfin, je n'aurais pas cru ce qui est arrivé. »

M. de Courville, impatienté, reprit : « On doit tout prévoir. »

Mais M. de Coutelier, en sondant de l'œil les ténèbres pour être sûr qu'on ne les écoutait pas, reprit à voix basse :

« Je vois bien que je vous ai blessé et je vais tout vous dire pour me faire excuser. Depuis vingt ans,

mon ami, je ne vis que pour la chasse. Je n'aime que
ça. Aussi, au moment de contracter des devoirs
envers cette dame, un scrupule, un scrupule de
conscience m'est venu. Depuis le temps que j'ai
perdu l'habitude de... de... de l'amour, enfin, je ne
savais plus si je serais encore capable de... de... vous
savez bien... Songez donc ? voici maintenant seize
ans exactement que... que... que... pour la dernière
fois, vous comprenez. Dans ce pays-ci ce n'est pas
facile de... de... vous y êtes. Et puis j'avais autre
chose à faire, j'aime mieux tirer un coup de fusil.
Bref au moment de m'engager devant le maire et le
prêtre à... à... ce que vous savez, j'ai eu peur. Je me
suis dit : "Bigre, mais... si... si... j'allais rater." Un
honnête homme ne manque jamais à ses engage-
ments et je prenais là un engagement sacré vis-à-vis
de cette personne. Enfin, pour en avoir le cœur net
je me suis promis d'aller passer huit jours à Paris.

« Au bout de huit jours, rien, mais rien. Et ce
n'est pas faute d'avoir essayé. J'ai pris ce qu'il y avait
de mieux dans tous les genres. Je vous assure
qu'elles ont fait ce qu'elles ont pu... Oui... certainement elles n'ont rien négligé... Mais que voulez-
vous, elles se retiraient toujours... bredouilles...
bredouilles... bredouilles.

« J'ai attendu alors quinze jours, trois semaines,
espérant toujours. J'ai mangé dans les restaurants
un tas de choses poivrées, qui m'ont perdu l'estomac, et... et... rien... toujours rien.

« Vous comprenez que, dans ces circonstances,
devant cette constatation, je ne pouvais que... que...
me retirer. Ce que j'ai fait. »

M. de Courville se tordait pour ne pas rire.
Il serra gravement les mains du baron en lui
disant : « Je vous plains », et le reconduisit jusqu'à

mi-chemin de sa demeure. Puis, lorsqu'il se trouva seul avec sa femme, il lui dit tout, en suffoquant de gaieté. Mais Mme de Courville ne riait point ; elle écoutait, très attentive, et lorsque son mari eut achevé, elle répondit avec un grand sérieux : « Le baron est un niais, mon cher ; il avait peur, voilà tout. Je vais écrire à Berthe de revenir, et bien vite. »

Et comme M. de Courville objectait le long et inutile essai de leur ami, elle reprit : « Bah ! quand on aime sa femme, entendez-vous, cette chose-là... revient toujours. »

Et M. de Courville ne répliqua rien, un peu confus lui-même.

Une ruse

ILS BAVARDAIENT AU COIN DU FEU, le vieux médecin et la jeune malade. Elle n'était qu'un peu souffrante de ces malaises féminins qu'ont souvent les jolies femmes : un peu d'anémie, des nerfs, et un soupçon de fatigue, de cette fatigue qu'éprouvent parfois les nouveaux époux à la fin du premier mois d'union, quand ils ont fait un mariage d'amour.

Elle était étendue sur sa chaise longue et causait : « Non, docteur, je ne comprendrai jamais qu'une femme trompe son mari. J'admets même qu'elle ne l'aime pas, qu'elle ne tienne aucun compte de ses promesses, de ses serments ! Mais comment oser se donner à un autre homme ! Comment cacher cela aux yeux de tous. Comment pouvoir aimer dans le mensonge et dans la trahison ? »

Le médecin souriait.

« Quant à cela, c'est facile. Je vous assure qu'on ne réfléchit guère à toutes ces subtilités quand l'envie vous prend de faillir. Je suis même certain qu'une femme n'est mûre pour l'amour vrai qu'après avoir passé par toutes les promiscuités et tous les dégoûts du mariage qui n'est, suivant un homme illustre, qu'un échange de mauvaise humeur pendant le jour, et de mauvaises odeurs pendant la nuit. Rien de plus vrai. Une femme ne peut aimer passionnément qu'après avoir été mariée. Si je la pouvais comparer à une maison, je dirais qu'elle n'est habitable que lorsqu'un mari a essuyé les plâtres.

« Quant à la dissimulation, toutes les femmes en ont à revendre en ces occasions-là. Les plus simples sont merveilleuses, et se tirent avec génie des cas les plus difficiles. »

Mais la jeune femme semblait incrédule...

« Non, docteur, on ne s'avise jamais qu'après coup de ce qu'on aurait dû faire dans les occasions périlleuses, et les femmes sont certes encore plus disposées que les hommes à perdre la tête. »

Le médecin leva les bras.

« Après coup, dites-vous ? Nous autres, nous n'avons l'inspiration qu'après coup. Mais vous !... Tenez, je vais vous raconter une petite histoire arrivée à une de mes clientes à qui j'aurais donné le bon Dieu sans confession, comme on dit. »

Ceci s'est passé dans une ville de province.

Un soir, comme je dormais profondément de ce pesant premier sommeil si difficile à troubler, il me sembla, dans un rêve obscur, que les cloches de la ville sonnaient au feu.

Tout à coup je m'éveillai : c'était ma sonnette, celle de la rue, qui tintait désespérément. Comme mon domestique ne semblait point répondre, j'agitai à mon tour le cordon pendu dans mon lit, et bientôt des portes battirent, des pas troublèrent le silence de la maison dormante ; puis Jean parut, tenant une lettre qui disait :

Mme Lelièvre prie avec insistance M. le docteur Siméon de passer chez elle immédiatement.

Je réfléchis quelques secondes ; je pensais : Crise de nerfs, vapeurs, tralala, je suis trop fatigué. Et je répondis :

Le docteur Siméon, fort souffrant, prie Mme Lelièvre de vouloir bien appeler son confrère M. Bonnet.

Puis je donnai le billet sous enveloppe et je me rendormis.

Une demi-heure plus tard environ, la sonnette de la rue appela de nouveau, et Jean vint dire : « C'est quelqu'un, un homme ou une femme (je ne sais pas au juste, tant il est caché), qui voudrait parler bien vite à Monsieur. Il dit qu'il y va de la vie de deux personnes. »

Je me dressai. « Faites entrer. »

J'attendis assis dans mon lit.

Une espèce de fantôme noir apparut et, dès que Jean fut sorti, se découvrit. C'était Mme Berthe Lelièvre, une toute jeune femme, mariée depuis trois ans avec un gros commerçant de la ville qui passait pour avoir épousé la plus jolie personne de la province.

Elle était horriblement pâle, avec ces crispations de visage de gens affolés, et ses mains tremblaient ; deux fois elle essaya de parler sans qu'un son pût sortir de sa bouche. Enfin, elle balbutia : « Vite, vite... vite... Docteur... Venez. Mon... mon amant est mort dans ma chambre... »

Elle s'arrêta suffoquant, puis reprit : « Mon mari va... va rentrer du Cercle... »

Je sautai sur mes pieds, sans même songer que

j'étais en chemise, et je m'habillai en quelques secondes. Puis je demandai : « C'est vous-même qui êtes venue tout à l'heure ? » Elle, debout comme une statue, pétrifiée par l'angoisse, murmura : « Non... c'est ma bonne... elle sait... » Puis, après un silence : « Moi, j'étais restée... près de lui. » Et une sorte de cri de douleur horrible sortit de ses lèvres, et, après un étouffement qui la fit râler, elle pleura, elle pleura éperdument avec des sanglots et des spasmes pendant une minute ou deux ; puis, ses larmes, soudain, s'arrêtèrent, se tarirent, comme séchées en dedans par du feu, et redevenue tragiquement calme : « Allons vite ! » dit-elle.

J'étais prêt, mais je m'écriai : « Sacrebleu, je n'ai pas dit d'atteler mon coupé. » Elle répondit : « J'en ai un, j'ai le sien qui l'attendait. » Elle s'enveloppa jusqu'aux cheveux. Nous partîmes.

Quand elle fut à mon côté, dans l'obscurité de la voiture, elle me saisit brusquement la main et, la broyant dans ses doigts fins, elle balbutia avec des secousses dans la voix, des secousses venues du cœur déchiré : « Oh ! si vous saviez, si vous saviez comme je souffre ! Je l'aimais, je l'aimais éperdument, comme une insensée, depuis six mois. »

Je demandai : « Est-on réveillé, chez vous ? » Elle répondit : « Non, personne, excepté Rose, qui sait tout. »

On s'arrêta devant sa porte ; tous dormaient, en effet, dans la maison ; nous sommes entrés sans bruit avec un passe-partout ; et nous voilà montant sur la pointe des pieds. La bonne, effarée, était assise par terre au haut de l'escalier, avec une bougie allumée à son côté, n'ayant pas osé demeurer près du mort.

Et je pénétrai dans la chambre. Elle était bouleversée comme après une lutte. Le lit fripé, meurtri, défait, restait ouvert, semblait attendre ; un drap traînait jusqu'au tapis ; des serviettes mouillées, dont on avait battu les tempes du jeune homme, gisaient à terre à côté d'une cuvette et d'un verre. Et une singulière odeur de vinaigre de cuisine mêlée à des souffles de Lubin écœurait dès la porte.

Tout de son long, sur le dos, au milieu de la chambre, le cadavre était étendu.

Je m'approchai ; je le considérai ; je le tâtai ; j'ouvris les yeux ; je palpai les mains, puis, me tournant vers les deux femmes qui grelottaient comme si elles eussent été gelées, je leur dis : « Aidez-moi à le porter sur le lit. » Et on le coucha doucement. Alors, j'auscultai le cœur et je posai une glace devant la bouche ; puis je murmurai : « C'est fini, habillons-le bien vite. » Ce fut une chose affreuse à voir.

Je prenais un à un les membres comme ceux d'une énorme poupée, et je les tendais aux vêtements qu'apportaient les femmes. On passa les chaussettes, le caleçon, la culotte, le gilet, puis l'habit où nous eûmes beaucoup de mal à faire entrer les bras.

Quand il fallut boutonner les bottines, les deux femmes se mirent à genoux, tandis que je les éclairais ; mais comme les pieds étaient enflés un peu, ce fut effroyablement difficile. N'ayant pas trouvé le tire-bouton, elles avaient pris leurs épingles à cheveux.

Sitôt que l'horrible toilette fut terminée, je considérai notre œuvre et je dis : « Il faudrait le repeigner un peu. » La bonne alla chercher le démêloir et la brosse de sa maîtresse ; mais comme elle tremblait et arrachait, en des mouvements involontaires, les cheveux longs et mêlés, Mme Lelièvre s'empara violemment du peigne, et elle rajusta la chevelure avec douceur, comme si elle l'eût caressée. Elle refit la raie, brossa la barbe, puis roula lentement les moustaches sur son doigt, ainsi qu'elle avait coutume de le faire, sans doute, en des familiarités d'amour.

Et tout à coup, lâchant ce qu'elle tenait aux mains, elle saisit la tête inerte de son amant, et regarda longuement, désespérément cette face morte qui ne lui souriait plus ; puis, s'abattant sur lui, elle l'étreignit à pleins bras, en l'embrassant avec fureur. Ses baisers tombaient, comme des coups, sur la bouche fermée, sur les yeux éteints, sur les tempes, sur le front. Puis, s'approchant de l'oreille, comme s'il eût pu l'entendre encore, comme pour balbutier le mot qui fait plus ardentes les étreintes, elle répéta, dix fois de suite, d'une voix déchirante : « Adieu, chéri. »

Mais la pendule sonna minuit.

J'eus un sursaut : « Bigre, minuit, c'est l'heure où ferme le Cercle. Allons, madame, de l'énergie. »

Elle se redressa. J'ordonnai : « Portons-le dans le salon. » Nous le prîmes tous trois, et l'ayant emporté, je le fis asseoir sur un canapé, puis j'allumai les candélabres.

La porte de la rue s'ouvrit et se referma lourdement. C'était déjà lui. Je criai : « Rose, vite, apportez-moi les serviettes et la cuvette, et refaites la chambre, dépêchez-vous, nom de Dieu ! Voilà M. Lelièvre qui rentre. »

J'entendis les pas monter, s'approcher. Des mains, dans l'ombre, palpaient les murs. Alors j'appelai : « Par ici, mon cher, nous avons eu un accident. »

Et le mari stupéfait parut sur le seuil, un cigare à la bouche. Il demanda : « Quoi ? Qu'y a-t-il ? Qu'est-ce que cela ? »

J'allai vers lui : « Mon bon, vous nous voyez dans un rude embarras. J'étais resté tard à bavarder chez vous avec votre femme et notre ami qui m'avait amené dans sa voiture. Voilà qu'il s'est affaissé tout à coup, et depuis deux heures, malgré nos soins, il demeure sans connaissance. Je n'ai pas voulu appeler des étrangers. Aidez-moi donc à le faire descendre ; je le soignerai mieux chez lui. »

L'époux surpris, mais sans méfiance, ôta son chapeau ; puis il empoigna sous ses bras son rival désormais inoffensif. Je m'attelai entre les jambes, comme un cheval entre deux brancards, et nous voilà descendant l'escalier, éclairés maintenant par la femme.

Lorsque nous fûmes devant la porte, je redressai le cadavre et je lui parlai, l'encourageant pour tromper son cocher : « Allons, mon brave ami, ce ne sera rien ; vous vous sentez déjà mieux, n'est-ce pas ? Du courage, voyons, un peu de courage, faites un petit effort, et c'est fini. »

Comme je sentais qu'il allait s'écrouler, qu'il me glissait entre les mains, je lui flanquai un grand coup d'épaule qui le jeta en avant et le fit basculer dans la voiture, puis je montai derrière lui.

Le mari, inquiet, me demandait : « Croyez-vous que ce soit grave ? » Je répondis : « Non », en souriant, et je regardai la femme. Elle avait passé son bras sous celui de l'époux légitime et elle plongeait son œil fixe dans le fond obscur du coupé.

Je serrai les mains, et je donnai l'ordre de partir.

Tout le long de la route le mort me retomba sur l'oreille droite.

Quand nous fûmes arrivés chez lui, j'annonçai qu'il avait perdu connaissance en chemin. J'aidai à le remonter dans sa chambre ; puis je constatai le décès ; je jouai toute une nouvelle comédie devant sa famille éperdue. Enfin, je regagnai mon lit, non sans jurer contre les amoureux.

Le docteur se tut, souriant toujours.

La jeune femme crispée demanda :

« Pourquoi m'avez-vous raconté cette épouvantable histoire ? »

Il salua galamment.

« Pour vous offrir mes services, à l'occasion. »

Le baiser

MA CHÈRE MIGNONNE,

Donc, tu pleures du matin au soir et du soir au matin parce que ton mari t'abandonne ; tu ne sais que faire, et tu implores un conseil de ta vieille tante que tu supposes apparemment bien experte. Je n'en sais pas si long que tu crois, et cependant je ne suis point sans doute tout à fait ignorant dans cet art d'aimer ou plutôt de se faire aimer, qui te manque un peu. Je puis bien, à mon âge, avouer cela.

Tu n'as pour lui, me dis-tu que des attentions, que des douceurs, que des caresses, que des baisers. Le mal vient peut-être de là ; je crois que tu l'embrasses trop.

Ma chérie, nous avons aux mains le plus terrible pouvoir qui soit : l'amour.

L'homme, doué de sa force physique, l'exerce par la violence. La femme, douée du charme, domine par la caresse. C'est notre arme, arme redoutable, invincible, mais qu'il faut savoir manier.

Nous sommes, sache-le bien, les maîtresses de la terre. Raconter l'histoire de l'Amour depuis les origines du monde, ce serait raconter l'homme lui-même. Tout vient de là, les arts, les grands événements, les mœurs, les coutumes, les guerres, les bouleversements d'empires.

Dans la Bible, tu trouves Dalila, Judith ; dans la Fable, Omphale, Hélène ; dans l'Histoire, les Sabines, Cléopâtre et bien d'autres.

Donc, nous régnons, souveraines toutes-puissantes. Mais il nous faut, comme les rois, user d'une diplomatie délicate.

L'Amour, ma chère petite, est fait de finesses, d'imperceptibles sensations.

Nous savons qu'il est fort comme la Mort ; mais il est aussi fragile que le verre. Le moindre choc le brise et notre domination s'écroule alors, sans que nous puissions la réédifier.

Nous avons la faculté de nous faire adorer, mais il nous manque une toute petite chose, le discernement des nuances dans la caresse, le flair subtil du TROP dans la manifestation de notre tendresse. Aux heures d'étreinte nous perdons le sentiment des finesses, tandis que l'homme que nous dominons reste maître de lui, demeure capable de juger le ridicule de certains mots, le manque de justesse de certains gestes.

Prends bien garde à cela, ma mignonne : c'est le défaut de notre cuirasse, c'est notre talon d'Achille.

Sais-tu d'où vient notre vraie puissance ? Du baiser, du seul baiser ! Quand nous savons tendre et abandonner nos lèvres, nous pouvons devenir des reines.

Le baiser n'est qu'une préface pourtant. Mais une préface charmante, plus délicieuse que l'œuvre elle-même, une préface qu'on relit sans cesse, tandis qu'on ne peut pas toujours... relire le livre.

Oui, la rencontre des bouches est la plus parfaite, la plus divine sensation qui soit donnée aux humains, la dernière, la suprême limite du bonheur.

C'est dans le baiser, dans le seul baiser qu'on croit parfois sentir cette impossible union des âmes que nous poursuivons, cette confusion des cœurs défaillants.

Te rappelles-tu les vers de Sully Prudhomme :

> *Les caresses ne sont que d'inquiets transports,*
> *Infructueux essais du pauvre Amour qui tente*
> *L'impossible union des âmes par le corps.*

Une seule caresse donne cette sensation profonde, immatérielle des deux êtres ne faisant plus qu'un, c'est le baiser. Tout le délire violent de la complète possession ne vaut cette frémissante approche des bouches, ce premier contact humide et frais, puis cette attache immobile, éperdue et longue, si longue ! de l'une à l'autre.

Donc, ma belle, le baiser est notre arme la plus forte, mais il faut craindre de l'émousser. Sa valeur, ne l'oublie pas, est relative, purement convention. Elle change sans cesse suivant les circonstances, les dispositions du moment, l'état d'attente et d'extase de l'esprit. Je vais m'appuyer sur un exemple.

Un autre poète, François Coppée, a fait un vers que nous avons toutes dans la mémoire, un vers que nous trouvons adorable, qui nous fait tressaillir jusqu'au cœur.

Après avoir décrit l'attente de l'amoureux dans une chambre fermée, par un soir d'hiver, ses inquiétudes, ses impatiences nerveuses, sa crainte horrible de ne pas LA voir venir, il raconte l'arrivée de la femme aimée qui entre enfin, toute pressée, essoufflée, apportant du froid dans ses jupes, et il s'écrie :

Oh ! les premiers baisers à travers la voilette !

N'est-ce point là un vers d'un sentiment exquis, d'une observation délicate et charmante, d'une parfaite vérité. Toutes celles qui ont couru au rendez-vous clandestin, que la passion a jetées dans les bras d'un homme, les connaissent bien ces délicieux premiers baisers à travers la voilette, et frémissent encore à leur souvenir. Et pourtant ils ne tirent leur charme que des circonstances, du retard, de l'attente anxieuse ; mais, en vérité, au point de vue purement, ou, si tu préfères, impurement sensuel, ils sont détestables.

Réfléchis. Il fait froid dehors. La jeune femme a marché vite, la voilette est toute mouillée par son souffle refroidi. Des gouttelettes d'eau brillent dans les mailles de dentelle noire. L'amant se précipite et colle ses lèvres ardentes à cette vapeur de poumons liquéfiée. Le voile humide, qui déteint et porte la saveur ignoble des colorations chimiques, pénètre dans la bouche du jeune homme, mouille sa moustache. Il ne goûte nullement aux lèvres de la bien-aimée, il ne goûte qu'à la teinture de cette dentelle trempée d'haleine froide.

Et pourtant nous nous écrions toutes, comme le poète :

Oh ! les premiers baisers à travers la voilette !

Donc la valeur de cette caresse étant toute conventionnelle, il faut craindre de la déprécier.

Eh bien, ma chérie, je t'ai vue en plusieurs occasions très maladroite. Tu n'es pas la seule, d'ailleurs ; la plupart des femmes perdent leur autorité par l'abus seul des baisers, des baisers intempestifs. Quand elles sentent leur mari ou leur amant un peu las, à ces heures d'affaissement où le cœur a besoin de repos comme le corps, au lieu de comprendre ce qui se passe en lui, elles s'acharnent en des caresses inopportunes, le lassent par l'obstination des lèvres tendues, le fatiguent en l'étreignant sans rime ni raison.

Crois-en mon expérience. D'abord n'embrasse jamais ton mari en public, en wagon, au restaurant. C'est du plus mauvais goût ; refoule ton envie. Il se sentirait ridicule et t'en voudrait toujours.

Méfie-toi surtout des baisers inutiles prodigués dans l'intimité. Tu en fais, j'en suis certaine, une effroyable consommation.

Ainsi je t'ai vue un jour tout à fait choquante. Tu ne te le rappelles pas sans doute.

Nous étions tous trois dans ton petit salon, et, comme vous ne vous gêniez guère devant moi, ton mari te tenait sur ses genoux et t'embrassait longue-

ment la nuque, la bouche perdue dans les cheveux
frisés du cou. Soudain tu as crié : « Ah ! le feu ! » Vous
n'y songiez guère, il s'éteignait. Quelques tisons
assombris expirants rougissaient à peine le foyer.
Alors il s'est levé, s'élançant vers le coffre à bois où il
saisit deux bûches énormes qu'il rapportait à grand-
peine, quand tu es venue vers lui les lèvres mendian-
tes, murmurant : « Embrasse-moi. » Il tourna la tête
avec effort en soutenant péniblement les souches.
Alors tu posas doucement, lentement, ta bouche sur
celle du malheureux qui demeura le col de travers, les
reins tordus, les bras rompus, tremblant de fatigue et
d'effort désespéré. Et tu éternisas ce baiser de supplice
sans voir et sans comprendre. Puis, quand tu le laissas
libre, tu te mis à murmurer d'un air fâché : « Comme
tu m'embrasses mal. » – Parbleu, ma chérie !

Oh ! prends garde à cela. Nous avons toutes cette
sotte manie, ce besoin inconscient et bête de nous
précipiter aux moments les plus mal choisis : quand il
porte un verre plein d'eau, quand il remet ses bottes,
quand il renoue sa cravate, quand il se trouve enfin
dans quelque posture pénible, et de l'immobiliser par
une gênante caresse qui le fait rester une minute avec
un geste commencé et le seul désir d'être débarrassé
de nous.

Surtout ne juge pas insignifiante et mesquine cette
critique. L'amour est délicat, ma petite : un rien le
froisse ; tout dépend, sache-le, du tact de nos câline-
ries. Un baiser maladroit peut faire bien du mal.

Expérimente mes conseils.

Ta vieille tante,
Colette.

Pour copie conforme :
Maufrigneuse.

Le remplaçant

« M<small>ME</small> B<small>ONDEROI</small> ?
     – Oui, Mme Bonderoi.

– Pas possible ?

– Je – vous – le – dis.

– Mme Bonderoi, la vieille dame à bonnets de dentelle, la dévote, la sainte, l'honorable Mme Bonderoi dont les petits cheveux follets et faux ont l'air collé autour du crâne ?

– Elle-même.

– Oh ! voyons, vous êtes fou ?

– Je – vous – le – jure.

– Alors, dites-moi tous les détails ?

– Les voici. Du temps de M. Bonderoi, l'ancien notaire, Mme Bonderoi utilisait, dit-on, les clercs pour son service particulier. C'est une de ces respectables bourgeoises à vices secrets et à principes inflexibles, comme il en est beaucoup. Elle aimait les beaux garçons ; quoi de plus naturel ? N'aimons-nous pas les belles filles ?

« Une fois que le père Bonderoi fut mort, la veuve se mit à vivre en rentière paisible et irréprochable. Elle fréquentait assidûment l'église, parlait dédaigneusement du prochain, et ne laissait rien à dire sur elle.

« Puis elle vieillit, elle devint la petite bonne

femme que vous connaissez, pincée, surie, mauvaise.

« Or, voici l'aventure invraisemblable arrivée jeudi dernier.

« Mon ami Jean d'Anglemare est, vous le savez, capitaine aux dragons, caserné dans le faubourg de la Rivette.

« En arrivant au quartier, l'autre matin, il apprit que deux hommes de sa compagnie s'étaient flanqué une abominable tripotée. L'honneur militaire a des lois sévères. Un duel eut lieu. Après l'affaire, les soldats se réconcilièrent ; et, interrogés par leur officier, lui racontèrent le sujet de la querelle. Ils s'étaient battus pour Mme Bonderoi.

– Oh !

– Oui, mon ami, pour Mme Bonderoi !

« Mais je laisse la parole au cavalier Siballe. »

Voilà l'affaire, mon cap'taine. Y a z'environ dix-huit mois, je me promenais sur le Cours, entre six et sept heures du soir, quand une particulière m'aborda.

Elle me dit, comme si elle m'avait demandé son chemin : « Militaire, voulez-vous gagner honnêtement dix francs par semaine ? »

Je lui répondis sincèrement : « À vot' service, madame. »

Alors ell' me dit : « Venez me trouver demain, à midi. Je suis Mme Bonderoi, 6, rue de la Tranchée.

– J' n'y manquerai pas, madame, soyez tranquille. »

Puis, ell' me quitta d'un air content en ajoutant : « Je vous remercie bien, militaire.

– C'est moi qui vous remercie, madame. »

Ça ne laissa pas que d' me taquiner jusqu'au lendemain.

À midi, je sonnais chez elle.

Ell' vint m'ouvrir elle-même. Elle avait un tas de petits rubans sur la tête.

« Dépêchons-nous, dit-elle, parce que ma bonne pourrait rentrer. »

Je répondis : « Je veux bien me dépêcher. Qu'est-ce qu'il faut faire ? »

Alors, elle se mit à rire et riposta : « Tu ne comprends pas, gros malin ? »

Je n'y étais plus, mon cap'taine, parole d'honneur.

Ell' vint s'asseoir tout près de moi, et me dit : « Si tu répètes un mot de tout ça, je te ferai mettre en prison. Jure que tu seras muet. »

Je lui jurai ce qu'ell' voulut. Mais je ne comprenais toujours pas. J'en avais la sueur au front. Alors je retirai mon casque ousqu'était mon mouchoir. Elle le prit, mon mouchoir, et m'essuya les cheveux des tempes. Puis v'là qu'ell' m'embrasse et qu'ell' me souffle dans l'oreille :

« Alors, tu veux bien ? »

Je répondis : « Je veux bien ce que vous voudrez, madame, puisque je suis venu pour ça. »

Alors ell' se fit comprendre ouvertement par des manifestations. Quand j' vis de quoi il s'agissait, je posai mon casque sur une chaise et je lui montrai que dans les dragons on ne recule jamais, mon cap'taine.

Ce n'est pas que ça me disait beaucoup, car la particulière n'était pas dans sa primeur.

Mais y ne faut pas se montrer trop regardant dans le métier, vu que les picaillons sont rares. Et puis on a de la famille qu'il faut soutenir. Je me disais : « Y aura cent sous pour le père, là-dessus. »

Quand la corvée a été faite, mon cap'taine, je me suis mis en position de me retirer. Elle aurait bien voulu que je ne parte pas sitôt. Mais je lui dis : « Chacun son dû, madame. Un p'tit verre ça coûte deux sous, et deux p'tits verres ça coûte quatre sous. »

Ell' comprit bien le raisonnement et me mit un p'tit napoléon de dix balles au fond de la main. Ça ne m'allait guère, c'te monnaie-là, parce que ça vous coule dans la poche, et quand les pantalons ne sont pas bien cousus, on la retrouve dans ses bottes, ou bien on ne la retrouve pas.

Alors que je regardais ce pain à cacheter jaune en me disant ça, ell' me contemple, et puis ell' devient rouge, et elle se trompe sur ma physionomie, et ell' me demande :

« Est-ce que tu trouves que c'est pas assez ? »

Je lui réponds :

« Ce n'est pas précisément ça, madame, mais, si ça ne vous faisait rien, j'aimerais mieux deux pièces de cent sous. »

Ell' me les donna et je m'éloignai.

Or, voilà dix-huit mois que ça dure, mon cap'taine. J'y vas tous les mardis, le soir, quand vous consentez à me donner permission. Elle aime mieux ça, parce que sa bonne est couchée.

Or donc, la semaine dernière je me trouvai indisposé, et il me fallut tâter de l'infirmerie. Le mardi arrive, pas moyen de sortir, et je me mangeais les sangs par rapport aux dix balles dont je me trouve accoutumé.

Je me dis : « Si personne y va, je suis rasé ; qu'elle

prendra pour sûr un artilleur. » Et ça me révolutionnait.

Alors, je fais demander Paumelle, que nous sommes pays, et je lui dis la chose : « Y aura cent sous pour toi, cent sous pour moi, c'est convenu. »

Y consent et le v'là parti. J'y avais donné les renseignements. Y frappe ; ell' ouvre ; ell' le fait entrer ; ell' l'y regarde pas la tête et s'aperçoit point qu' c'est pas le même.

Vous comprenez, mon cap'taine, un dragon et un dragon, quand ils ont le casque, ça se ressemble.

Mais soudain, elle découvre la transformation, et ell' demande d'un air de colère :

« Qu'est-ce que vous êtes ? Qu'est-ce que vous voulez ? Je ne vous connais pas, moi ? »

Alors Paumelle s'explique. Il démontre que je suis indisposé et il expose que je l'ai envoyé pour remplaçant.

Elle le regarde, lui fait aussi jurer le secret, et puis elle l'accepte, comme bien vous pensez, vu que Paumelle n'est pas mal aussi de sa personne.

Mais quand ce limier-là fut revenu, mon cap'taine, il ne voulait plus me donner mes cent sous. Si ça avait été pour moi, j'aurais rien dit, mais c'était pour le père, et là-dessus, pas de blague.

Je lui dis :

« T'es pas délicat dans tes procédés, pour un dragon ; que tu déconsidères l'uniforme. »

Il a levé la main, mon cap'taine, en disant que c'te corvée-là, ça valait plus du double.

Chacun son jugement, pas vrai ? Fallait point qu'il accepte. J'y ai mis mon poing dans le nez. Vous avez connaissance du reste.

Le capitaine d'Anglemare riait aux larmes en me disant l'histoire. Mais il m'a fait aussi jurer le secret qu'il avait garanti aux deux soldats. « Surtout, n'allez pas me trahir ; gardez ça pour vous, vous me le promettez ?

— Oh ! ne craignez rien. Mais comment tout cela s'est-il arrangé en définitive ?

— Comment ? Je vous le donne en mille !... La mère Bonderoi garde ses deux dragons, en leur réservant chacun leur jour. De cette façon tout le monde est content.

— Oh ! elle est bien bonne, bien bonne !

— Et les vieux parents ont du pain sur la planche. La morale est satisfaite. »

La toux

À Armand Sylvestre

MON CHER CONFRÈRE ET AMI,

J'ai un petit conte pour vous, un petit conte anodin. J'espère qu'il vous plaira si j'arrive à le bien dire, aussi bien que celle de qui je le tiens.

La tâche n'est point facile, car mon amie est une femme d'esprit infini et de parole libre. Je n'ai pas les mêmes ressources. Je ne peux, comme elle, donner cette gaieté folle aux choses que je conte ; et, réduit à la nécessité de ne pas employer des mots trop caracté-ristiques, je me déclare impuissant à trouver, comme vous, les délicats synonymes.

Mon amie, qui est en outre une femme de théâtre de grand talent, ne m'a point autorisé à rendre publique son histoire.

Je m'empresse donc de réserver ses droits d'auteur pour le cas où elle voudrait, un jour ou l'autre, écrire elle-même cette aventure. Elle le ferait mieux que moi, je n'en doute pas. Étant plus experte sur le sujet, elle retrouverait en outre mille détails amusants que je ne peux inventer.

Mais voyez dans quel embarras je tombe. Il me faudrait, dès le premier mot, trouver un terme équiva-lent, et je le voudrais génial. La *Toux* n'est pas mon affaire. Pour être compris, j'ai besoin au moins d'un commentaire ou d'une périphrase à la façon de l'abbé Delille :

La toux dont il s'agit ne vient point de la gorge.

Elle dormait (mon amie) aux côtés d'un homme aimé. C'était pendant la nuit, bien entendu.

Cet homme, elle le connaissait peu, ou plutôt depuis peu. Ces choses arrivent quelquefois dans le monde du théâtre principalement. Laissons les bourgeoises s'en étonner. Quant à dormir aux côtés d'un homme qu'importe qu'on le connaisse peu ou beaucoup, cela ne modifie guère la manière d'agir dans le secret du lit. Si j'étais femme je préférerais, je crois, les nouveaux amis. Ils doivent être plus aimables, sous tous les rapports, que les habitués.

On a, dans ce qu'on appelle le monde comme il faut, une manière de voir différente et qui n'est point la mienne. Je le regrette pour les femmes de ce monde ; mais je me demande si la manière de voir modifie sensiblement la manière d'agir ?...

Donc elle dormait aux côtés d'un nouvel ami. C'est là une chose délicate et difficile à l'excès. Avec un vieux compagnon on prend ses aises, on ne se gêne pas, on peut se retourner à sa guise, lancer des coups de pied, envahir les trois quarts du matelas, tirer toute la couverture et se rouler dedans, ronfler, grogner, tousser (je dis tousser faute de mieux) ou éternuer (que pensez-vous d'éternuer comme synonyme ?)

Mais pour en arriver là, il faut au moins six mois d'intimité. Et je parle des gens qui sont d'un naturel familier. Les autres gardent toujours certaines réserves, que j'approuve pour ma part. Mais nous n'avons peut-être pas la même manière de sentir sur cette matière.

Quand il s'agit d'une nouvelle connaissance qu'on peut supposer sentimentale, il faut assurément prendre quelques précautions pour ne point incommoder son voisin de lit, et pour garder un certain prestige, de poésie et une certaine autorité.

Elle dormait. Mais soudain une douleur, intérieure, lancinante, voyageuse, la parcourut. Cela commença dans le creux de l'estomac et se mit à rouler en descendant vers... vers... vers les gorges inférieures avec un bruit discret de tonnerre intestinal.

L'homme, l'ami nouveau, gisait, tranquille, sur le dos, les yeux fermés. Elle le regarda de coin, inquiète, hésitante.

Vous êtes-vous trouvé, confrère, dans une salle de première, avec un rhume dans la poitrine. Toute la salle anxieuse, halète au milieu d'un silence complet ; mais vous n'écoutez plus rien, vous attendez, éperdu, un moment de rumeur pour tousser. Ce sont, tout le long de votre gosier, des chatouillements, des picotements épouvantables. Enfin vous n'y tenez plus. Tant pis pour les voisins. Vous toussez. – Toute la salle crie : « À la porte. »

Elle se trouvait dans le même cas, travaillée, torturée par une envie folle de tousser. (Quand je dis tousser, j'entends bien que vous transposez.)

Il semblait dormir ; il respirait avec calme. Certes il dormait.

Elle se dit : « Je prendrai mes précautions. Je tâcherai de souffler seulement, tout doucement, pour ne le point réveiller. » Et elle fit comme ceux qui cachent leur bouche sous leur main et s'efforcent de dégager, sans bruit, leur gorge en expectorant de l'air avec adresse.

Soit qu'elle s'y prît mal, soit que la démangeaison fût trop forte, elle toussa.

Aussitôt elle perdit la tête. S'il avait entendu, quelle honte ! Et quel danger ! Oh ! s'il ne dormait point, par hasard ? Comment le savoir ? Elle le regarda fixement, et, à la lueur de la veilleuse, elle crut voir sourire son visage aux yeux fermés. Mais s'il riait... il ne dormait donc pas,... et, s'il ne dormait pas... ?

Elle tenta avec sa bouche, la vraie, de produire un bruit semblable, pour... dérouter son compagnon.

Cela ne ressemblait guère.

Mais dormait-il ?

Elle se retourna, s'agita, le poussa, pour savoir avec certitude.

Il ne remua point.

Alors elle se mit à chantonner.

Le monsieur ne bougeait pas.

Perdant la tête, elle l'appela « Ernest ».

Il ne fit pas un mouvement, mais il répondit aussitôt :

« Qu'est-ce que tu veux ? »

Elle eut une palpitation de cœur. Il ne dormait pas ; il n'avait jamais dormi !...

Elle demanda :

« Tu ne dors donc pas ? »

Il murmura avec résignation :

« Tu le vois bien. »

Elle ne savait plus que dire, affolée. Elle reprit enfin.

« Tu n'as rien entendu ? »

Il répondit, toujours immobile :

« Non. »

Elle se sentait venir une envie folle de le gifler, et, s'asseyant dans le lit :

« Cependant il m'a semblé ?...

— Quoi ?

— Qu'on marchait dans la maison. »

Il sourit. Certes, cette fois elle l'avait vu sourire, et il dit :

« Fiche-moi donc la paix, voilà une demi-heure que tu m'embêtes. »

Elle tressaillit.

« Moi ?... C'est un peu fort. Je viens de me réveiller. Alors tu n'as rien entendu ?

— Si.

— Ah ! enfin, tu as entendu quelque chose ! Quoi ?

— On a... toussé ! »

Elle fit un bond et s'écria, exaspérée :

« On a toussé ! Où ça ? Qui est-ce qui a toussé ? Mais, tu es fou ? Réponds donc ? »

Il commençait à s'impatienter.

« Voyons, est-ce fini cette scie-là ? Tu sais bien que c'est toi. »

Cette fois, elle s'indigna, hurlant : « Moi ? – Moi ? – Moi ? – J'ai toussé ? Moi ? J'ai toussé ! Ah ! vous m'insultez, vous m'outragez, vous me méprisez. Eh bien, adieu ! Je ne reste pas auprès d'un homme qui me traite ainsi. »

Et elle fit un mouvement énergique pour sortir du lit.

Il reprit d'une voix fatiguée, voulant la paix à tout prix :

« Voyons, reste tranquille. C'est moi qui ai toussé. »

Mais elle eut un sursaut de colère nouvelle.

« Comment ? vous avez... toussé dans mon lit !... à mes côtés... pendant que je dormais ? Et vous l'avouez. Mais vous êtes ignoble. Et vous croyez que je reste avec les hommes qui... toussent auprès de moi... Mais pour qui me prenez-vous donc ? »

Et elle se leva sur le lit tout debout, essayant d'enjamber pour s'en aller.

Il la prit tranquillement par les pieds et la fit s'étaler près de lui, et il riait, moqueur et gai :

« Voyons, Rose, tiens-toi tranquille, à la fin. Tu as toussé. Car c'est toi. Je ne me plains pas, je ne me fâche pas ; je suis content même. Mais, recouche-toi, sacrebleu. »

Cette fois, elle lui échappa d'un bond et sauta dans la chambre ; et elle cherchait éperdument ses vêtements, en répétant : « Et vous croyez que je vais rester auprès d'un homme qui permet à une femme de... tousser dans son lit. Mais vous êtes ignoble, mon cher. »

Alors il se leva, et, d'abord, la gifla. Puis, comme elle

se débattait, il la cribla de taloches ; et, la prenant ensuite à pleins bras, la jeta à toute volée dans le lit.

Et comme elle restait étendue, inerte et pleurant contre le mur, il se recoucha près d'elle, puis, lui tournant le dos à son tour, il toussa... il toussa par quintes..., avec des silences et des reprises. Parfois, il demandait : « En as-tu assez », et, comme elle ne répondait pas, il recommençait.

Tout à coup, elle se mit à rire, mais à rire comme une folle, criant : « Qu'il est drôle, ah ! qu'il est drôle ! »

Et elle le saisit brusquement dans ses bras, collant sa bouche à la sienne, lui murmurant entre les lèvres : « Je t'aime, mon chat. »

Et ils ne dormirent plus... jusqu'au matin.

Telle est mon histoire, mon cher Silvestre. Pardonnez-moi cette incursion sur votre domaine. Voilà encore un mot impropre. Ce n'est pas « domaine » qu'il faudrait dire. Vous m'amusez si souvent que je n'ai pu résister au désir de me risquer un peu sur vos derrières.

Mais la gloire vous restera de nous avoir ouvert, toute large, cette voie.

La serre

M ET MME LEREBOUR avaient le même âge. Mais monsieur paraissait plus jeune, bien qu'il fût le plus affaibli des deux. Ils vivaient près de Nantes dans une jolie campagne qu'ils avaient créée après fortune faite en vendant des rouenneries.

La maison était entourée d'un beau jardin contenant basse-cour, kiosque chinois et une petite serre tout au bout de la propriété. M. Lerebour était court, rond et jovial, d'une jovialité de boutiquier bon vivant. Sa femme, maigre, volontaire et toujours mécontente, n'était point parvenue à vaincre la bonne humeur de son mari. Elle se teignait les cheveux, lisait parfois des romans qui lui faisaient passer des rêves dans l'âme, bien qu'elle affectât de mépriser ces sortes d'écrits. On la déclarait passionnée, sans qu'elle eût jamais rien fait pour autoriser cette opinion. Mais son époux disait parfois : « Ma femme, c'est une gaillarde ! » avec un certain air entendu qui éveillait des suppositions.

Depuis quelques années cependant elle se montrait agressive avec M. Lerebour, toujours irritée et dure, comme si un chagrin secret et inavouable l'eût torturée. Une sorte de mésintelligence en résulta. Ils ne se parlaient plus qu'à peine, et madame, qui s'appelait Palmyre accablait sans cesse monsieur, qui s'appelait Gustave, de compliments désobligeants, d'allusions blessantes, de paroles acerbes, sans raison apparente.

Il courbait le dos, ennuyé mais gai quand même, doué d'un tel fonds de contentement qu'il prenait son parti de ces tracasseries intimes. Il se demandait cependant quelle cause inconnue pouvait aigrir ainsi de plus en plus sa compagne, car il sentait bien que son irritation avait une raison cachée, mais si difficile à pénétrer qu'il y perdait ses efforts.

Il lui demandait souvent : « Voyons, ma bonne, dis-moi ce que tu as contre moi ? Je sens que tu me dissimules quelque chose. »

Elle répondait invariablement : « Mais je n'ai rien, absolument rien. D'ailleurs si j'avais quelque sujet de mécontentement, ce serait à toi de le deviner. Je n'aime pas les hommes qui ne comprennent rien, qui sont tellement mous et incapables qu'il faut venir à leur aide pour qu'ils saisissent la moindre des choses. »

Il murmurait, découragé : « Je vois bien que tu ne veux rien dire. »

Et il s'éloignait en cherchant le mystère.

Les nuits surtout devenaient très pénibles pour lui ; car ils partageaient toujours le même lit, comme on fait dans les bons et simples ménages. Il n'était point alors de vexations dont elle n'usât à son égard. Elle choisissait le moment où ils étaient étendus côte à côte pour l'accabler de ses railleries les plus vives. Elle lui reprochait principalement d'engraisser : « Tu tiens toute la place, tant tu deviens gros. Et tu me sues dans le dos comme du lard fondu. Si tu crois que cela m'est agréable ! »

Elle le forçait à se relever sous le moindre prétexte, l'envoyant chercher en bas un journal qu'elle avait oublié, ou la bouteille d'eau de fleur d'oranger qu'il ne trouvait pas, car elle l'avait cachée. Et elle s'écriait d'un ton furieux et sarcastique : « Tu devrais pourtant savoir où on trouve ça, grand nigaud ! » Lorsqu'il avait erré pendant une heure dans la maison endormie et qu'il remontait les mains vides, elle lui disait pour tout remerciement : « Allons, recouche-toi, ça te fera maigrir de te promener un peu, tu deviens flasque comme une éponge. »

Elle le réveillait à tout moment en affirmant qu'elle souffrait de crampes d'estomac et exigeait qu'il lui frictionnât le ventre avec de la flanelle imbibée d'eau de Cologne. Il s'efforçait de la guérir, désolé de la voir malade ; et il proposait d'aller réveiller Céleste, leur bonne. Alors, elle se fâchait tout à fait, criant : « Faut-il qu'il soit bête, ce dindon-là. Allons ! c'est fini, je n'ai plus mal, rendors-toi, grande chiffe. »

Il demandait : « C'est bien sûr que tu ne souffres plus ? »

Elle lui jetait durement dans la figure : « Oui, tais-toi, laisse-moi dormir. Ne m'embête pas davantage. Tu es incapable de rien faire, même de frictionner une femme. »

Il se désespérait : « Mais... ma chérie... »

Elle s'exaspérait : « Pas de mais... Assez, n'est-ce pas. Fiche-moi la paix, maintenant. »

Et elle se tournait vers le mur.

Or, une nuit, elle se secoua si brusquement, qu'il fit un bond de peur et se trouva sur son séant avec une rapidité qui ne lui était pas habituelle.

Il balbutia : « Quoi ?... Qu'y a-t-il ?... »

Elle le tenait par le bras et le pinçait à le faire

crier. Elle lui souffla dans l'oreille : « J'ai entendu du bruit dans la maison. »

Accoutumé aux fréquentes alertes de Mme Lerebour, il ne s'inquiéta pas outre mesure, et demanda tranquillement : « Quel bruit, ma chérie ? »

Elle tremblait, comme affolée, et répondit : « Du bruit... mais du bruit... des bruits de pas... Il y a quelqu'un. »

Il demeurait incrédule : « Quelqu'un ? Tu crois ? Mais non ; tu dois te tromper. Qui veux-tu que ce soit, d'ailleurs ? »

Elle frémissait : « Qui ?... qui ?... Mais des voleurs, imbécile ! »

Il se renfonça doucement dans ses draps : « Mais non, ma chérie, il n'y a personne, tu as rêvé, sans doute. »

Alors, elle rejeta la couverture et, sautant du lit, exaspérée : « Mais tu es donc aussi lâche qu'incapable ! Dans tous les cas, je ne me laisserai pas massacrer grâce à ta pusillanimité. »

Et, saisissant les pinces de la cheminée, elle se porta debout, devant la porte verrouillée, dans une attitude de combat.

Ému par cet exemple de vaillance, honteux peut-être, il se leva à son tour en rechignant, et, sans quitter son bonnet de coton, il prit la pelle et se plaça vis-à-vis de sa moitié.

Ils attendirent vingt minutes dans le plus grand silence. Aucun bruit nouveau ne troubla le repos de la maison. Alors, madame, furieuse, regagna son lit en déclarant : « Je suis sûre pourtant qu'il y avait quelqu'un. »

Pour éviter quelque querelle, il ne fit aucune allusion pendant le jour à cette panique.

Mais la nuit suivante, Mme Lerebour réveilla son

mari avec plus de violence encore que la veille, et, haletante, elle bégayait : « Gustave, Gustave, on vient d'ouvrir la porte du jardin. »

Étonné de cette persistance, il crut sa femme atteinte de somnambulisme et il allait s'efforcer de secouer ce sommeil dangereux quand il lui sembla entendre, en effet, un bruit léger sous les murs de la maison.

Il se leva, courut à la fenêtre, et il vit, oui, il vit une ombre blanche qui traversait vivement une allée.

Il murmura, défaillant : « Il y a quelqu'un ! » Puis il reprit ses sens, s'affermit, et, soulevé tout à coup par une formidable colère de propriétaire dont on a violé la clôture, il prononça : « Attendez, attendez, vous allez voir. »

Il s'élança vers le secrétaire, l'ouvrit, prit son revolver, et se précipita dans l'escalier.

Sa femme éperdue, le suivait en criant : « Gustave, Gustave, ne m'abandonne pas, ne me laisse pas seule. Gustave, Gustave ! »

Mais il ne l'écoutait guère ; il tenait déjà la porte du jardin.

Alors elle remonta bien vite se barricader dans la chambre conjugale.

Elle attendit cinq minutes, dix minutes, un quart d'heure. Une terreur folle l'envahissait. Ils l'avaient tué sans doute, saisi, garrotté, étranglé. Elle eût mieux aimé entendre retentir les six coups de revolver, savoir qu'il se battait, qu'il se défendait. Mais ce grand silence, ce silence effrayant de la campagne la bouleversait.

Elle sonna Céleste. Céleste ne vint pas, ne répondit point. Elle sonna de nouveau, défaillante, prête à perdre connaissance. La maison entière demeura muette.

Elle colla contre la vitre son front brûlant, cherchant à pénétrer les ténèbres du dehors. Elle ne distinguait rien que les ombres plus noires des massifs, à côté des traces grises des chemins.

La demie de minuit sonna. Son mari était absent depuis quarante-cinq minutes. Elle ne le reverrait plus ! Non ! certainement elle ne le reverrait plus ! Et elle tomba à genoux en sanglotant.

Deux coups légers contre la porte de la chambre la firent se redresser d'un bond. M. Lerebour l'appelait : « Ouvre donc, Palmyre, c'est moi. » Elle s'élança, ouvrit, et debout devant lui, les poings sur les hanches, les yeux encore pleins de larmes : « D'où viens-tu, sale bête ! Ah ! tu me laisses comme ça à crever de peur toute seule. Ah ! tu ne t'inquiètes pas plus de moi que si je n'existais pas... »

Il avait refermé la porte ; et il riait, il riait comme un fou, les deux joues fendues par sa bouche, les mains sur son ventre, les yeux humides.

Mme Lerebour, stupéfaite, se tut.

Il bégayait : « C'était... c'était... Céleste qui avait un... un... un rendez-vous dans la serre... Si tu savais ce que... ce que... ce que j'ai vu... »

Elle était devenue blême, étouffant d'indignation. « Hein ?... tu dis ?... Céleste ?... chez moi ?... dans ma... ma... ma maison... dans ma... ma... dans ma serre. Et tu n'as pas tué l'homme, un complice ! Tu avais un revolver et tu ne l'as pas tué... Chez moi... chez moi... »

Elle s'assit, n'en pouvant plus.

Il battit un entrechat, fit les castagnettes avec ses doigts, claqua de la langue, et riant toujours : « Si tu savais... si tu savais... »

Brusquement, il l'embrassa.

Elle se débarrassa de lui. Et la voix coupée par la colère : « Je ne veux pas que cette fille reste un jour de plus chez moi, tu entends ? Pas un jour... pas une heure. Quand elle va rentrer, nous allons la jeter dehors... »

M. Lerebour avait saisi sa femme par la taille et il lui plantait des rangs de baisers dans le cou, des baisers à bruits, comme jadis. Elle se tut de nouveau, percluse d'étonnement. Mais lui, la tenant à pleins bras, l'entraînait doucement vers le lit...

Vers neuf heures et demie du matin, Céleste étonnée de ne pas voir encore ses maîtres qui se levaient toujours de bonne heure, vint frapper doucement à leur porte.

Ils étaient couchés, et ils causaient gaiement côte à côte. Elle demeura saisie, et demanda : « Madame, c'est le café au lait. »

Mme Lerebour prononça d'une voix très douce : « Apporte-le ici, ma fille, nous sommes un peu fatigués, nous avons très mal dormi. »

À peine la bonne fut-elle sortie que M. Lerebour se remit à rire en chatouillant sa femme et répétant : « Si tu savais ! Oh ! si tu savais ! » Mais elle lui prit les mains : « Voyons, reste tranquille, mon chéri, si tu ris tant que ça, tu vas te faire du mal. »

Et elle l'embrassa, doucement, sur les yeux.

Mme Lerebour n'a plus d'aigreurs. Par les nuits claires quelquefois, les deux époux vont, à pas furtifs, le long des massifs et des plates-bandes jusqu'à la petite serre au bout du jardin. Et ils restent là blottis l'un près de l'autre contre le vitrage comme s'ils regardaient au-dedans une chose étrange et pleine d'intérêt.

Ils ont augmenté les gages de Céleste.

M. Lerebour a maigri.

La fenêtre

J<small>E FIS LA CONNAISSANCE</small> de Mme de Jadelle à Paris, cet hiver. Elle me plut infiniment tout de suite. Vous la connaissez d'ailleurs autant que moi..., non... pardon... presque autant que moi... Vous savez comme elle est fantasque et poétique en même temps. Libre d'allures et de cœur impressionnable, volontaire, émancipée, hardie, entreprenante, audacieuse, enfin au-dessus de tout préjugé, et, malgré cela, sentimentale, délicate, vite froissée, tendre et pudique.

Elle était veuve, j'adore les veuves, par paresse. Je cherchais alors à me marier, je lui fis la cour. Plus je la connaissais, plus elle me plaisait ; et je crus le moment venu de risquer ma demande. J'étais amoureux d'elle et j'allais le devenir trop. Quand on se marie, il ne faut pas trop aimer sa femme, parce qu'alors on fait des bêtises ; on se trouble, on devient en même temps niais et brutal. Il faut se dominer encore. Si on perd la tête le premier soir, on risque fort de l'avoir boisée un an plus tard.

Donc, un jour, je me présentai chez elle avec des gants clairs et je lui dis :

« Madame, j'ai le bonheur de vous aimer et je viens vous demander si je puis avoir quelque espoir de vous plaire, en y mettant tous mes soins, et de vous donner mon nom. »

Elle me répondit tranquillement :

« Comme vous y allez, monsieur ! J'ignore absolument si vous me plairez tôt ou tard ; mais je ne demande pas mieux que d'en faire l'épreuve. Comme homme, je ne vous trouve pas mal. Reste à savoir ce que vous êtes comme cœur, comme caractère et comme habitudes. La plupart des mariages deviennent orageux ou criminels, parce qu'on ne se connaît pas assez en s'accouplant. Il suffit d'un rien, d'une manie enracinée, d'une opinion tenace sur un point quelconque de morale, de religion ou de n'importe quoi, d'un geste qui déplaît, d'un tic, d'un tout petit défaut ou même d'une qualité désagréable pour faire deux ennemis irréconciliables, acharnés et enchaînés l'un à l'autre jusqu'à la mort, des deux fiancés les plus tendres et les plus passionnés.

« Je ne me marierai pas, monsieur, sans connaître à fond, dans les coins et replis de l'âme, l'homme dont je partagerai l'existence. Je le veux étudier à loisir, de tout près, pendant des mois.

« Voici donc ce que je vous propose. Vous allez venir passer l'été chez moi, dans ma propriété de Lauville, et nous verrons là, tranquillement, si nous sommes faits pour vivre côte à côte...

« Je vous vois rire ! Vous avez une mauvaise pensée. Oh ! monsieur, si je n'étais pas sûre de moi, je ne vous ferais point cette proposition. J'ai pour l'amour, tel que vous le comprenez, vous autres hommes, un tel mépris et un tel dégoût qu'une chute est impossible pour moi. Acceptez-vous ? »

Je lui baisai la main.

« Quand partons-nous, madame ?

– Le 10 mai. C'est entendu ?

– C'est entendu. »

Un mois plus tard, je m'installais chez elle. C'était vraiment une singulière femme. Du matin au soir elle m'étudiait. Comme elle adore les chevaux, nous passions chaque jour des heures à nous promener par les bois, en parlant de tout, car elle cherchait à pénétrer mes plus intimes pensées autant qu'elle s'efforçait d'observer jusqu'à mes moindres mouvements.

Quant à moi, je devenais follement amoureux et je ne m'inquiétais nullement de l'accord de nos caractères. Je m'aperçus bientôt que mon sommeil lui-même était soumis à une surveillance. Quelqu'un couchait dans une petite chambre à côté de la mienne, où l'on n'entrait que fort tard et avec des précautions infinies. Cet espionnage de tous les instants finit par m'impatienter. Je voulus hâter le dénouement, et je devins, un soir, entreprenant. Elle me reçut de telle façon que je m'abstins de toute tentative nouvelle ; mais un violent désir m'envahit de lui faire payer, d'une façon quelconque, le régime policier auquel j'étais soumis, et je m'avisai d'un moyen.

Vous connaissez Césarine, sa femme de chambre, une jolie fille de Granville, où toutes les femmes sont belles, mais aussi blonde que sa maîtresse est brune.

Donc un après-midi j'attirai la soubrette dans ma chambre, je lui mis cent francs dans la main et je lui dis :

« Ma chère enfant, je ne veux te demander rien de vilain, mais je désire faire envers ta maîtresse ce qu'elle fait envers moi. »

La petite bonne souriait d'un air sournois. Je repris :

« On me surveille jour et nuit, je le sais. On me regarde manger, boire, m'habiller, me raser et mettre mes chaussettes, je le sais. »

La fillette articula :

« Dame, monsieur... », puis se tut. Je continuai :

« Tu couches dans la chambre à côté pour écouter si je souffle ou si je rêve tout haut, ne le nie pas !... »

Elle se mit à rire tout à fait et prononça :

« Dame, monsieur... », puis se tut encore.

Je m'animai :

« Eh bien, tu comprends ma fille, qu'il n'est pas juste qu'on sache tout sur mon compte et que je ne sache rien sur celui de la personne qui sera ma femme. Je l'aime de toute mon âme. Elle a le visage, le cœur, l'esprit que je rêvais, je suis le plus heureux des hommes sous ce rapport ; cependant il y a des choses que je voudrais bien savoir... »

Césarine se décida à enfoncer dans sa poche mon billet de banque. Je compris que le marché était conclu.

« Écoute, ma fille, nous autres hommes, nous tenons beaucoup à certains... à certains... détails... physiques, qui n'empêchent pas une femme d'être charmante, mais qui peuvent changer son prix à nos yeux. Je ne te demande pas de me dire du mal de ta maîtresse, ni même de m'avouer ses défauts secrets si elle en a. Réponds seulement avec franchise aux quatre ou cinq questions que je vais te poser. Tu connais Mme de Jadelle comme toi-même, puisque tu l'habilles et que tu la déshabilles tous les jours. Eh bien, voyons, dis-moi cela. Est-elle aussi grasse qu'elle en a l'air ? »

La petite bonne ne répondit pas.

Je repris :

« Voyons, mon enfant, tu n'ignores pas qu'il y a des femmes qui se mettent du coton, tu sais, du coton là où... enfin du coton là où on nourrit les petits enfants, et aussi là où on s'assoit. Dis-moi, met-elle du coton ? »

Césarine avait baissé les yeux. Elle prononça timidement :

« Demandez toujours, monsieur, je répondrai tout à la fois.

– Eh bien, ma fille, il y a aussi des femmes qui ont les genoux rentrés, si bien qu'ils s'entre-frottent à chaque pas qu'elles font. Il y en a d'autres qui les ont écartés, ce qui leur fait des jambes pareilles aux arches d'un pont. On voit le paysage au milieu. C'est très joli des deux façons. Dis-moi comment sont les jambes de ta maîtresse ? »

La petite bonne ne répondit pas.

Je continuai :

« Il y en a qui ont la poitrine si belle qu'elle forme un gros pli dessous. Il y en a qui ont des gros bras avec une taille mince. Il y en a qui sont très fortes par-devant et pas du tout par-derrière ; d'autres qui sont très fortes par-derrière et pas du tout par-devant. Tout cela est très joli, très joli ; mais je voudrais bien savoir comment est faite ta maîtresse. Dis-le-moi franchement et je te donnerai encore beaucoup d'argent... »

Césarine me regarda au fond des yeux et répondit en riant de tout son cœur :

« Monsieur, à part qu'elle est noire, Madame est faite tout comme moi. » Puis elle s'enfuit.

J'étais joué.

Cette fois je me trouvai ridicule et je résolus de me venger au moins de cette bonne impertinente.

Une heure plus tard, j'entrai avec précaution dans la petite chambre, d'où elle m'écoutait dormir, et je dévissai les verrous.

Elle arriva vers minuit à son poste d'observation. Je la suivis aussitôt. En m'apercevant, elle voulut crier ; mais je lui fermai la bouche avec ma main et je me convainquis, sans trop d'efforts, que, si elle n'avait pas menti, Mme de Jadelle devait être très bien faite.

Je pris même grand goût à cette constatation, qui, d'ailleurs, poussée un peu loin, ne semblait plus déplaire à Césarine.

C'était, ma foi, un ravissant échantillon de la race *bas-normande*, forte et fine en même temps. Il lui manquait peut-être certaines délicatesses de soins qu'aurait méprisées Henri IV. Je les lui révélai bien vite, et comme j'adore les parfums, je lui fis cadeau, le soir même, d'un flacon de lavande ambrée.

Nous fûmes bientôt plus liés même que je n'aurais cru, presque amis. Elle devint une maîtresse exquise, naturellement spirituelle, et rouée à plaisir. C'eût été, à Paris, une courtisane de grand mérite.

Les douceurs qu'elle me procura me permirent d'attendre sans impatience la fin de l'épreuve de Mme de Jadelle. Je devins d'un caractère incomparable, souple, docile, complaisant.

Quant à ma fiancée, elle me trouvait sans doute délicieux, et je compris, à certains signes, que j'allais bientôt être agréé. J'étais certes le plus heureux des hommes du monde, attendant tranquillement le baiser légal d'une femme que j'aimais dans les bras d'une jeune et belle fille pour qui j'avais de la tendresse.

C'est ici, madame, qu'il faut vous tourner un peu ; j'arrive à l'endroit délicat.

Mme de Jadelle, un soir, comme nous revenions de notre promenade à cheval, se plaignit vivement que ses palefreniers n'eussent point pour la bête qu'elle montait certaines précautions exigées par elle. Elle répéta même plusieurs fois : « Qu'ils prennent garde, qu'ils prennent garde, j'ai un moyen de les surprendre. »

Je passai une nuit calme, dans mon lit. Je m'éveillai tôt, plein d'ardeur et d'entrain. Et je m'habillai.

J'avais l'habitude d'aller chaque matin fumer une cigarette sur une tourelle du château où montait un escalier en limaçon, éclairé par une grande fenêtre à la hauteur du premier étage.

Je m'avançais sans bruit, les pieds en mes pantoufles de maroquin aux semelles ouatées, pour gravir les premières marches, quand j'aperçus Césarine, penchée à la fenêtre, regardant au-dehors.

Je n'aperçus pas Césarine tout entière, mais seulement une moitié de Césarine, la seconde moitié d'elle ; j'aimais autant cette moitié-là. De Mme de Jadelle j'eusse préféré peut-être la première. Elle était charmante ainsi, si ronde, vêtue à peine d'un petit jupon blanc, cette moitié qui s'offrait à moi.

Je m'approchai si doucement que la jeune fille n'entendit rien. Je me mis à genoux ; je pris avec mille précautions les deux bords du fin jupon, et, brusquement, je relevai. Je la reconnus aussitôt, pleine, fraîche, grasse et douce, la face secrète de ma maîtresse, et j'y jetai, pardon, madame, j'y jetai un tendre baiser, un baiser d'amant qui peut tout oser.

Je fus surpris. Cela sentait la verveine ! Mais je n'eus pas le temps d'y réfléchir. Je reçus un grand coup ou plutôt une poussée dans la figure qui faillit me briser le nez. J'entendis un cri qui me fit dresser les cheveux. La personne s'était retournée – c'était Mme de Jadelle.

Elle battit l'air de ses mains comme une femme qui perd connaissance ; elle haleta quelques secondes, fit le geste de me cravacher, puis s'enfuit.

Dix minutes plus tard, Césarine, stupéfaite, m'apportait une lettre ; je lus :

Mme de Jadelle espère que M. de Brives la débarrassera immédiatement de sa présence.

Je partis.

Eh bien, je ne suis point encore consolé. J'ai tenté de tous les moyens et de toutes les explications pour me faire pardonner cette méprise. Toutes mes démarches ont échoué.

Depuis ce moment, voyez-vous, j'ai dans... dans le cœur un goût de verveine qui me donne un désir immodéré de sentir encore ce bouquet-là.

Enragée ?

Ma chère Geneviève, tu me demandes de te raconter mon voyage de noces. Comment veux-tu que j'ose ? Ah ! sournoise, qui ne m'avais rien dit, qui ne m'avais même rien laissé deviner, mais là, rien de rien !... Comment ! tu es mariée depuis dix-huit mois, oui, depuis dix-huit mois, toi qui te dis ma meilleure amie, toi qui ne me cachais rien, autrefois, et tu n'as pas eu la charité de me prévenir ? Si tu m'avais seulement donné l'éveil, si tu m'avais mise en garde, si tu avais laissé entrer un simple soupçon dans mon âme, un tout petit, tu m'aurais empêchée de faire une grosse bêtise dont je rougis encore, dont mon mari rira jusqu'à sa mort, et dont tu es seule coupable.

Je me suis rendue affreusement ridicule à tout jamais ; j'ai commis une de ces erreurs dont le souvenir ne s'efface pas, par ta faute, par ta faute, méchante !... Oh ! si j'avais su !

Tiens, je prends du courage en écrivant et je me décide à tout dire. Mais promets-moi de ne pas trop rire.

Ne t'attends pas à une comédie. C'est un drame.

Tu te rappelles mon mariage. Je devais partir le soir même pour mon voyage de noces. Certes, je ne ressemblais guère à la Paulette, dont Gyp nous a si drôlement conté l'histoire dans un spirituel roman : *Autour du mariage*. Et si ma mère m'avait dit, comme Mme d'Hautretan à sa fille : « Ton mari te prendra dans ses bras... et... », je n'aurais certes pas répondu comme Paulette en éclatant de rire : « Ne va pas plus loin, maman... je sais tout ça aussi bien que toi, va... »

Moi je ne savais rien du tout, et maman, ma pauvre maman que tout effraye, n'a pas osé effleurer ce sujet délicat.

Donc, à cinq heures du soir, après la collation, on nous a prévenus que la voiture nous attendait. Les invités étaient partis, j'étais prête. Je me rappelle encore le bruit des malles dans l'escalier et la voix de nez de papa, qui ne voulait pas avoir l'air de pleurer. En m'embrassant, le pauvre homme m'a dit : « Bon courage ! » comme si j'allais me faire arracher une dent. Quant à maman, c'était une fontaine. Mon mari me pressait pour éviter ces adieux difficiles, j'étais moi-même tout en larmes, quoique bien heureuse. Cela ne s'explique guère, et pourtant c'est vrai. Tout à coup, je sentis quelque chose qui tirait ma robe. C'était Bijou, tout à fait oublié depuis le matin. La pauvre bête me disait adieu à sa manière. Cela me donna comme un petit coup dans le cœur, et un grand désir d'embrasser mon chien. Je le saisis(tu sais qu'il est gros comme le poing) et me mis à le dévorer de baisers. Moi, j'adore caresser les bêtes. Cela me fait un plaisir doux, ça me donne des sortes de frissons, c'est délicieux.

Quant à lui, il était comme fou ; il remuait ses pattes, il me léchait, il mordillait comme il fait quand il est très content. Tout à coup, il me prit le nez dans ses crocs et je sentis qu'il me faisait mal. Je

poussai un petit cri et je reposai le chien par terre.
Il m'avait vraiment mordue en voulant jouer. Je
saignais. Tout le monde fut désolé. On apporta de
l'eau, du vinaigre, des linges, et mon mari voulut
lui-même me soigner. Ce n'était rien, d'ailleurs,
deux petits trous qu'on eût dits faits avec des
aiguilles. Au bout de cinq minutes, le sang était
arrêté et je partis.

Il était décidé que nous ferions un voyage en
Normandie, de six semaines environ.

Le soir, nous arrivions à Dieppe, quand je dis « le
soir », j'entends à minuit.

Tu sais comme j'aime la mer. Je déclarai à mon
mari que je ne me coucherais pas avant de l'avoir
vue. Il parut très contrarié. Je lui demandai en
riant : « Est-ce que vous avez sommeil ? »

Il répondit : « Non, mon amie, mais vous devriez
comprendre que j'ai hâte de me trouver seul avec
vous. »

Je fus surprise : « Seul avec moi ? Mais nous
sommes seuls depuis Paris dans le wagon. »

Il sourit : « Oui... mais... dans le wagon, ce n'est
pas la même chose que si nous étions dans notre
chambre. »

Je ne cédai pas : « Eh bien, monsieur, nous
sommes seuls sur la plage, et voilà tout. »

Décidément, cela ne lui plaisait pas. Il dit pourtant : « Soit, puisque vous le désirez. »

La nuit était magnifique, une de ces nuits qui
vous font passer dans l'âme des idées grandes et
vagues, plutôt des sensations que des pensées, avec
des envies d'ouvrir les bras, d'ouvrir les ailes,
d'embrasser le ciel, que sais-je ? On croit toujours
qu'on va comprendre des choses inconnues.

Il y a dans l'air du Rêve, de la Poésie pénétrante,

du bonheur d'autre part que de la terre, une sorte d'ivresse infinie qui vient des étoiles, de la lune, de l'eau argentée et remuante. Ce sont là les meilleurs instants qu'on ait dans la vie. Ils font voir l'existence différente, embellie, délicieuse ; ils sont comme la révélation de ce qui pourrait être... ou de ce qui sera.

Cependant mon mari paraissait impatient de rentrer. Je lui disais : « As-tu froid ? – Non. – Alors regarde donc ce petit bateau là-bas, qui semble endormi sur l'eau. Peut-on être mieux qu'ici ? J'y resterais volontiers jusqu'au jour. Dis, veux-tu que nous attendions l'aurore ? »

Il crut que je me moquais de lui, et il m'entraîna presque de force jusqu'à l'hôtel ! Si j'avais su ! Oh ! le misérable !

Quand nous fûmes seuls, je me sentis honteuse, gênée, sans savoir pourquoi, je te le jure. Enfin je le fis passer dans le cabinet de toilette et je me couchai.

Oh ! ma chère, comment dire ça ? Enfin voici. Il prit sans doute mon extrême innocence pour de la malice, mon extrême simplicité pour de la rouerie, mon abandon confiant et niais pour une tactique, et il ne garda point les délicats ménagements qu'il faut pour expliquer, faire comprendre et accepter de pareils mystères à une âme sans défiance et nullement préparée.

Et tout à coup, je crus qu'il avait perdu la tête. Puis, la peur m'envahissant, je me demandai s'il me voulait tuer. Quand la terreur vous saisit, on ne raisonne pas, on ne pense plus, on devient fou. En une seconde, je m'imaginai des choses effroyables. Je pensai aux faits divers des journaux, aux crimes mystérieux, à toutes les histoires chuchotées de jeunes filles épousées par des misérables ! Est-ce que je le connaissais, cet homme ? Je me débattais, le repoussant, éperdue d'épouvante. Je lui arrachai même une poignée de cheveux et un côté de la moustache, et, délivrée par cet effort, je me levai en hurlant « au secours ! » Je courus à la porte, je tirai les verrous et je m'élançai, presque nue, dans l'escalier.

D'autres portes s'ouvrirent. Des hommes en chemise apparurent avec des lumières à la main. Je tombai dans les bras de l'un d'eux en implorant sa protection. Il se jeta sur mon mari.

Je ne sais plus le reste. On se battait, on criait ; puis on a ri, mais ri comme tu ne peux pas croire. Toute la maison riait, de la cave au grenier. J'entendais dans les corridors de grandes fusées de gaieté, d'autres dans les chambres au-dessus. Les marmitons riaient sous les toits, et le garçon de garde se tordait sur son matelas, dans le vestibule !

Songe donc : dans un hôtel !

Je me retrouvai ensuite seule avec mon mari, qui me donna quelques explications sommaires, comme on explique une expérience de chimie avant de la tenter. Il n'était pas du tout content. Je pleurai jusqu'au jour, et nous sommes partis dès l'ouverture des portes.

Ce n'est pas tout.

Le lendemain, nous arrivions à Pourville, qui n'est encore qu'un embryon de station de bains. Mon mari m'accablait de petits soins, de tendresses. Après un premier mécontentement il paraissait enchanté. Honteuse et désolée de mon aventure de la veille, je fus aussi aimable qu'on peut l'être, et docile. Mais tu ne te figures pas l'horreur, le dégoût, presque la haine qu'Henry m'inspira lorsque

je sus cet infâme secret qu'on cache si soigneusement aux jeunes filles. Je me sentais désespérée,
triste à mourir, revenue de tout et harcelée du
besoin de retourner auprès de mes pauvres parents.
Le surlendemain, nous arrivions à Étretat. Tous les
baigneurs étaient en émoi : une jeune femme,
mordue par un petit chien, venait de mourir enragée. Un grand frisson me courut dans le dos quand
j'entendis raconter cela à table d'hôte. Il me sembla
tout de suite que je souffrais dans le nez et je sentis
des choses singulières tout le long des membres.

Je ne dormis pas de la nuit ; j'avais complètement
oublié mon mari. Si j'allais aussi mourir enragée !
je demandai des détails le lendemain au maître
d'hôtel. Il m'en donna d'affreux. Je passai le jour à
me promener sur la falaise. Je ne parlais plus, je
songeais. La rage ! quelle mort horrible ! Henry me
demandait : « Qu'as-tu ? Tu sembles triste. » Je
répondais : « Mais rien, mais rien. » Mon regard
effaré se fixait sur la mer sans la voir, sur les fermes,
sur les plaines, sans que j'eusse pu dire ce que j'avais
sous les yeux. Pour rien au monde je n'aurais voulu
avouer la pensée qui me torturait. Quelques douleurs, de vraies douleurs, me passèrent dans le nez.
Je voulus rentrer.

À peine revenue à l'hôtel, je m'enfermai pour
regarder la plaie. On ne la voyait plus. Et pourtant,
je n'en pouvais douter, elle me faisait mal.

J'écrivis tout de suite à ma mère une courte lettre
qui dut lui paraître étrange. Je demandais une
réponse immédiate à des questions insignifiantes.
J'écrivis, après avoir signé :

Surtout n'oublie pas de me donner des nouvelles de
Bijou.

Le lendemain, je ne pus manger, mais je refusai de voir un médecin. Je demeurai assise toute la journée sur la plage à regarder les baigneurs dans l'eau. Ils arrivaient gros ou minces, tous laids dans leurs affreux costumes, mais je ne songeais guère à rire. Je pensais : « Sont-ils heureux, ces gens ! ils n'ont pas été mordus. Ils vivront, eux ! ils ne craignent rien. Ils peuvent s'amuser à leur gré. Sont-ils tranquilles ! »

À tout instant je portais la main à mon nez pour le tâter. N'enflait-il pas ? Et à peine rentrée à l'hôtel, je m'enfermais pour le regarder dans la glace. Oh ! s'il avait changé de couleur, je serais morte sur le coup.

Le soir, je me sentis tout à coup une sorte de tendresse pour mon mari, une tendresse de désespérée. Il me parut bon, je m'appuyai sur son bras. Vingt fois je faillis lui dire mon abominable secret, mais je me tus.

Il abusa odieusement de mon abandon et de l'affaissement de mon âme. Je n'eus pas la force de lui résister, ni même la volonté. J'aurais tout supporté, tout souffert ! Le lendemain, je reçus une lettre de ma mère. Elle répondait à mes questions, mais ne me parlait pas de Bijou. Je pensai sur-le-champ : « Il est mort et on me le cache. » Puis je voulus courir au télégraphe pour envoyer une dépêche. Une réflexion m'arrêta : « S'il est vraiment mort, on ne me le dira pas. » Je me résignai donc encore à deux jours d'angoisses. Et j'écrivis de nouveau. Je demandais qu'on m'envoyât le chien qui me distrairait, car je m'ennuyais un peu.

Des tremblements me prirent dans l'après-midi. Je ne pouvais lever un verre plein sans en répandre la moitié. L'état de mon âme était lamentable.

J'échappai à mon mari vers le crépuscule et je courus à l'église. Je priai longtemps.

En revenant, je sentis de nouvelles douleurs dans le nez et j'entrai chez le pharmacien dont la boutique était éclairée. Je lui parlai d'une de mes amies qui aurait été mordue et je lui demandai des conseils. C'était un aimable homme, plein d'obligeance. Il me renseigna abondamment. Mais j'oubliais les choses à mesure qu'il me les disait, tant j'avais l'esprit troublé. Je ne retins que ceci : « Les purgations étaient souvent recommandées. » J'achetai plusieurs bouteilles de je ne sais quoi, sous prétexte de les envoyer à mon amie.

Les chiens que je rencontrais me faisaient horreur et me donnaient envie de fuir à toutes jambes. Il me sembla plusieurs fois que j'avais aussi envie de les mordre.

Ma nuit fut horriblement agitée. Mon mari en profita. Dès le lendemain, je reçus la réponse de ma mère. – Bijou, disait-elle, se portait bien. Mais on l'exposerait trop en l'expédiant ainsi tout seul par le chemin de fer. Donc on ne voulait pas me l'envoyer. Il était mort !

Je ne pus encore dormir. Quant à Henry, il ronfla. Il se réveilla plusieurs fois. J'étais anéantie.

Le lendemain, je pris un bain de mer. Je faillis me trouver mal en entrant dans l'eau, tant je fus saisie par le froid. Je demeurai plus ébranlée encore par cette sensation de glace. J'avais dans les jambes des tressaillements affreux ; mais je ne souffrais plus du tout du nez.

On me présenta, par hasard, le médecin inspecteur des bains, un charmant homme. Je mis une habileté extrême à l'amener sur mon sujet. Je lui dis alors que mon jeune chien m'avait mordue quelques jours auparavant et je lui demandai ce qu'il faudrait faire s'il survenait quelque inflammation. Il se mit à rire et répondit : « Dans votre situation, je ne verrais qu'un moyen, madame, ce serait de vous faire un nouveau nez. »

Et comme je ne comprenais pas, il ajouta : « Cela d'ailleurs regarde votre mari. »

Je n'étais pas plus avancée ni mieux renseignée en le quittant.

Henry, ce soir-là, semblait très gai, très heureux. Nous vînmes le soir au Casino, mais il n'attendit pas la fin du spectacle pour me proposer de rentrer. Rien n'avait plus d'intérêt pour moi, je le suivis.

Mais je ne pouvais tenir au lit, tous mes nerfs étaient ébranlés et vibrants. Lui, non plus, ne dormait pas. Il m'embrassait, me caressait, devenu doux et tendre comme s'il eût deviné enfin combien je souffrais. Je subissais ses caresses sans même les comprendre, sans y songer.

Mais tout à coup une crise subite, extraordinaire, foudroyante, me saisit. Je poussai un cri effroyable, et repoussant mon mari qui s'attachait à moi, je m'élançai dans la chambre et j'allai m'abattre sur la face, contre la porte. C'était la rage, l'horrible rage. J'étais perdue !

Henry me releva, effaré, voulut savoir. Mais je me tus. J'étais résignée maintenant. J'attendais la mort. Je savais qu'après quelques heures de répit, une autre crise me saisirait, puis une autre, puis une autre, jusqu'à la dernière qui serait mortelle.

Je me laissai reporter dans le lit. Au point du jour, les irritantes obsessions de mon mari déterminèrent un nouvel accès, qui fut plus long que le premier. J'avais envie de déchirer, de mordre, de

hurler ; c'était terrible, et cependant moins douloureux que je n'aurais cru.

Vers huit heures du matin, je m'endormis pour la
première fois depuis quatre nuits.

À onze heures, une voix aimée me réveilla.
C'était maman que mes lettres avaient effrayée, et
qui accourait pour me voir. Elle tenait à la main un
grand panier d'où sortirent soudain des aboie-
ments. Je le saisis, éperdue, folle d'espoir. Je l'ouvris, et Bijou sauta sur le lit, m'embrassant, gam-
badant, se roulant sur mon oreiller, pris d'une
frénésie de joie.

Eh bien, ma chérie, tu me croiras si tu veux... Je
n'ai encore compris que le lendemain !

Oh ! l'imagination ! comme ça travaille ! Et penser que j'ai cru ?... Dis, n'est-ce pas trop bête ?...

Je n'ai jamais avoué à personne, tu le comprendras, n'est-ce pas, les tortures de ces quatre jours.
Songe, si mon mari l'avait su ? Il se moque déjà
assez de moi avec mon aventure de Dieppe. Du
reste, je ne me fâche pas trop de ses plaisanteries.
J'y suis faite. On s'accoutume à tout dans la vie...

Les caresses

NON, MON AMI, N'Y SONGEZ PLUS. Ce que vous me demandez me révolte et me dégoûte. On dirait que Dieu, car je crois à Dieu, moi, a voulu jadis tout ce qu'il a fait de bon en y joignant quelque chose d'horrible. Il nous avait donné l'amour, la plus douce chose qui soit au monde, mais trouvant cela trop beau et trop pur pour nous, il a imaginé les sens, les sens ignobles, sales, révoltants, brutaux, les sens qu'il a façonnés comme par dérision et qu'il a mêlés aux ordures du corps, qu'il a conçus de telle sorte que nous n'y pouvons songer sans rougir, que nous n'en pouvons parler qu'à voix basse. Leur acte affreux est enveloppé de honte. Il se cache, révolte l'âme, blesse les yeux, et, honni par la morale, poursuivi par la loi, il se commet dans l'ombre, comme s'il était criminel.

Ne me parlez jamais de cela, jamais !

Je ne sais point si je vous aime, mais je sais que je me plais près de vous, que votre regard m'est doux et que votre voix me caresse le cœur. Du jour où vous auriez obtenu de ma faiblesse ce que vous désirez, vous me deviendrez odieux. Le lien délicat qui nous attache l'un à l'autre serait brisé. Il y aurait entre nous un abîme d'infamies.

Restons ce que nous sommes. Et... aimez-moi si vous voulez, je le permets.

Votre amie,
Geneviève.

Madame, voulez-vous me permettre à mon tour de vous parler brutalement, sans ménagements galants, comme je parlerais à un ami qui voudrait prononcer des vœux éternels ?

Moi non plus, je ne sais pas si je vous aime. Je ne le saurais vraiment qu'après cette chose qui vous révolte tant.

Avez-vous oublié les vers de Musset :

> *Je me souviens encor de ces spasmes terribles,*
> *De ces baisers muets, de ces muscles ardents,*
> *De cet être absorbé, blême et serrant les dents.*
> *S'ils ne sont pas divins, ces moments sont horribles.*

Cette sensation d'horreur et d'insurmontable dégoût, nous l'éprouvons aussi quand, emportés par l'impétuosité du sang, nous nous laissons aller aux accouplements d'aventure. Mais quand une femme est pour nous l'être d'élection, de charme constant, de séduction infinie que vous êtes pour moi, la caresse devient le plus ardent, le plus complet et le plus infini des bonheurs.

La caresse, madame, c'est l'épreuve de l'amour. Quand notre ardeur s'éteint après l'étreinte, nous nous étions trompés. Quand elle grandit, nous nous aimons.

Un philosophe, qui ne pratiquait point ces doctrines, nous a mis en garde contre ce piège de la nature. La nature veut des êtres, dit-il, et pour nous contraindre à les créer, elle a mis le double appât de l'amour et de la volupté auprès du piège. Et il ajoute : Dès que nous nous sommes laissé prendre, dès que l'affolement d'un instant a passé, une tristesse immense nous saisit, car nous comprenons la ruse qui nous a trompés, nous voyons, nous sentons, nous touchons la raison secrète et voilée qui nous a poussés malgré nous.

Cela est vrai souvent, très souvent. Alors nous nous

relevons écœurés. La nature nous a vaincus, nous a jetés, à son gré, dans des bras qui s'ouvraient, parce qu'elle veut que des bras s'ouvrent.

Oui, je sais les baisers froids et violents sur des lèvres inconnues, les regards fixes et ardents en des yeux qu'on n'a jamais vus et qu'on ne verra plus jamais, et tout ce que je ne peux pas dire, tout ce qui nous laisse à l'âme une amère mélancolie.

Mais, quand cette sorte de nuage d'affection, qu'on appelle l'amour, a enveloppé deux êtres, quand ils ont pensé l'un à l'autre, longtemps, toujours, quand le souvenir pendant l'éloignement veille sans cesse, le jour, la nuit, apportant à l'âme les traits du visage, et le sourire, et le son de la voix ; quand on a été obsédé, possédé par la forme absente et toujours visible, n'est-il pas naturel que les bras s'ouvrent enfin, que les lèvres s'unissent et que les corps se mêlent ?

N'avez-vous jamais eu le désir du baiser ? Dites-moi si les lèvres n'appellent pas les lèvres, et si le regard clair, qui semble couler dans les veines, ne soulève pas des ardeurs furieuses, irrésistibles ?

Certes, c'est là le piège, le piège immonde, dites-vous ? Qu'importe, je le sais, j'y tombe, et je l'aime. La Nature nous donne la caresse pour nous cacher sa ruse, pour nous forcer malgré nous à éterniser les générations. Eh bien, volons-lui la caresse, faisons-la nôtre, raffinons-la, changeons-la, idéalisons-la, si vous voulez. Trompons, à notre tour, la Nature, cette trompeuse. Faisons plus qu'elle n'a voulu, plus qu'elle n'a pu ou osé nous apprendre. Que la caresse soit comme une matière précieuse sortie brute de la terre, prenons-la et travaillons-la et perfectionnons-la, sans souci des desseins premiers, de la volonté dissimulée de ce que vous appelez Dieu. Et comme c'est la pensée qui poétise tout, poétisons-la, madame, jusque dans ses brutalités terribles, dans ses plus impures combinaisons, jusque dans ses plus monstrueuses inventions.

Aimons la caresse savoureuse comme le vin qui grise, comme le fruit mûr qui parfume la bouche, comme tout ce qui pénètre notre corps de bonheur. Aimons la chair parce qu'elle est belle, parce qu'elle est blanche et ferme, et ronde et douce, et délicieuse sous la lèvre et sous les mains.

Quand les artistes ont cherché la forme la plus rare et la plus pure pour les coupes où l'art devait boire l'ivresse, ils ont choisi la courbe des seins, dont la fleur ressemble à celle des roses.

Or, j'ai lu dans un livre érudit, qui s'appelle le *Dictionnaire des sciences médicales*, cette définition de la gorge des femmes, qu'on dirait imaginée par M. Joseph Prudhomme, devenu docteur en médecine :

« Le sein peut être considéré chez la femme comme un objet en même temps d'utilité et d'agrément. »

Supprimons, si vous voulez, l'utilité et ne gardons que l'agrément. Aurait-il cette forme adorable qui appelle irrésistiblement la caresse s'il n'était destiné qu'à nourrir les enfants ?

Oui, madame, laissons les moralistes nous prêcher la pudeur, et les médecins la prudence ; laissons les poètes, ces trompeurs toujours trompés eux-mêmes, chanter l'union chaste des âmes et le bonheur immatériel ; laissons les femmes laides à leurs devoirs et les hommes raisonnables à leurs besognes inutiles ; laissons les doctrinaires à leurs doctrines, les prêtres à leurs commandements, et nous, aimons avant tout la caresse qui grise, affole, énerve, épuise, ranime, est plus douce que les parfums, plus légère que la brise, plus aiguë que les blessures, rapide et dévorante, qui fait prier, qui fait commettre tous les crimes et tous les actes de courage !

Aimons-la, non pas tranquille, normale, légale ; mais violente, furieuse, immodérée ! Recherchons-la comme on recherche l'or et le diamant, car elle vaut plus, étant inestimable et passagère ! Poursuivons-la sans cesse, mourons pour elle et par elle.

Et si vous voulez, madame, que je vous dise une vérité que vous ne trouverez, je crois, en aucun livre, les seules femmes heureuses sur cette terre sont celles à qui nulle caresse ne manque. Elles vivent, celles-là, sans souci, sans pensées torturantes, sans autre désir que celui du baiser prochain qui sera délicieux et apaisant comme le dernier baiser.

Les autres, celles pour qui les caresses sont mesurées, ou incomplètes, ou rares, vivent harcelées par mille inquiétudes misérables, par des désirs d'argent ou de vanité, par tous les événements qui deviennent des chagrins.

Mais les femmes caressées à satiété n'ont besoin de rien, ne désirent rien, ne regrettent rien. Elles rêvent, tranquilles et souriantes, effleurées à peine par ce qui serait pour les autres d'irréparables catastrophes, car la caresse remplace tout, guérit de tout, console de tout !

Et j'aurais encore tant de choses à dire !...

Henri.

Ces deux lettres, écrites sur du papier japonais en paille de riz, ont été trouvées dans un petit portefeuille en cuir de Russie, sous un prie-Dieu de la Madeleine, hier dimanche, après la messe d'une heure.

L'ami Patience

« **S** AIS-TU CE QU'EST DEVENU LEREMY ?
— Il est capitaine au 6ᵉ dragons.
— Et Pinson ?
— Sous-préfet.
— Et Racollet ?
— Mort. »

Nous cherchions d'autres noms qui nous rappelaient des figures jeunes coiffées du képi à galons d'or. Nous avions retrouvé plus tard quelques-uns de ces camarades barbus, chauves, mariés, pères de plusieurs enfants, et ces rencontres avec ces changements nous avaient donné des frissons désagréables, nous montrant comme la vie est courte, comme tout passe, comme tout change.

Mon ami demanda :

« Et Patience, le gros Patience ? »

Je poussai une sorte de hurlement :

Oh ! quant à celui-là, écoute un peu. J'étais, voici quatre ou cinq ans, en tournée d'inspection à Limoges, attendant l'heure du dîner. Assis devant le grand café de la place du Théâtre, je m'ennuyais ferme. Les commerçants s'en venaient, à deux, trois ou quatre, prendre l'absinthe ou le vermout, parlaient tout haut de leurs affaires et de celles des autres, riaient violemment ou baissaient le ton pour se communiquer des choses importantes et délicates.

Je me disais : « Que vais-je faire après dîner ? » Et je songeais à la longue soirée dans cette ville de province, à la promenade lente et sinistre à travers les rues inconnues, à la tristesse accablante qui se dégage, pour le voyageur solitaire, de ces gens qui passent et qui vous sont étrangers en tout, par tout, par la forme du veston provincial, du chapeau et de la culotte, par les habitudes et l'accent local, tristesse pénétrante venue aussi des maisons, des boutiques, des voitures aux formes singulières, des bruits ordinaires auxquels on n'est point accoutumé, tristesse harcelante qui vous fait presser peu à peu le pas comme si on était perdu dans un pays dangereux, qui vous oppresse, vous fait désirer l'hôtel, le hideux hôtel dont la chambre a conservé mille odeurs suspectes, dont le lit fait hésiter, dont la cuvette garde un cheveu collé dans la poussière du fond.

Je songeais à tout cela en regardant allumer le gaz, sentant ma détresse d'isolé accrue par la tombée des ombres. Que vais-je faire après dîner ? J'étais seul, tout seul, perdu lamentablement.

Un gros homme vint s'asseoir à la table voisine, et il commanda d'une voix formidable :

« Garçon, mon bitter ! »

Le *mon* sonna dans la phrase comme un coup de canon. Je compris aussitôt que tout était à lui, bien à lui, dans l'existence, et pas à un autre, qu'il avait son caractère, nom d'un nom, son appétit, son pantalon, *son* n'importe quoi d'une façon propre, absolue, plus complète que n'importe qui. Puis il

regarda autour de lui d'un air satisfait. On lui
apporta son bitter, et il appela :

« Mon journal ! »

Je me demandais : « Quel peut bien être son
journal ? » Le titre, certes, allait me révéler son
opinion, ses théories, ses principes, ses marottes, ses
naïvetés.

Le garçon apporta *Le Temps*. Je fus surpris.
Pourquoi *Le Temps,* journal grave, gris, doctrinaire,
pondéré ? Je pensai :

« C'est donc un homme sage, de mœurs sérieuses, d'habitudes régulières, un bon bourgeois,
enfin. »

Il posa sur son nez des lunettes d'or, se renversa
et, avant de commencer à lire, il jeta un nouveau
regard circulaire. Il m'aperçut et se mit aussitôt à
me considérer d'une façon insistante et gênante.
J'allais même lui demander la raison de cette
attention, quand il me cria de sa place :

« Nom d'une pipe, c'est bien Gontran Lardois. »

Je répondis :

« Oui, monsieur, vous ne vous trompez pas. »

Alors il se leva brusquement, et s'en vint, les
mains tendues :

« Ah ! mon vieux, comment vas-tu ? »

Je demeurais fort gêné, ne le reconnaissant pas
du tout. Je balbutiai :

« Mais... très bien... et... vous ? »

Il se mit à rire :

« Je parie que tu ne me reconnais pas ? »

– Non, pas tout à fait... Il me semble... cependant. »

Il me tapa sur l'épaule :

« Allons, pas de blague. Je suis Patience, Robert
Patience, ton copain, ton camarade. »

Je le reconnus. Oui, Robert Patience, mon camarade de collège. C'était cela. Je serrai la main qu'il
me tendait :

« Et toi, tu vas bien ?

– Moi, comme un charme. »

Son sourire chantait le triomphe.

Il demanda :

« Qu'est-ce que tu viens faire ici ? »

J'expliquai que j'étais inspecteur des finances en
tournée.

Il reprit, montrant ma décoration :

« Alors, tu as réussi ? »

Je répondis :

« Oui, pas mal, et toi ?

– Oh ! moi, très bien !

– Qu'est-ce que tu fais ?

– Je suis dans les affaires.

– Tu gagnes de l'argent ?

– Beaucoup, je suis très riche. Mais, viens donc
me demander à déjeuner, demain matin, midi,
17, rue du Coq-qui-Chante ; tu verras mon instal-
lation. »

Il parut hésiter une seconde, puis reprit :

« Tu es toujours le bon zig d'autrefois ?

– Mais... je l'espère !

– Pas marié, n'est-ce pas ?

– Non.

– Tant mieux. Et tu aimes toujours la joie et les
pommes de terre ? »

Je commençais à le trouver déplorablement
commun. Je répondis néanmoins :

« Mais oui.

– Et les belles filles ?

– Quant à ça, oui. »

Il se mit à rire d'un bon rire satisfait :

« Tant mieux, tant mieux. Te rappelles-tu notre première farce à Bordeaux, quand nous avons été souper à l'estaminet Roupie ? Hein, quelle noce ? »

Je me rappelais, en effet, cette noce ; et ce souvenir m'égaya. D'autres faits me revinrent à la mémoire, d'autres encore, nous disions :

« Dis donc, et cette fois où nous avons enfermé le pion dans la cave du père Latoque ? »

Et il riait, tapait du poing sur la table, reprenait :

« Oui... oui... oui..., et te rappelles-tu la gueule du professeur de géographie, M. Marin, quand nous avons fait partir un pétard dans la mappemonde au moment où il pérorait sur les principaux volcans du globe ? »

Mais, brusquement, je lui demandai :

« Et toi, es-tu marié ? »

Il cria :

« Depuis dix ans, mon cher, et j'ai quatre enfants, des mioches étonnants. Mais tu les verras avec la mère. »

Nous parlions fort ; les voisins se retournaient pour nous considérer avec étonnement.

Tout à coup, mon ami regarda l'heure à sa montre, un chronomètre gros comme une citrouille, et il cria :

« Tonnerre, c'est embêtant, mais il faut que je te quitte ; le soir, je ne suis pas libre. »

Il se leva, me prit les deux mains, les secoua comme s'il voulait m'arracher les bras et prononça :

« À demain, midi, c'est entendu !

– C'est entendu. »

Je passai la matinée à travailler chez le trésorier-payeur général. Il voulait me retenir à déjeuner, mais j'annonçai que j'avais rendez-vous chez un ami. Devant sortir, il m'accompagna :

Je lui demandai :

« Savez-vous où est la rue du Coq-qui-Chante ? »

Il répondit :

« Oui, c'est à cinq minutes d'ici. Comme je n'ai rien à faire, je vais vous conduire. »

Et nous nous mîmes en route.

J'atteignis bientôt la rue cherchée. Elle était grande, assez belle, sur la limite de la ville et des champs. Je regardais les maisons et j'aperçus le 17. C'était une sorte d'hôtel avec un jardin derrière. La façade ornée de fresques à la mode italienne me parut de mauvais goût. On voyait des déesses penchant des urnes, d'autres dont un nuage cachait les beautés secrètes. Deux amours de pierre tenaient le numéro.

Je dis au trésorier-payeur général :

« C'est ici que je vais. »

Et je tendis la main pour le quitter. Il fit un geste brusque et singulier, mais ne dit rien et serra la main que je lui présentais.

Je sonnai. Une bonne apparut. Je demandai :

« M. Patience, s'il vous plaît. »

Elle répondit :

« C'est ici, monsieur... C'est à lui-même que vous désirez parler ?

– Mais oui. »

Le vestibule était également orné de peintures dues au pinceau de quelque artiste du lieu. Des Paul et des Virginie s'embrassaient sous des palmiers noyés dans une lumière rose. Une lanterne orientale et hideuse pendait au plafond. Plusieurs portes étaient masquées par des tentures éclatantes.

Mais ce qui me frappait surtout, c'était l'odeur.

Une odeur écœurante et parfumée, rappelant la poudre de riz et la moisissure des caves. Une odeur indéfinissable dans une atmosphère lourde, accablante comme celle des étuves où l'on pétrit des corps humains. Je montai, derrière la bonne, un escalier de marbre que couvrait un tapis de genre oriental, et on m'introduisit dans un somptueux salon.

Resté seul je regardai autour de moi.

La pièce était richement meublée, mais avec une prétention de parvenu polisson. Des gravures du siècle dernier, assez belles d'ailleurs, représentaient des femmes à haute coiffure poudrée, à moitié nues, surprises par des messieurs galants en des postures intéressantes. Une autre dame couchée en un grand lit ravagé batifolait du pied avec un petit chien noyé dans les draps ; une autre résistait avec complaisance à son amant dont la main fuyait sous les jupes. Un dessin montrait quatre pieds dont les corps se devinaient cachés derrière un rideau. La vaste pièce, entourée de divans moelleux, était tout entière imprégnée de cette odeur énervante et fade qui m'avait déjà saisi. Quelque chose de suspect se dégageait des murs, des étoffes, du luxe exagéré, de tout.

Je m'approchai de la fenêtre pour regarder le jardin dont j'apercevais les arbres. Il était fort grand, ombragé, superbe. Un large chemin contournait un gazon où s'égrenait dans l'air un jet d'eau, entrait sous des massifs, en ressortait plus loin. Et tout à coup, là-bas, tout au fond, entre deux taillis d'arbustes, trois femmes apparurent. Elles marchaient lentement, se tenant par le bras, vêtues de longs peignoirs blancs ennuagés de dentelles. Deux étaient blondes, et l'autre brune. Elles rentrè-

rent aussitôt sous les arbres. Je demeurai saisi, ravi,
devant cette courte et charmante apparition qui fit
surgir en moi tout un monde poétique. Elles
s'étaient montrées à peine, dans le jour qu'il fallait,
dans ce cadre de feuilles, dans ce fond de parc
secret et délicieux. J'avais revu, d'un seul coup, les
belles dames de l'autre siècle errant sous les char-
milles, ces belles dames dont les gravures galantes
des murs rappelaient les légères amours. Et je
pensais au temps heureux, fleuri, spirituel et tendre
où les mœurs étaient si douces et les lèvres si
faciles...

Une grosse voix me fit bondir sur place. Patience
était entré, et, radieux, me tendit les mains.

Il me regarda au fond des yeux de l'air sournois
qu'on prend pour les confidences amoureuses, et,
d'un geste large et circulaire, d'un geste de Napoléon, il me montra son salon somptueux, son parc,
les trois femmes qui repassaient au fond, puis,
d'une voix triomphante où chantait l'orgueil :

« Et dire que j'ai commencé avec rien... ma
femme et ma belle-sœur. »

Au bord du lit

UN GRAND FEU FLAMBAIT dans l'âtre. Sur la table japonaise, deux tasses à thé se faisaient face, tandis que la théière fumait à côté contre le sucrier flanqué du carafon de rhum.

Le comte de Sallure jeta son chapeau, ses gants et sa fourrure sur une chaise, tandis que la comtesse, débarrassée de sa sortie de bal, rajustait un peu ses cheveux devant la glace. Elle se souriait aimablement à elle-même en tapotant, du bout de ses doigts fins et luisants de bagues, les cheveux frisés des tempes. Puis elle se tourna vers son mari. Il la regardait depuis quelques secondes, et semblait hésiter comme si une pensée intime l'eût gêné.

Enfin il dit :

« Vous a-t-on assez fait la cour, ce soir ? »

Elle le considéra dans les yeux, le regard allumé d'une flamme de triomphe et de défi, et répondit :

« Je l'espère bien ! »

Puis elle s'assit à sa place. Il se mit en face d'elle et reprit en cassant une brioche :

« C'en était presque ridicule... pour moi ! »

Elle demanda :

« Est-ce une scène ? avez-vous l'intention de me faire des reproches ?

— Non, ma chère amie, je dis seulement que ce

M. Burel a été presque inconvenant auprès de vous.
Si... si... si j'avais eu des droits... je me serais fâché.

— Mon cher ami, soyez franc. Vous ne pensez
plus aujourd'hui comme vous pensiez l'an dernier,
voilà tout. Quand j'ai su que vous aviez une
maîtresse, une maîtresse que vous aimiez, vous ne
vous occupiez guère si on me faisait ou si on ne me
faisait pas la cour. Je vous ai dit mon chagrin, j'ai
dit, comme vous ce soir, mais avec plus de raison :
Mon ami, vous compromettez Mme de Servy, vous
me faites de la peine et vous me rendez ridicule.
Qu'avez-vous répondu ? Oh ! vous m'avez parfaitement laissée entendre que j'étais libre, que le
mariage, entre gens intelligents, n'était qu'une
association d'intérêts, un lien social, mais non un
lien moral. Est-ce vrai ? Vous m'avez laissée comprendre que votre maîtresse était infiniment mieux
que moi, plus séduisante, plus femme ! Vous avez
dit : plus femme. Tout cela était entouré, bien
entendu, de ménagements d'homme bien élevé,
enveloppé de compliments, énoncé avec une délicatesse à laquelle je rends hommage. Je n'en ai pas
moins parfaitement compris.

« Il a été convenu que nous vivrions désormais
ensemble, mais complètement séparés. Nous avions
un enfant qui formait entre nous un trait d'union.

« Vous m'avez presque laissée deviner que vous
ne teniez qu'aux apparences, que je pouvais, s'il me
plaisait, prendre un amant pourvu que cette liaison
restât secrète. Vous avez longuement disserté, et
fort bien, sur la finesse des femmes, sur leur
habileté pour ménager les convenances, etc.

« J'ai compris, mon ami, parfaitement compris.
Vous aimiez alors beaucoup, beaucoup Mme de
Servy, et ma tendresse légitime, ma tendresse légale

vous gênait. Je vous enlevais, sans doute, quelques-uns de vos moyens. Nous avons, depuis lors, vécu séparés. Nous allons dans le monde ensemble, nous en revenons ensemble, puis nous rentrons chacun chez nous.

« Or, depuis un mois ou deux, vous prenez des allures d'homme jaloux. Qu'est-ce que cela veut dire ?

– Ma chère amie, je ne suis point jaloux, mais j'ai peur de vous voir vous compromettre. Vous êtes jeune, vive, aventureuse...

– Pardon, si nous parlons d'aventures, je demande à faire la balance entre nous.

– Voyons, ne plaisantez pas, je vous prie. Je vous parle en ami, en ami sérieux. Quant à tout ce que vous venez de dire, c'est fortement exagéré.

– Pas du tout. Vous avez avoué, vous m'avez avoué votre liaison, ce qui équivalait à me donner l'autorisation de vous imiter. Je ne l'ai pas fait...

– Permettez...

– Laissez-moi donc parler. Je ne l'ai pas fait. Je n'ai point d'amant, et je n'en ai pas eu... jusqu'ici. J'attends... je cherche... je ne trouve pas. Il me faut quelqu'un de bien... de mieux que vous... C'est un compliment que je vous fais et vous n'avez pas l'air de le remarquer.

– Ma chère, toutes ces plaisanteries sont absolument déplacées.

– Mais je ne plaisante pas le moins du monde. Vous m'avez parlé du XVIIIᵉ siècle, vous m'avez laissée entendre que vous étiez Régence. Je n'ai rien oublié. Le jour où il me conviendra de cesser d'être ce que je suis, vous aurez beau faire, entendez-vous, vous serez, sans même vous en douter... cocu comme d'autres.

— Oh !... pouvez-vous prononcer de pareils mots ?

— De pareils mots !... Mais vous avez ri comme un fou quand Mme de Gers a déclaré que M. de Servy avait l'air d'un cocu à la recherche de ses cornes.

— Ce qui peut paraître drôle dans la bouche de Mme de Gers devient inconvenant dans la vôtre.

— Pas du tout. Mais vous trouvez très plaisant le mot cocu quand il s'agit de M. de Servy, et vous le jugez fort malsonnant quand il s'agit de vous. Tout dépend du point de vue. D'ailleurs je ne tiens pas à ce mot, je ne l'ai prononcé que pour voir si vous êtes mûr.

— Mûr... Pour quoi ?

— Mais pour l'être. Quand un homme se fâche en entendant dire cette parole, c'est qu'il... brûle. Dans deux mois, vous rirez tout le premier si je parle d'un... coiffé. Alors... oui... quand on l'est, on ne le sent pas.

— Vous êtes, ce soir, tout à fait mal élevée. Je ne vous ai jamais vue ainsi.

— Ah ! voilà... j'ai changé... en mal. C'est votre faute.

— Voyons, ma chère, parlons sérieusement. Je vous prie, je vous supplie de ne pas autoriser, comme vous l'avez fait ce soir, les poursuites inconvenantes de M. Burel.

— Vous êtes jaloux. Je le disais bien.

— Mais non, non. Seulement je désire n'être pas ridicule. Je ne veux pas être ridicule. Et si je revois ce monsieur vous parler dans les... épaules, ou plutôt entre les seins...

— Il cherchait un porte-voix.

— Je... je lui tirerai les oreilles.

— Seriez-vous amoureux de moi, par hasard ?

— On le pourrait être de femmes moins jolies.

— Tiens, comme vous voilà ! C'est que je ne suis plus amoureuse de vous, moi ! »

Le comte s'est levé. Il fait le tour de la petite table et, passant derrière sa femme, lui dépose vivement un baiser sur la nuque. Elle se dresse d'une secousse, et, le regardant au fond des yeux :

« Plus de ces plaisanteries-là, entre nous, s'il vous plaît. Nous vivons séparés. C'est fini.

— Voyons, ne vous fâchez pas. Je vous trouve ravissante depuis quelque temps.

— Alors... alors... c'est que j'ai gagné. Vous aussi, vous me trouvez... mûre.

— Je vous trouve ravissante, ma chère ; vous avez des bras, un teint, des épaules...

— Qui plairaient à M. Burel...

— Vous êtes féroce. Mais là... vrai... je ne connais pas de femme aussi séduisante que vous.

— Vous êtes à jeun.

— Hein ?

— Je dis : Vous êtes à jeun.

— Comment ça ?

— Quand on est à jeun, on a faim, et quand on a faim, on se décide à manger des choses qu'on n'aimerait point à un autre moment. Je suis le plat... négligé jadis que vous ne seriez pas fâché de vous mettre sous la dent... ce soir.

— Oh ! Marguerite ! Qui vous a appris à parler comme ça ?

— Vous ! Voyons : depuis votre rupture avec Mme de Servy, vous avez eu, à ma connaissance, quatre maîtresses, des cocottes celles-là, des artistes, dans leur partie. Alors, comment voulez-vous que j'explique autrement que par un jeûne momentané vos... velléités de ce soir.

— Je serai franc et brutal, sans politesse. Je suis redevenu amoureux de vous. Pour de vrai, très fort. Voilà.

— Tiens, tiens. Alors vous voudriez... recommencer ?

— Oui, madame.

— Ce soir !

— Oh ! Marguerite !

— Bon. Vous voilà encore scandalisé. Mon cher, entendons-nous. Nous ne sommes plus rien l'un à l'autre, n'est-ce pas ? Je suis votre femme, c'est vrai, mais votre femme – libre. J'allais prendre un engagement d'un autre côté, vous me demandez la préférence. Je vous la donnerai... à prix égal.

— Je ne comprends pas.

— Je m'explique. Suis-je aussi bien que vos cocottes ? Soyez franc.

— Mille fois mieux.

— Mieux que la mieux ?

— Mille fois.

— Eh bien, combien vous a-t-elle coûté, la mieux, en trois mois ?

— Je n'y suis plus.

— Je dis : combien vous a coûté, en trois mois, la plus charmante de vos maîtresses, en argent, bijoux, soupers, dîners, théâtre, etc., entretien complet, enfin ?

— Est-ce que je sais, moi ?

— Vous devez le savoir. Voyons, un prix moyen modéré. Cinq mille francs par mois : est-ce à peu près juste ?

— Oui... à peu près.

— Eh bien, mon ami, donnez-moi tout de suite

cinq mille francs et je suis à vous pour un mois, à compter de ce soir.

— Vous êtes folle.

— Vous le prenez ainsi ; bonsoir. »

La comtesse sort, et entre dans sa chambre à coucher. Le lit est entrouvert. Un vague parfum flotte, imprègne les tentures.

Le comte apparaissant à la porte :

« Ça sent très bon, ici.

— Vraiment ?... Ça n'a pourtant pas changé. Je me sers toujours de peau d'Espagne.

— Tiens, c'est étonnant... ça sent très bon.

— C'est possible. Mais, vous, faites-moi le plaisir de vous en aller parce que je vais me coucher.

— Marguerite !

— Allez-vous-en ! »

Il entre tout à fait et s'assied dans un fauteuil.

La comtesse :

« Ah ! c'est comme ça. Eh bien, tant pis pour vous. »

Elle ôte son corsage de bal lentement, dégageant ses bras nus et blancs. Elle les lève au-dessus de sa tête pour se décoiffer devant la glace ; et, sous une mousse de dentelle, quelque chose de rose apparaît au bord du corset de soie noire.

Le comte se lève vivement et vient vers elle.

La comtesse :

« Ne m'approchez pas, ou je me fâche !... »

Il la saisit à pleins bras et cherche ses lèvres.

Alors, elle, se penchant vivement, saisit sur sa toilette un verre d'eau parfumée pour sa bouche, et, par-dessus l'épaule, le lance en plein visage de son mari.

Il se relève, ruisselant d'eau, furieux, murmurant :

« C'est stupide.

— Ça se peut... Mais vous savez mes conditions :
cinq mille francs.

— Mais ce serait idiot !...

— Pourquoi ça ?

— Comment, pourquoi ? Un mari payer pour
coucher avec sa femme !...

— Oh !... quels vilains mots vous employez !

— C'est possible. Je répète que ce serait idiot de
payer sa femme, sa femme légitime.

— Il est bien plus bête, quand on a une femme
légitime, d'aller payer des cocottes.

— Soit, mais je ne veux pas être ridicule. »

La comtesse s'est assise sur une chaise longue.
Elle retire lentement ses bas en les retournant
comme une peau de serpent. Sa jambe rose sort de
la gaine de soie mauve, et le pied mignon se pose
sur le tapis.

Le comte s'approche un peu et d'une voix
tendre :

« Quelle drôle d'idée vous avez là ?

— Quelle idée ?

— De me demander cinq mille francs.

— Rien de plus naturel. Nous sommes étrangers
l'un à l'autre, n'est-ce pas ? Or vous me désirez.
Vous ne pouvez pas m'épouser puisque nous sommes mariés. Alors vous m'achetez, un peu moins
peut-être qu'une autre.

« Or, réfléchissez. Cet argent, au lieu d'aller chez
une gueuse qui en ferait je ne sais quoi, restera dans
votre maison, dans votre ménage. Et puis, pour un
homme intelligent, est-il quelque chose de plus

amusant, de plus original que de se payer sa propre femme. On n'aime bien, en amour illégitime, que ce qui coûte cher, très cher. Vous donnez à notre amour... légitime, un prix nouveau, une saveur de débauche, un ragoût de... polissonnerie en le... tarifant comme un amour coté. Est-ce pas vrai ? »

Elle s'est levée presque nue et se dirige vers un cabinet de toilette.

« Maintenant, monsieur, allez-vous-en, ou je sonne ma femme de chambre. »

Le comte debout, perplexe, mécontent, la regarde, et, brusquement, lui jetant à la tête son portefeuille :

« Tiens, gredine, en voilà six mille... Mais tu sais ?... »

La comtesse ramasse l'argent, le compte, et d'une voix lente :

« Quoi ?

— Ne t'y accoutume pas. »

Elle éclate de rire, et allant vers lui :

« Chaque mois, cinq mille, monsieur, ou bien je vous renvoie à vos cocottes. Et même si... si vous êtes content... je vous demanderai de l'augmentation. »

Un sage

Au baron de Vaux

BLÉROT ÉTAIT MON AMI D'ENFANCE, mon plus cher camarade ; nous n'avions rien de secret. Nous étions liés par une amitié profonde des cœurs et des esprits, une intimité fraternelle, une confiance absolue l'un dans l'autre. Il me disait ses plus délicates pensées, jusqu'à ces petites hontes de la conscience qu'on ose à peine s'avouer à soi-même. J'en faisais autant pour lui.

J'avais été confident de toutes ses amours. Il l'avait été de toutes les miennes.

Quand il m'annonça qu'il allait se marier, j'en fus blessé comme d'une trahison. Je sentis que c'était fini de cette cordiale et absolue affection qui nous unissait. Sa femme était entre nous. L'intimité du lit établit entre deux êtres, même quand ils ont cessé de s'aimer, une sorte de complicité, d'alliance mystérieuse. Ils sont, l'homme et la femme, comme deux associés discrets qui se défient de tout le monde. Mais ce lien si serré que noue le baiser conjugal cesse brusquement du jour où la femme prend un amant.

Je me rappelle comme d'hier toute la cérémonie

du mariage de Blérot. Je n'avais pas voulu assister au contrat, ayant peu de goût pour ces sortes d'événements ; j'allai seulement à la mairie et à l'église.

Sa femme, que je ne connaissais point, était une grande jeune fille, blonde, un peu mince, jolie, avec des yeux pâles, des cheveux pâles, un teint pâle, des mains pâles. Elle marchait avec un léger mouvement onduleux, comme si elle eût été portée par une barque. Elle semblait faire en avançant une suite de longues révérences gracieuses.

Blérot en paraissait fort amoureux. Il la regardait sans cesse, et je sentais frémir en lui un désir immodéré de cette femme.

J'allai le voir au bout de quelques jours. Il me dit : « Tu ne te figures pas comme je suis heureux. Je l'aime follement. D'ailleurs elle est... elle est... » Il n'acheva pas la phrase, mais posant deux doigts sur sa bouche, il fit un geste qui signifie : divine, exquise, parfaite, et bien d'autres choses encore.

Je demandai en riant : « Tant que ça ? »

Il répondit : « Tout ce que tu peux rêver ! »

Il me présenta. Elle fut charmante, familière comme il faut, me dit que la maison était mienne. Mais je sentais bien qu'il n'était plus mien, lui, Blérot. Notre intimité était coupée net. C'est à peine si nous trouvions quelque chose à nous dire.

Je m'en allai. Puis je fis un voyage en Orient. Je revins par la Russie, l'Allemagne, la Suède et la Hollande.

Je ne rentrai à Paris qu'après dix-huit mois d'absence.

Le lendemain de mon arrivée, comme j'errais sur le boulevard pour reprendre l'air de Paris, j'aperçus, venant à moi, un homme fort pâle, aux traits creusés, qui ressemblait à Blérot autant qu'un phtisique décharné peut ressembler à un fort garçon rouge et bedonnant un peu. Je le regardais, surpris, inquiet, me demandant : « Est-ce lui ? » Il me vit, poussa un cri, tendit les bras. J'ouvris les miens, et nous nous embrassâmes en plein boulevard.

Après quelques allées et venues de la rue Drouot au Vaudeville, comme nous nous disposions à nous séparer, car il paraissait déjà exténué d'avoir marché, je lui dis : « Tu n'as pas l'air bien portant. Es-tu malade ? » Il répondit : « Oui, un peu souffrant. »

Il avait l'apparence d'un homme qui va mourir ; et un flot d'affection me monta au cœur pour ce vieux et si cher ami, le seul que j'aie jamais eu. Je lui serrai les mains.

« Qu'est-ce que tu as donc ? Souffres-tu ?

— Non, un peu de fatigue. Ce n'est rien.

— Que dit ton médecin ?...

— Il parle d'anémie et m'ordonne du fer et de la viande rouge. »

Un soupçon me traversa l'esprit. Je demandai : « Es-tu heureux ?

— Oui, très heureux.

— Tout à fait heureux ?

— Tout à fait.

— Ta femme ?...

— Charmante. Je l'aime plus que jamais. »

Mais je m'aperçus qu'il avait rougi. Il paraissait embarrassé comme s'il eût craint de nouvelles questions. Je lui saisis le bras, je le poussai dans un café vide à cette heure, je le fis asseoir de force, et, les yeux dans les yeux :

« Voyons, mon vieux René, dis-moi la vérité. » Il
balbutia : « Mais je n'ai rien à te dire. »

Je repris d'une voix ferme : « Ce n'est pas vrai. Tu
es malade, malade de cœur sans doute, et tu n'oses
révéler à personne ton secret. C'est quelque chagrin
qui te ronge. Mais tu me le diras à moi. Voyons,
j'attends. »

Il rougit encore, puis béyaga, en tournant la tête :
« C'est stupide !... mais je suis... je suis foutu !... »

Comme il se taisait, je repris : « Çà, voyons,
parle. » Alors il prononça brusquement, comme s'il
eût jeté hors de lui une pensée torturante, inavouée
encore :

« Eh bien ! j'ai une femme qui me tue... voilà. »

Je ne comprenais pas. « Elle te rend malheureux.
Elle te fait souffrir jour et nuit ? Mais comment ? En
quoi ? »

Il murmura d'une voix faible, comme s'il se fût
confessé d'un crime : « Non... je l'aime trop. »

Je demeurai interdit devant cet aveu brutal. Puis
une envie de rire me saisit, puis, enfin, je pus
répondre :

« Mais il me semble que tu... que tu pourrais...
l'aimer moins. »

Il était redevenu très pâle. Il se décida enfin à me
parler à cœur ouvert, comme autrefois :

« Non. Je ne peux pas. Et je meurs. Je le sais. Je
meurs. Je me tue. Et j'ai peur. Dans certains jours,
comme aujourd'hui, j'ai envie de la quitter, de m'en
aller pour tout à fait, de partir au bout du monde,
pour vivre, pour vivre longtemps. Et puis, quand le
soir vient, je rentre à la maison, malgré moi, à petits
pas, l'esprit torturé. Je monte l'escalier lentement.
Je sonne. Elle est là, assise dans un fauteuil. Elle me
dit : "Comme tu viens tard." Je l'embrasse. Puis

nous nous mettons à table. Je pense tout le temps pendant le repas : "Je vais sortir après le dîner et je prendrai le train pour aller n'importe où." Mais quand nous retournons au salon, je me sens tellement fatigué que je n'ai plus le courage de me lever. Je reste. Et puis... et puis... Je succombe toujours... »

Je ne pus m'empêcher de sourire encore. Il le vit et reprit : « Tu ris, mais je t'assure que c'est horrible.

— Pourquoi, lui dis-je, ne préviens-tu pas ta femme ? À moins d'être un monstre, elle comprendrait. »

Il haussa les épaules. « Oh ! tu en parles à ton aise. Si je ne la préviens pas, c'est que je connais sa nature. As-tu jamais entendu dire de certaines femmes : "Elle en est à son troisième mari" ? Oui, n'est-ce pas, et cela t'a fait sourire, comme tout à l'heure. Et pourtant, c'était vrai. Qu'y faire ? Ce n'est ni sa faute, ni la mienne. Elle est ainsi, parce que la nature l'a faite ainsi. Elle a mon cher un tempérament de Messaline. Elle l'ignore, mais je le sais bien, tant pis pour moi. Et elle est charmante, douce, tendre, trouvant naturelles et modérées nos caresses folles qui m'épuisent, qui me tuent. Elle a l'air d'une pensionnaire ignorante. Et elle est ignorante, la pauvre enfant.

« Oh ! je prends chaque jour des résolutions énergiques. Comprends donc que je meurs. Mais il me suffit d'un regard de ses yeux, un de ces regards où je lis le désir ardent de ses lèvres, et je succombe aussitôt, me disant : "C'est la dernière fois. Je ne veux plus de ces baisers mortels." Et puis, quand j'ai encore cédé, comme aujourd'hui, je sors, je vais devant moi en pensant à la mort, en me disant que je suis perdu, que c'est fini.

« J'ai l'esprit tellement frappé, tellement malade

qu'hier j'ai été faire un tour au Père-Lachaise. Je regardais ces tombes alignées comme des dominos. Et je pensais : "Je serai là, bientôt." Je suis rentré, bien résolu à me dire malade, à la fuir. Je n'ai pas pu.

« Oh ! tu ne connais pas cela. Demande à un fumeur que la nicotine empoisonne s'il peut renoncer à son habitude délicieuse et mortelle. Il te dira qu'il a essayé cent fois sans y parvenir. Et il ajoutera : "Tant pis. J'aime mieux en mourir." Je suis ainsi. Quand on est pris dans l'engrenage d'une pareille passion ou d'un pareil vice, il faut y passer tout entier. »

Il se leva, me tendit la main. Une colère tumultueuse m'envahissait, une colère haineuse contre cette femme, contre la femme, contre cet être inconscient, charmant, terrible. Il boutonnait son paletot pour s'en aller. Je lui jetai brutalement par la face : « Mais, sacrebleu, donne-lui des amants plutôt que de te laisser tuer ainsi. »

Il haussa encore les épaules, sans répondre, et s'éloigna.

Je fus six mois sans le revoir. Je m'attendais chaque matin à recevoir une lettre de faire part me priant à son enterrement. Mais je ne voulais point mettre les pieds chez lui, obéissant à un sentiment compliqué, fait de mépris pour cette femme et pour lui, de colère, d'indignation, de mille sensations diverses.

Je me promenais aux Champs-Élysées par un beau jour de printemps. C'était un de ces après-midi tièdes qui remuent en nous des joies secrètes, qui nous allument les yeux et versent sur nous un tumultueux bonheur de vivre. Quelqu'un me frappa sur l'épaule. Je me retournai : c'était lui ; c'était lui ; superbe, bien portant, rose, gras, ventru.

Il me tendit les deux mains, épanoui de plaisir, et criant : « Te voilà donc, lâcheur ? »

Je le regardais, perclus de surprise : « Mais... oui. Bigre, mes compliments. Tu as changé depuis six mois. »

Il devint cramoisi, et reprit, en riant faux : « On fait ce qu'on peut. »

Je le regardais avec une obstination qui le gênait visiblement. Je prononçai : « Alors... tu es... tu es guéri ? »

Il balbutia très vite : « Oui, tout à fait. Merci. » Puis, changeant de ton : « Quelle chance de te rencontrer, mon vieux. Hein ! on va se revoir maintenant, et souvent j'espère ? »

Mais je ne lâchais point mon idée. Je voulais savoir. Je demandai : « Voyons, tu te rappelles bien la confidence que tu m'as faite, voilà six mois... Alors..., alors..., tu résistes maintenant. »

Il articula en bredouillant : « Mettons que je ne t'ai rien dit, et laisse-moi tranquille. Mais tu sais, je te trouve et je te garde. Tu viens dîner à la maison. »

Une envie folle me saisit soudain de voir cet intérieur, de comprendre. J'acceptai.

Deux heures plus tard, il m'introduisait chez lui.

Sa femme me reçut d'une façon charmante. Elle avait un air simple, adorablement naïf et distingué qui ravissait les yeux. Ses longues mains, sa joue, son cou étaient d'une blancheur et d'une finesse exquises ; c'était là de la chair fine et noble, de la chair de race. Et elle marchait toujours avec ce long mouvement de chaloupe comme si chaque jambe, à chaque pas, eût légèrement fléchi.

René l'embrassa sur le front, fraternellement et demanda : « Lucien n'est pas encore arrivé ? »

Elle répondit, d'une voix claire et légère : « Non, pas encore, mon ami. Tu sais qu'il est toujours un peu en retard. »

Le timbre retentit. Un grand garçon parut, fort brun, avec des joues velues et un aspect d'hercule mondain. On nous présenta l'un à l'autre. Il s'appelait Lucien Delabarre.

René et lui se serrèrent énergiquement les mains. Et puis on se mit à table.

Le dîner fut délicieux, plein de gaieté. René ne cessait de me parler, familièrement, cordialement, franchement, comme autrefois. C'était : « Tu sais, mon vieux. – Dis donc, mon vieux. Écoute, mon vieux. » – Puis soudain il s'écriait : « Tu ne te doutes pas du plaisir que j'ai à te retrouver. Il me semble que je renais. »

Je regardais sa femme et l'autre. Ils demeuraient parfaitement corrects. Il me sembla pourtant une ou deux fois qu'ils échangeaient un rapide et furtif coup d'œil.

Dès qu'on eut achevé le repas, René se tournant vers sa femme, déclara : « Ma chère amie, j'ai retrouvé Pierre et je l'enlève ; nous allons bavarder le long du boulevard, comme jadis. Tu nous pardonneras cette équipée... de garçons. Je te laisse d'ailleurs M. Delabarre. »

La jeune femme sourit et me dit, en me tendant la main : « Ne le gardez pas trop longtemps. »

Et nous voilà, bras dessus, bras dessous, dans la rue. Alors, voulant savoir à tout prix : « Voyons, que s'est-il passé ? Dis-moi ?... » Mais il m'interrompit brusquement, et du ton grognon d'un homme tranquille qu'on dérange sans raison, il répondit :

« Ah ça ! mon vieux, fiche-moi donc la paix avec tes questions ! » Puis il ajouta à mi-voix, comme se parlant à lui-même, avec cet air convaincu des gens qui ont pris une sage résolution : « C'était trop bête de se laisser crever comme ça, à la fin. »

Je n'insistai pas. Nous marchions vite. Nous nous mîmes à bavarder. Et tout à coup il me souffla dans l'oreille : « Si nous allions voir des filles, hein ? »

Je me mis à rire franchement. « Comme tu voudras. Allons, mon vieux. »

Rose

LES DEUX JEUNES FEMMES ont l'air ensevelies sous une couche de fleurs. Elles sont seules dans l'immense landau chargé de bouquets comme une corbeille géante. Sur la banquette du devant, deux bannettes de satin blanc sont pleines de violettes de Nice, et sur la peau d'ours qui couvre les genoux un amoncellement de roses, de mimosas, de giroflées, de marguerites, de tubéreuses et de fleurs d'oranger, noués avec des faveurs de soie, semble écraser les deux corps délicats, ne laissant sortir de ce lit éclatant et parfumé que les épaules, les bras et un peu des corsages dont l'un est bleu et l'autre lilas.

Le fouet du cocher porte un fourreau d'anémones, les traits des chevaux sont capitonnés avec des ravenelles, les rayons des roues sont vêtus de réséda ; et, à la place des lanternes, deux bouquets ronds, énormes, ont l'air des deux yeux étranges de cette bête roulante et fleurie.

Le landau parcourt au grand trot la route, la rue d'Antibes, précédé, suivi, accompagné par une foule d'autres voitures enguirlandées, pleines de femmes disparues sous un flot de violettes. Car c'est la fête des fleurs à Cannes.

On arrive au boulevard de la Foncière, où la bataille a lieu. Tout le long de l'immense avenue, une double file d'équipages enguirlandés va et revient comme un ruban sans fin. De l'un à l'autre on se jette des fleurs. Elles passent dans l'air comme des balles, vont frapper les frais visages, voltigent et retombent dans la poussière où une armée de gamins les ramasse.

Une foule compacte, rangée sur les trottoirs, et maintenue par les gendarmes à cheval qui passent brutalement et repoussent les curieux à pied comme pour ne point permettre aux vilains de se mêler aux riches, regarde, bruyante et tranquille.

Dans les voitures on s'appelle, on se reconnaît, on se mitraille avec des roses. Un char plein de jolies femmes vêtues de rouge comme des diables, attire et séduit les yeux. Un monsieur qui ressemble aux portraits d'Henri IV lance avec une ardeur joyeuse un énorme bouquet retenu par un élastique. Sous la menace du choc les femmes se cachent les yeux et les hommes baissent la tête, mais le projectile gracieux, rapide et docile, décrit une courbe et revient à son maître qui le jette aussitôt vers une figure nouvelle.

Les deux jeunes femmes vident à pleines mains leur arsenal et reçoivent une grêle de bouquets ; puis, après une heure de bataille, un peu lasses enfin, elles ordonnent au cocher de suivre la route du golfe Juan, qui longe la mer.

Le soleil disparaît derrière l'Esterel, dessinant en noir, sur un couchant de feu, la silhouette dentelée de la longue montagne. La mer calme s'étend, bleue et claire, jusqu'à l'horizon où elle se mêle au ciel, et l'escadre, ancrée au milieu du golfe, a l'air d'un troupeau de bêtes monstrueuses, immobiles sur l'eau, animaux apocalyptiques, cuirassés et bossus, coiffés de mâts frêles comme des plumes, et avec des yeux qui s'allument quand vient la nuit.

Les jeunes femmes, étendues sous la lourde fourrure, regardent languissamment. L'une dit enfin :

« Comme il y a des soirs délicieux, où tout semble bon. N'est-ce pas, Margot ? »

L'autre reprit :

« Oui, c'est bon. Mais il manque toujours quelque chose.

— Quoi donc ? Moi je me sens heureuse tout à fait. Je n'ai besoin de rien.

— Si. Tu n'y penses pas. Quel que soit le bien-être qui engourdit notre corps, nous désirons toujours quelque chose de plus... pour le cœur. »

Et l'autre, souriant :

« Un peu d'amour ?

— Oui. »

Elles se turent, regardant devant elles, puis celle qui s'appelait Marguerite murmura :

« La vie ne me semble pas supportable sans cela. J'ai besoin d'être aimée, ne fût-ce que par un chien. Nous sommes toutes ainsi, d'ailleurs, quoi que tu en dises, Simone.

— Mais non, ma chère. J'aime mieux n'être pas aimée du tout que de l'être par n'importe qui. Crois-tu que cela me serait agréable, par exemple, d'être aimée par... par... »

Elle cherchait par qui elle pourrait bien être aimée, parcourant de l'œil le vaste paysage. Ses yeux, après avoir fait le tour de l'horizon, tombèrent sur les deux boutons de métal qui luisaient dans le dos du cocher, et elle reprit, en riant : « Par mon cocher. »

Madame Margot sourit à peine et prononça, à voix basse :

« Je t'assure que c'est très amusant d'être aimée par un domestique. Cela m'est arrivé deux ou trois fois. Ils roulent des yeux si drôles que c'est à mourir de rire. Naturellement, on se montre d'autant plus sévère qu'ils sont plus amoureux, puis on les met à la porte, un jour, sous le premier prétexte venu parce qu'on deviendrait ridicule si quelqu'un s'en apercevait. »

Madame Simone écoutait, le regard fixe devant elle, puis elle déclara :

« Non, décidément, le cœur de mon valet de pied ne me paraîtrait pas suffisant. Raconte-moi donc comment tu t'apercevais qu'ils t'aimaient.

— Je m'en apercevais comme avec les autres hommes, lorsqu'ils devenaient stupides.

— Les autres ne me paraissent pas si bêtes à moi, quand ils m'aiment.

— Idiots, ma chère, incapables de causer, de répondre, de comprendre quoi que ce soit.

— Mais toi, qu'est-ce que cela te faisait d'être aimée par un domestique ? Tu étais quoi... émue... flattée ?

— Émue ? non – flattée – oui, un peu. On est toujours flattée de l'amour d'un homme quel qu'il soit.

— Oh, voyons, Margot !

— Si, ma chère. Tiens, je vais te dire une singulière aventure qui m'est arrivée. Tu verras comme c'est curieux et confus ce qui se passe en nous dans ces cas-là. »

Il y aura quatre ans à l'automne, je me trouvais

sans femme de chambre. J'en avais essayé l'une après l'autre cinq ou six qui étaient ineptes, et je désespérais presque d'en trouver une, quand je lus, dans les petites annonces d'un journal, qu'une jeune fille, sachant coudre, broder, coiffer, cherchait une place, et qu'elle fournirait les meilleurs renseignements. Elle parlait en outre l'anglais.

J'écrivis à l'adresse indiquée, et, le lendemain, la personne en question se présenta. Elle était assez grande, mince, un peu pâle, avec l'air très timide. Elle avait de beaux yeux noirs, un teint charmant, elle me plut tout de suite. Je lui demandai ses certificats : elle m'en donna un en anglais, car elle sortait, disait-elle, de la maison de lady Rymwell, où elle était restée dix ans.

Le certificat attestait que la jeune fille était partie de son plein gré pour rentrer en France et qu'on n'avait eu à lui reprocher, pendant son long service, qu'un peu de *coquetterie française.*

La tournure pudibonde de la phrase anglaise me fit même un peu sourire et j'arrêtai sur-le-champ cette femme de chambre.

Elle entra chez moi le jour même, elle se nommait Rose.

Au bout d'un mois, je l'adorais.

C'était une trouvaille, une perle, un phénomène.

Elle savait coiffer avec un goût infini ; elle chiffonnait les dentelles d'un chapeau mieux que les meilleures modistes et elle savait même faire les robes.

J'étais stupéfaite de ces facultés. Jamais je ne m'étais trouvée servie ainsi.

Elle m'habillait rapidement avec une légèreté de mains étonnante. Jamais je ne sentais ses doigts sur ma peau, et rien ne m'est désagréable comme le contact d'une main de bonne. Je pris bientôt des habitudes de paresse excessives, tant il m'était agréable de me laisser vêtir, des pieds à la tête, et de la chemise aux gants, par cette grande fille timide, toujours un peu rougissante, et qui ne parlait jamais. Au sortir du bain, elle me frictionnait et me massait pendant que je sommeillais un peu sur mon divan ; je la considérais, ma foi, en amie de condition inférieure, plutôt qu'en simple domestique.

Or, un matin, mon concierge demanda avec mystère à me parler. Je fus surprise et je le fis entrer. C'était un homme très sûr, un vieux soldat, ancienne ordonnance de mon mari.

Il paraissait gêné de ce qu'il avait à dire. Enfin, il prononça en bredouillant :

« Madame, il y a en bas le commissaire de police du quartier. »

Je demandai brusquement :

« Qu'est-ce qu'il veut ?

— Il veut faire une perquisition dans l'hôtel. »

Certes, la police est utile, mais je la déteste. Je trouve que ce n'est pas là un métier noble. Et je répondis, irritée autant que blessée :

« Pourquoi cette perquisition ? À quel propos ? Il n'entrera pas. »

Le concierge reprit :

« Il prétend qu'il y a un malfaiteur caché. »

Cette fois j'eus peur et j'ordonnai d'introduire le commissaire de police auprès de moi pour avoir des explications. C'était un homme assez bien élevé, décoré de la Légion d'honneur. Il s'excusa, demanda pardon, puis m'affirma que j'avais, parmi les gens de service, un forçat !

« Je fus révoltée ; je répondis que je garantissais tout le domestique de l'hôtel et je le passai en revue.

– Le concierge, Pierre Courtin, ancien soldat.

– Ce n'est pas lui.

– Le cocher, François Pingau, un paysan champenois, fils d'un fermier de mon père.

– Ce n'est pas lui.

– Un valet d'écurie, pris en Champagne également, et toujours fils de paysans que je connais, plus un valet de pied que vous venez de voir.

– Ce n'est pas lui.

– Alors, monsieur, vous voyez bien que vous vous trompez.

– Pardon, madame, je suis sûr de ne pas me tromper. Comme il s'agit d'un criminel redoutable, voulez-vous avoir la gracieuseté de faire comparaître ici, devant vous et moi, tout votre monde. »

Je résistai d'abord, puis je cédai, et je fis monter tous mes gens, hommes et femmes.

Le commissaire de police les examina d'un seul coup d'œil, puis déclara :

« Ce n'est pas tout.

– Pardon, monsieur, il n'y a plus que ma femme de chambre, une jeune fille que vous ne pouvez confondre avec un forçat. »

Il demanda :

« Puis-je la voir aussi ?

– Certainement. »

Je sonnai Rose qui parut aussitôt. À peine fut-elle entrée que le commissaire fit un signe, et deux hommes que je n'avais pas vus, cachés derrière la porte, se jetèrent sur elle, lui saisirent les mains et les lièrent avec des cordes.

Je poussai un cri de fureur, et je voulus m'élancer pour la défendre. Le commissaire m'arrêta :

« Cette fille, madame, est un homme qui s'appelle Jean-Nicolas Lecapet, condamné à mort en

1879 pour assassinat précédé de viol. Sa peine fut
commuée en prison perpétuelle. Il s'échappa voici
quatre mois. Nous le cherchons depuis lors. »

J'étais affolée, atterrée. Je ne croyais pas. Le
commissaire reprit en riant :

« Je ne puis vous donner qu'une preuve. Il a le
bras droit tatoué. »

La manche fut relevée. C'était vrai. L'homme de
police ajouta avec un certain mauvais goût :

« Fiez-vous-en à nous pour les autres consta-
tations. »

Et on emmena ma femme de chambre !

« Eh bien, le croirais-tu, ce qui dominait en moi
ce n'était pas la colère d'avoir été jouée ainsi,
trompée et ridiculisée ; ce n'était pas la honte
d'avoir été ainsi habillée, déshabillée, maniée et
touchée par cet homme... mais une... humiliation
profonde... une humiliation de femme. Comprends-tu ?

— Non, pas très bien ?

— Voyons... Réfléchis... Il avait été condamné...
pour viol, ce garçon... eh bien ! je pensais... à celle
qu'il avait violée... et ça..., ça m'humiliait... Voilà...
Comprends-tu, maintenant ? »

Et Madame Simone ne répondit pas. Elle regardait droit devant elle, d'un œil fixe et singulier, les
deux boutons luisants de la livrée, avec ce sourire de
sphinx qu'ont parfois les femmes.

La patronne

Au docteur Baraduc

J'HABITAIS ALORS, dit Georges Kervelen, une maison meublée, rue des Saints-Pères.

Quand mes parents décidèrent que j'irais faire
mon droit à Paris, de longues discussions eurent
lieu pour régler toutes choses. Le chiffre de ma
pension avait été d'abord fixé à deux mille cinq
cents francs, mais ma pauvre mère fut prise d'une
peur qu'elle exposa à mon père : « S'il allait dépen-
ser mal tout son argent et ne pas prendre une
nourriture suffisante, sa santé en souffrirait beaucoup. Ces jeunes gens sont capables de tout. »

Alors il fut décidé qu'on me chercherait une
pension, une pension modeste et confortable, et
que ma famille en payerait directement le prix,
chaque mois.

Je n'avais jamais quitté Quimper. Je désirais tout
ce qu'on désire à mon âge et j'étais disposé à vivre
joyeusement, de toutes les façons.

Des voisins à qui on demanda conseil indiquèrent
une compatriote, Mme Kergaran, qui prenait des
pensionnaires. Mon père donc traita par lettres avec

cette personne respectable, chez qui j'arrivai, un soir, accompagné d'une malle.

Mme Kergaran avait quarante ans environ. Elle était forte, très forte, parlait d'une voix de capitaine instructeur et décidait toutes les questions d'un mot net et définitif. Sa demeure tout étroite, n'ayant qu'une seule ouverture sur la rue, à chaque étage, avait l'air d'une échelle de fenêtres, ou bien encore d'une tranche de maison en sandwich entre deux autres.

La patronne habitait au premier avec sa bonne ; on faisait la cuisine et on prenait les repas au second ; quatre pensionnaires bretons logeaient au troisième et au quatrième. J'eus les deux pièces du cinquième.

Un petit escalier noir, tournant comme un tire-bouchon, conduisait à ces deux mansardes. Tout le jour, sans s'arrêter, Mme Kergaran montait et descendait cette spirale, occupée dans ce logis en tiroir comme un capitaine à son bord. Elle entrait dix fois de suite dans chaque appartement, surveil-lait tout avec un étonnant fracas de paroles, regar-dait si les lits étaient bien faits, si les habits étaient bien brossés, si le service ne laissait rien à désirer. Enfin, elle soignait ses pensionnaires comme une mère, mieux qu'une mère.

J'eus bientôt fait la connaissance de mes quatre compatriotes. Deux étudiaient la médecine, et les deux autres faisaient leur droit, mais tous subis-saient le joug despotique de la patronne. Ils avaient peur d'elle, comme un maraudeur a peur du garde champêtre.

Quant à moi, je me sentis tout de suite des désirs d'indépendance, car je suis un révolté par nature. Je déclarai d'abord que je voulais rentrer à l'heure qui me plairait, car Mme Kergaran avait fixé minuit comme dernière limite. À cette prétention, elle planta sur moi ses yeux clairs pendant quelques secondes, puis elle déclara :

« Ce n'est pas possible. Je ne peux pas tolérer qu'on réveille Annette toute la nuit. Vous n'avez rien à faire dehors passé certaine heure. »

Je répondis avec fermeté : « D'après la loi, madame, vous êtes obligée de m'ouvrir à toute heure. Si vous le refusez, je le ferai constater par des sergents de ville et j'irai coucher à l'hôtel à vos frais, comme c'est mon droit. Vous serez donc contrainte de m'ouvrir ou de me renvoyer. La porte ou l'adieu. Choisissez. »

Je lui riais au nez en posant ces conditions. Après une première stupeur, elle voulut parlementer, mais je me montrai intraitable et elle céda. Nous convînmes que j'aurais un passe-partout, mais à la condition formelle que tout le monde l'ignorerait.

Mon énergie fit sur elle une impression salutaire et elle me traita désormais avec une faveur marquée. Elle avait des attentions, des petits soins, des délicatesses pour moi, et même une certaine tendresse brusque qui ne me déplaisait point. Quelquefois, dans mes heures de gaieté, je l'embrassais par surprise, rien que pour la forte gifle qu'elle me lançait aussitôt. Quand j'arrivais à baisser la tête assez vite, sa main partie passait par-dessus moi avec la rapidité d'une balle, et je riais comme un fou en me sauvant, tandis qu'elle criait : « Ah ! la canaille ! je vous revaudrai ça. »

Nous étions devenus une paire d'amis.

Mais voilà que je fis la connaissance, sur le trottoir, d'une fillette employée dans un magasin.

Vous savez ce que sont cés amourettes de Paris. Un jour, comme on allait à l'école, on rencontre une jeune personne en cheveux qui se promène au bras d'une amie avant de rentrer au travail. On échange un regard, et on sent en soi cette petite secousse que vous donne l'œil de certaines femmes. C'est là une des choses charmantes de la vie, ces rapides sympathies physiques que fait éclore une rencontre, cette légère et délicate séduction qu'on subit tout à coup au frôlement d'un être né pour vous plaire et pour être aimé de vous. Il sera aimé peu ou beaucoup, qu'importe ? Il est dans sa nature de répondre au secret désir d'amour de la vôtre. Dès la première fois que vous apercevez ce visage, cette bouche, ces cheveux, ce sourire, vous sentez leur charme entrer en vous avec une joie douce et délicieuse, vous sentez une sorte de bien-être heureux vous pénétrer, et l'éveil subit d'une tendresse encore confuse qui vous pousse vers cette femme inconnue. Il semble qu'il y ait en elle un appel auquel vous répondez, une attirance qui vous sollicite ; il semble qu'on la connaît depuis longtemps, qu'on l'a déjà vue, qu'on sait ce qu'elle pense.

Le lendemain, à la même heure, on repasse par la même rue. On la revoit. Puis on revient le jour suivant, et encore le jour suivant. On se parle enfin. Et l'amourette suit son cours, régulier comme une maladie.

Donc, au bout de trois semaines, j'en étais avec Emma à la période qui précède la chute. La chute même aurait eu lieu plus tôt si j'avais su en quel endroit la provoquer. Mon amie vivait en famille et refusait avec une énergie singulière de franchir le seuil d'un hôtel meublé. Je me creusais la tête pour trouver un moyen, une ruse, une occasion. Enfin, je pris un parti désespéré et je me décidai à la faire monter chez moi, un soir, vers onze heures, sous prétexte d'une tasse de thé. Mme Kergaran se couchait tous les jours à dix heures. Je pourrais donc rentrer sans bruit au moyen de mon passe-partout, sans éveiller aucune attention. Nous redescendrions de la même manière au bout d'une heure ou deux.

Emma accepta mon invitation après s'être fait un peu prier.

Je passai une mauvaise journée. Je n'étais point tranquille. Je craignais des complications, une catastrophe, quelque épouvantable scandale. Le soir vint. Je sortis et j'entrai dans une brasserie où j'absorbai deux tasses de café et quatre ou cinq petits verres pour me donner du courage. Puis j'allai faire un tour sur le boulevard Saint-Michel. J'entendis sonner dix heures, dix heures et demie. Et je me dirigeai, à pas lents, vers le lieu de notre rendez-vous. Elle m'attendait déjà. Elle prit mon bras avec une allure câline et nous voilà partis, tout doucement, vers ma demeure. À mesure que j'approchais de la porte, mon angoisse allait croissant. Je pensais : « Pourvu que Mme Kergaran soit couchée. »

Je dis à Emma deux ou trois fois : « Surtout, ne faites point de bruit dans l'escalier. »

Elle se mit à rire : « Vous avez donc bien peur d'être entendu.

— Non, mais je ne veux pas réveiller mon voisin qui est gravement malade. »

Voici la rue des Saints-Pères. J'approche de mon logis avec cette appréhension qu'on a en se rendant chez un dentiste. Toutes les fenêtres sont sombres. On dort sans doute. Je respire. J'ouvre la porte avec des précautions de voleur. Je fais entrer ma compagne, puis je referme, et je monte l'escalier sur la pointe des pieds en retenant mon souffle et en allumant des allumettes-bougies pour que la jeune fille ne fasse point quelque faux pas.

En passant devant la chambre de la patronne je sens que mon cœur bat à coups précipités. Enfin, nous voici au second étage, puis au troisième, puis au cinquième. J'entre chez moi. Victoire !

Cependant, je n'osais parler qu'à voix basse et j'ôtai mes bottines pour ne faire aucun bruit. Le thé, préparé sur une lampe à esprit-de-vin, fut bu sur le coin de ma commode. Puis je devins pressant... pressant, et peu à peu, comme dans un jeu, j'enlevai un à un les vêtements de mon amie, qui cédait en résistant, rouge, confuse, retardant toujours l'instant fatal et charmant.

Elle n'avait plus, ma foi, qu'un court jupon blanc quand ma porte s'ouvrit d'un seul coup, et Mme Kergaran parut, une bougie à la main, exactement dans le même costume qu'Emma.

J'avais fait un bond loin d'elle et je restais debout effaré, regardant les deux femmes qui se dévisageaient. Qu'allait-il se passer ?

La patronne prononça d'un ton hautain que je ne lui connaissais pas : « Je ne veux pas de filles dans ma maison, monsieur Kervelen. »

Je balbutiai : « Mais, madame Kergaran, mademoiselle n'est que mon amie. Elle venait prendre une tasse de thé. »

La grosse femme reprit : « On ne se met pas en chemise pour prendre une tasse de thé. Vous allez faire partir tout de suite cette personne. »

Emma, consternée, commençait à pleurer en se cachant la figure dans sa jupe. Moi, je perdais la tête, ne sachant que faire ni que dire. La patronne ajouta avec une irrésistible autorité : « Aidez mademoiselle à se rhabiller et reconduisez-la tout de suite. »

Je n'avais pas autre chose à faire, assurément, et je ramassai la robe tombée en rond, comme un ballon crevé, sur le parquet, puis je la passai sur la tête de la fillette, et je m'efforçai de l'agrafer, de l'ajuster, avec une peine infinie. Elle m'aidait, en pleurant toujours, affolée, se hâtant, faisant toutes sortes d'erreurs, ne sachant plus retrouver les cordons ni les boutonnières ; et Mme Kergaran impassible, debout, sa bougie à la main, nous éclairait dans une pose sévère de justicier.

Emma maintenant précipitait ses mouvements, se couvrait éperdument, nouait, épinglait, laçait, rattachait avec furie, harcelée par un impérieux besoin de fuir ; et sans même boutonner ses bottines, elle passa en courant devant la patronne et s'élança dans l'escalier. Je la suivais en savates, à moitié dévêtu moi-même, répétant : « Mademoiselle, écoutez, mademoiselle. »

Je sentais bien qu'il fallait lui dire quelque chose, mais je ne pouvais rien. Je la rattrapai juste à la porte de la rue, et je voulus lui prendre le bras, mais elle me repoussa violemment, balbutiant d'une voix basse et nerveuse : « Laissez-moi... laissez-moi... ne me touchez pas. »

Et elle se sauva dans la rue en refermant la porte derrière elle.

Je me retournai. Mme Kergaran était restée au haut du premier étage, et je remontai les marches à pas lents, m'attendant à tout, et prêt à tout.

La chambre de la patronne était ouverte, elle m'y

fit entrer en prononçant d'un ton sévère : « J'ai à vous parler, monsieur Kervelen. »

Je passai devant elle en baissant la tête. Elle posa sa bougie sur la cheminée, puis croisant ses bras sur sa puissante poitrine que couvrait mal une fine camisole blanche :

« Ah çà, monsieur Kervelen, vous prenez donc ma maison pour une maison publique ! »

Je n'étais pas fier. Je murmurai : « Mais non, madame Kergaran. Il ne faut pas vous fâcher, voyons, vous savez bien ce que c'est qu'un jeune homme. »

Elle répondit : « Je sais que je ne veux pas de créatures chez moi, entendez-vous. Je sais que je ferai respecter mon toit, et la réputation de ma maison, entendez-vous ? Je sais... »

Elle parla pendant vingt minutes au moins, accumulant les raisons sur les indignations, m'accablant sous l'honorabilité de sa *maison*, me lardant de reproches mordants.

Moi (l'homme est un singulier animal), au lieu d'écouter, je la regardais. Je n'entendais plus un mot, mais plus un mot. Elle avait une poitrine superbe, la gaillarde, ferme, blanche et grasse, un peu grosse peut-être, mais tentante à faire passer des frissons dans le dos. Je ne me serais jamais douté vraiment qu'il y eût de pareilles choses sous la robe de laine de la patronne. Elle semblait rajeunie de dix ans, en déshabillé. Et voilà que je me sentais tout drôle, tout... Comment dirai-je ?... tout remué. Je retrouvais brusquement devant elle ma situation... interrompue un quart d'heure plus tôt dans ma chambre.

Et, derrière elle, là-bas, dans l'alcôve, je regardais son lit. Il était entrouvert, écrasé, montrant par le trou creusé dans les draps la pesée du corps qui s'était couché là. Et je pensais qu'il devait faire très bon et très chaud là-dedans, plus chaud que dans un autre lit. Pourquoi plus chaud ? Je n'en sais rien, sans doute à cause de l'opulence des chairs qui s'y étaient reposées.

Quoi de plus troublant et de plus charmant qu'un lit défait ? Celui-là me grisait, de loin, me faisait courir des frémissements sur la peau.

Elle parlait toujours, mais doucement maintenant, elle parlait en amie rude et bienveillante qui ne demande plus qu'à pardonner.

Je balbutiai : « Voyons... voyons... madame Kergaran... voyons... » Et comme elle s'était tue pour attendre ma réponse, je la saisis dans mes deux bras et je me mis à l'embrasser, mais à l'embrasser comme un affamé, comme un homme qui attend ça depuis longtemps.

Elle se débattait, tournait la tête, sans se fâcher trop fort, répétant machinalement selon son habitude : « Oh ! la canaille... la canaille... la ca... »

Elle ne put pas achever le mot, je l'avais enlevée d'un effort, et je l'emportais, serrée contre moi. On est rudement vigoureux, allez, en certains moments !

Je rencontrai le bord du lit, et je tombai dessus sans la lâcher...

Il y faisait en effet fort bon et fort chaud dans son lit.

Une heure plus tard, la bougie s'étant éteinte, la patronne se leva pour allumer l'autre. Et comme elle revenait se glisser à mon côté, enfonçant sous les draps sa jambe ronde et forte, elle prononça d'une voix câline, satisfaite, reconnaissante peut-être : « Oh !... la canaille !... la canaille !... »

La confession

Q<small>UAND LE CAPITAINE</small> Hector-Marie de Fontenne épousa Mlle Laurine d'Estelle, les parents et amis jugèrent que cela ferait un mauvais ménage.

Mademoiselle Laurine, jolie, mince, frêle, blonde et hardie, avait, à douze ans, l'assurance d'une femme de trente. C'était une de ces petites Parisiennes précoces qui semblent nées avec toute la science de la vie, avec toutes les ruses de la femme, avec toutes les audaces de pensée, avec cette profonde astuce et cette souplesse d'esprit qui font que certains êtres paraissent fatalement destinés, quoi qu'ils fassent, à jouer et à tromper les autres. Toutes leurs actions semblent préméditées, toutes leurs démarches calculées, toutes leurs paroles soigneusement pesées, leur existence n'est qu'un rôle qu'ils jouent vis-à-vis de leurs semblables.

Elle était charmante aussi ; très rieuse, rieuse à ne savoir se retenir ni se calmer quand une chose lui semblait amusante et drôle. Elle riait au nez des gens de la façon la plus impudente, mais avec tant de grâce qu'on ne se fâchait jamais.

Elle était riche, fort riche. Un prêtre servit d'intermédiaire pour lui faire épouser le capitaine de Fontenne. Élevé dans une maison religieuse, de la façon la plus austère, cet officier avait apporté au régiment des mœurs de cloître, des principes très raides et une intolérance complète. C'était un de ces hommes qui deviennent infailliblement des saints ou des nihilistes, chez qui les idées s'installent en maîtresses absolues, dont les croyances sont inflexibles et les résolutions inébranlables.

C'était un grand garçon brun, sérieux, sévère, naïf, d'esprit simple, court et obstiné, un de ces hommes qui passent dans la vie sans jamais en comprendre les dessous, les nuances et les subtilités, qui ne devinent rien, ne soupçonnent rien, et n'admettent pas qu'on pense, qu'on juge, qu'on croie et qu'on agisse autrement qu'eux.

Mademoiselle Laurine le vit, le pénétra tout de suite et l'accepta pour mari.

Ils firent un excellent ménage. Elle fut souple, adroite et sage, sachant se montrer telle qu'elle devait être, toujours prête aux bonnes œuvres et aux fêtes, assidue à l'église et au théâtre, mondaine et rigide, avec un petit air d'ironie, avec une lueur dans l'œil en causant gravement avec son époux. Elle lui racontait ses entreprises charitables avec tous les abbés de la paroisse et des environs, et elle profitait de ces pieuses occupations pour demeurer dehors du matin au soir.

Mais quelquefois, au milieu du récit de quelque acte de bienfaisance, un fou rire la saisissait tout d'un coup, un rire nerveux impossible à contenir. Le capitaine demeurait surpris, inquiet, un peu choqué en face de sa femme qui suffoquait. Quand elle s'était un peu calmée, il demandait : « Qu'est-ce que vous avez donc, Laurine ? » Elle répondait : « Ce n'est rien ! Le souvenir d'une drôle de chose qui m'est arrivée. » Et elle racontait une histoire quelconque.

Or, pendant l'été de 1883, le capitaine Hector de Fontenne prit part aux grandes manœuvres du 32ᵉ corps d'armée.

Un soir, comme on campait aux abords d'une ville, après dix jours de tente et de rase campagne, dix jours de fatigues et de privations, les camarades du capitaine résolurent de faire un bon dîner.

M. de Fontenne refusa d'abord de les accompagner ; puis, comme son refus les surprenait, il consentit.

Son voisin de table, le commandant de Favré, tout en causant des opérations militaires, seule chose qui passionnât le capitaine, lui versait à boire coup sur coup. Il avait fait très chaud dans le jour, une chaleur lourde, desséchante, altérante ; et le capitaine buvait sans y songer, sans s'apercevoir que, peu à peu, une gaieté nouvelle entrait en lui, une certaine joie vive, brûlante, un bonheur d'être, plein de désirs éveillés, d'appétits inconnus, d'attentes indécises.

Au dessert il était gris. Il parlait, riait, s'agitait, saisi par une ivresse bruyante, une ivresse folle d'homme ordinairement sage et tranquille.

On proposa d'aller finir la soirée au théâtre ; il accompagna ses camarades. Un d'eux reconnut une actrice qu'il avait aimée ; et un souper fut organisé où assista une partie du personnel féminin de la troupe.

Le capitaine se réveilla le lendemain dans une chambre inconnue et dans les bras d'une petite femme blonde qui lui dit, en le voyant ouvrir les yeux : « Bonjour, mon gros chat ! »

Il ne comprit pas d'abord ; puis, peu à peu, ses souvenirs lui revinrent, un peu troublés cependant.

Alors il se leva sans dire un mot, s'habilla et vida sa bourse sur la cheminée.

Une honte le saisit quand il se vit debout, en tenue, sabre au côté, dans ce logis meublé, aux rideaux fripés, dont le canapé, marbré de taches, avait une allure suspecte, et il n'osait pas s'en aller, descendre l'escalier où il rencontrerait des gens, passer devant le concierge, et, surtout sortir dans la rue sous les yeux des passants et des voisins.

La femme répétait sans cesse : « Qu'est-ce qui te prend ? As-tu perdu ta langue ? Tu l'avais pourtant bien pendue hier soir ! En voilà un mufle ! »

Il la salua avec cérémonie, et, se décidant à la fuite, regagna son domicile à grands pas, persuadé qu'on devinait à ses manières, à sa tenue, à son visage, qu'il sortait de chez une fille.

Et le remords le tenailla, un remords harassant d'homme rigide et scrupuleux.

Il se confessa, communia ; mais il demeurait mal à l'aise, poursuivi par le souvenir de sa chute et par le sentiment d'une dette, d'une dette sacrée contractée envers sa femme.

Il ne la revit qu'au bout d'un mois, car elle avait été passer chez ses parents le temps des grandes manœuvres.

Elle vint à lui les bras ouverts, le sourire aux lèvres. Il la reçut avec une attitude embarrassée de coupable ; et jusqu'au soir, il s'abstint presque de lui parler.

Dès qu'ils se trouvèrent seuls, elle lui demanda :

« Qu'est-ce que vous avez donc, mon ami, je vous trouve très changé. »

Il répondit d'un ton gêné :

« Mais je n'ai rien, ma chère, absolument rien.

« – Pardon, je vous connais bien, et je suis sûre que vous avez quelque chose, un souci, un chagrin, un ennui, que sais-je ?

– Eh bien, oui, j'ai un souci.

– Ah ! Et lequel ?

– Il m'est impossible de vous le dire.

– À moi ? Pourquoi ça ? Vous m'inquiétez.

– Je n'ai pas de raisons à vous donner. Il m'est impossible de vous le dire. »

Elle s'était assise sur une causeuse, et il marchait, lui, de long en large, les mains derrière le dos, en évitant le regard de sa femme. Elle reprit :

« Voyons, il faut alors que je vous confesse, c'est mon devoir, et que j'exige de vous la vérité ; c'est mon droit. Vous ne pouvez pas plus avoir de secret pour moi que je ne puis en avoir pour vous. »

Il prononça, tout en lui tournant le dos, encadré dans la haute fenêtre :

« Ma chère, il est des choses qu'il vaut mieux ne pas dire. Celle qui me tracasse est de ce nombre. »

Elle se leva, traversa la chambre, le prit par le bras et, l'ayant forcé à se retourner, lui posa les deux mains sur les épaules, puis souriante, câline, les yeux levés :

« Voyons, Marie (elle l'appelait Marie aux heures de tendresse), vous ne pouvez me rien cacher. Je croirais que vous avez fait quelque chose de mal. »

Il murmura :

« J'ai fait quelque chose de très mal. »

Elle dit avec gaieté :

« Oh ! si mal que cela ? Ça m'étonne beaucoup de vous ! »

Il répondit vivement :

« Je ne vous dirai rien de plus. C'est inutile d'insister. »

Mais elle l'attira jusqu'au fauteuil, le força à s'asseoir dedans, s'assit elle-même sur sa jambe droite, et baisant d'un petit baiser léger, d'un baiser rapide, ailé, le bout frisé de sa moustache :

« Si vous ne me dites rien, nous serons fâchés pour toujours. »

Il murmura, déchiré par le remords et torturé d'angoisse :

« Si je vous disais ce que j'ai fait, vous ne me le pardonneriez jamais.

— Au contraire, mon ami, je vous pardonnerai tout de suite.

— Non, c'est impossible.

— Je vous le promets.

— Je vous dis que c'est impossible.

— Je jure de vous pardonner.

— Non, ma chère Laurine, vous ne le pourriez pas.

— Que vous êtes naïf, mon ami, pour ne pas dire niais ! En refusant de me dire ce que vous avez fait, vous me laisserez croire des choses abominables ; et j'y penserai toujours, et je vous en voudrai autant de votre silence que de votre forfait inconnu. Tandis que si vous parlez bien franchement, j'aurai oublié dès demain.

— C'est que...

— Quoi ? »

Il rougit jusqu'aux oreilles, et d'une voix sérieuse :

« Je me confesse à vous comme je me confesserais à un prêtre, Laurine. »

Elle eut sur les lèvres ce rapide sourire qu'elle prenait parfois en l'écoutant, et d'un ton un peu moqueur :

« Je suis tout oreilles. »

Il reprit :

« Vous savez, ma chère, comme je suis sobre. Je ne bois que de l'eau rougie, et jamais de liqueurs, vous le savez.

— Oui, je le sais.

— Eh bien, figurez-vous que, vers la fin des grandes manœuvres, je me suis laissé aller à boire un peu, un soir, étant très altéré, très fatigué, très las, et...

— Vous vous êtes grisé ? Fi, que c'est laid !

— Oui, je me suis grisé. »

Elle avait pris un air sévère :

« Mais là, tout à fait grisé, avouez-le, grisé à ne plus marcher, dites ?

— Oh ! non, pas tant que ça. J'avais perdu la raison, mais non l'équilibre. Je parlais, je riais, j'étais fou. »

Comme il se taisait, elle demanda :

« C'est tout ?

— Non.

— Ah ! et... après ?

— Après... j'ai... j'ai commis une infamie. »

Elle le regardait, inquiète, un peu troublée, émue aussi.

« Quoi donc, mon ami ?

— Nous avons soupé avec... avec des actrices... et je ne sais comment cela s'est fait, je vous ai trompée, Laurine ! »

Il avait prononcé cela d'un ton grave, solennel.

Elle eut une petite secousse, et son œil s'éclaira d'une gaieté brusque, d'une gaieté profonde, irrésistible.

Elle dit :

« Vous... vous... vous m'avez... »

Et un petit rire sec, nerveux, cassé, lui glissa entre les dents par trois fois, qui lui coupait la parole.

Elle essayait de reprendre son sérieux ; mais chaque fois qu'elle allait prononcer un mot, le rire frémissait au fond de sa gorge, jaillissait, vite arrêté, repartant toujours, repartant comme le gaz d'une bouteille de champagne débouchée dont on ne peut retenir la mousse. Elle mettait la main sur ses lèvres pour se calmer, pour enfoncer dans sa bouche cette crise malheureuse de gaieté ; mais le rire lui coulait entre les doigts, lui secouait la poitrine, s'élançait malgré elle. Elle bégayait : « Vous... vous... m'avez trompée... – Ah !... ah ! ah ! ah !... ah ! ah ! ah »

Et elle le regardait d'un air singulier, si railleur, malgré elle, qu'il demeurait interdit, stupéfait.

Et tout d'un coup, n'y tenant plus, elle éclata... Alors elle se mit à rire, d'un rire qui ressemblait à une attaque de nerfs. De petits cris saccadés lui sortaient de la bouche, venus, semblait-il, du fond de la poitrine ; et, les deux mains appuyées sur le creux de son estomac, elle avait de longues quintes jusqu'à étouffer, comme les quintes de toux dans la coqueluche.

Et chaque effort qu'elle faisait pour se calmer amenait un nouvel accès, chaque parole qu'elle voulait dire la faisait se tordre plus fort.

« Mon... mon... mon... pauvre ami... ah ! ah ! ah !... ah ! ah ! ah ! »

Il se leva, la laissant seule sur le fauteuil, et devenant soudain très pâle, il dit :

« Laurine, vous êtes plus qu'inconvenante. »

Elle balbutia, dans un délire de gaieté :

« Que... que voulez-vous... je... je... je ne peux pas... que... que vous êtes drôle... ah ! ah ! ah ! ah ! »

Il devenait livide et la regardait maintenant d'un œil fixe où une pensée étrange s'éveillait.

Tout d'un coup, il ouvrit la bouche comme pour crier quelque chose, mais ne dit rien, tourna sur ses talons, et sortit en tirant la porte.

Laurine, pliée en deux, épuisée, défaillante, riait encore d'un rire mourant, qui se ranimait par moments comme la flamme d'un incendie presque éteint.

Bombard

SIMON BOMBARD la trouvait souvent mauvaise, la vie ! Il était né avec une incroyable aptitude pour ne rien faire et avec un désir immodéré de ne point contrarier cette vocation. Tout effort moral ou physique, tout mouvement accompli pour une besogne lui paraissait au-dessus de ses forces. Aussitôt qu'il entendait parler d'une affaire sérieuse il devenait distrait, son esprit étant incapable d'une tension ou même d'une attention.

Fils d'un marchand de nouveautés de Caen, il se l'était coulée douce, comme on disait dans sa famille, jusqu'à l'âge de vingt-cinq ans.

Mais ses parents demeurant toujours plus près de la faillite que de la fortune, il souffrait horriblement de la pénurie d'argent.

Grand, gros, beau gars, avec des favoris roux, à la normande, le teint fleuri, l'œil bleu, bête et gai, le ventre apparent déjà, il s'habillait avec une élégance tapageuse de provincial en fête. Il riait, criait, gesticulait à tout propos, étalant sa bonne humeur orageuse avec une assurance de commis voyageur. Il considérait que la vie était faite uniquement pour bambocher et plaisanter, et sitôt qu'il lui fallait mettre un frein à sa joie braillarde, il tombait dans une sorte de somnolence hébétée, étant même incapable de tristesse.

Ses besoins d'argent le harcelant, il avait coutume de répéter une phrase devenue célèbre dans son entourage :

« Pour dix mille francs de rente, je me ferais bourreau. »

Or, il allait chaque année passer quinze jours à Trouville. Il appelait ça « faire sa saison ».

Il s'installait chez des cousins qui lui prêtaient une chambre, et, du jour de son arrivée au jour du départ, il se promenait sur les planches qui longent la grande plage de sable.

Il allait d'un pas assuré, les mains dans ses poches ou derrière le dos, toujours vêtu d'amples habits, de gilets clairs et de cravates voyantes, le chapeau sur l'oreille et un cigare d'un sou dans le coin de la bouche.

Il allait, frôlant les femmes élégantes, toisant les hommes en gaillard prêt à *se flanquer une tripotée*, et cherchant... cherchant... car il cherchait.

Il cherchait une femme, comptant sur sa figure, sur son physique. Il s'était dit :

« Que diable, dans le tas de celles qui viennent là, je finirai bien par trouver mon affaire. » Et il cherchait avec un flair de chien de chasse, un flair de Normand, sûr qu'il la reconnaîtrait, rien qu'en l'apercevant, celle qui le ferait riche.

Ce fut un lundi matin qu'il murmura :

« Tiens, tiens, tiens ! »

Il faisait un temps superbe, un de ces temps jaune et bleu du mois de juillet où on dirait qu'il pleut de la chaleur. La vaste plage couverte de monde, de toilettes, de couleurs, avait l'air d'un jardin de femmes ; et les barques de pêche aux voiles brunes, presque immobiles sur l'eau bleue, qui les reflétait la tête en bas, semblaient dormir sous le grand soleil de dix heures. Elles restaient là, en face de la jetée de bois, les unes tout près, d'autres plus loin, d'autres très loin, sans remuer, comme accablées par une paresse de jour d'été, trop nonchalantes pour gagner la haute mer ou même pour rentrer au port. Et, là-bas, on apercevait vaguement, dans une brume, la côte du Havre portant à son sommet deux points blancs, les phares de Sainte-Adresse.

Il s'était dit :

« Tiens, tiens, tiens ! » en la rencontrant pour la troisième fois et en sentant sur lui son regard, son regard de femme mûre, expérimentée et hardie, qui s'offre.

Déjà il l'avait remarquée les jours précédents, car elle semblait aussi en quête de quelqu'un. C'était une Anglaise assez grande, un peu maigre, l'Anglaise audacieuse dont les voyages et les circonstances ont fait une espèce d'homme. Pas mal d'ailleurs, marchant sec, d'un pas court, vêtue simplement, sobrement, mais coiffée d'une façon drôle, comme elles se coiffent toutes. Elle avait les yeux assez beaux, les pommettes saillantes, un peu rouges, les dents trop longues, toujours au vent.

Quand il arriva près du port, il revint sur ses pas pour voir s'il la rencontrerait encore une fois. Il la rencontra et il lui jeta un coup d'œil enflammé, un coup d'œil qui disait :

« Me voilà. »

Mais comment lui parler ?

Il revint une cinquième fois, et comme il la voyait

de nouveau arriver en face de lui, elle laissa tomber
son ombrelle.

Il s'élança, la ramassa, et, la présentant :

« Permettez, madame... »

Elle répondit :

« Aôh, vos êtes fort gracious. »

Et ils se regardèrent. Ils ne savaient plus que dire.
Elle avait rougi.

Alors, s'enhardissant, il prononça :

« En voilà du beau temps. »

Elle murmura :

« Aôh, délicious ! »

Et ils restèrent encore en face l'un de l'autre,
embarrassés, et ne songeant d'ailleurs à s'en aller ni
l'un ni l'autre. Ce fut elle qui eut l'audace de
demander :

« Vos été pour longtemps dans cette pays ? »

Il répondit en souriant :

« Oh ! oui, tant que je voudrai ! »

Puis, brusquement, il proposa :

« Voulez-vous venir jusqu'à la jetée ? c'est si joli
par ces jours-là ! »

Elle dit simplement :

« Je volé bien. »

Et ils s'en allèrent côte à côte, elle de son allure
sèche et droite, lui de son allure balancée de dindon
qui fait la roue.

Trois mois plus tard les notables commerçants de
Caen recevaient, un matin, une grande lettre blanche qui disait :

Monsieur et Madame Prosper Bombard ont l'hon-
neur de vous faire part du mariage de Monsieur
Simon Bombard, leur fils, avec Madame veuve Kate
Robertson.

Et, sur l'autre page :

Madame veuve Kate Robertson a l'honneur de vous faire part de son mariage avec Monsieur Simon Bombard.

Ils s'installèrent à Paris.

La fortune de la mariée s'élevait à quinze mille francs de rentes bien claires. Simon voulait quatre cents francs par mois pour sa cassette personnelle. Il dut prouver que sa tendresse méritait ce sacrifice ; il le prouva avec facilité et obtint ce qu'il demandait.

Dans les premiers temps tout alla bien. Mme Bombard jeune n'était plus jeune, assurément, et sa fraîcheur avait subi des atteintes ; mais elle avait une manière d'exiger les choses qui faisait qu'on ne pouvait les lui refuser.

Elle disait avec son accent anglais volontaire et grave :

« Oh Simon, nô allons nô coucher », qui faisait aller Simon vers le lit comme un chien à qui on ordonne « à la niche ». Et elle savait vouloir en tout, de jour comme de nuit, d'une façon qui forçait les résistances.

Elle ne se fâchait pas ; elle ne faisait point de scènes ; elle ne criait jamais ; elle n'avait jamais l'air irrité ou blessé, ou même froissé. Elle savait parler, voilà tout ; et elle parlait à propos, d'un ton qui n'admettait point de réplique.

Plus d'une fois Simon faillit hésiter ; mais devant les désirs impérieux et brefs de cette singulière femme, il finissait toujours par céder.

Cependant comme il trouvait monotones et maigres les baisers conjugaux, et comme il avait en poche de quoi s'en offrir de plus gros, il s'en paya bientôt à satiété, mais avec mille précautions.

Mme Bombard s'en aperçut, sans qu'il devinât à quoi ; et elle lui annonça un soir qu'elle avait loué une maison à Mantes où ils habiteraient dans l'avenir.

L'existence devint plus dure. Il essaya des distractions diverses qui n'arrivaient point à compenser le besoin de conquêtes féminines qu'il avait au cœur.

Il pêcha à la ligne, sut distinguer les fonds qu'aime le goujon, ceux que préfère la carpe ou le gardon, les rives favorites de la brème et les diverses amorces qui tentent les divers poissons.

Mais en regardant son flotteur trembloter au fil de l'eau, d'autres visions hantaient son esprit.

Il devint l'ami du chef de bureau de la sous-préfecture et du capitaine de gendarmerie ; et ils jouèrent au whist, le soir, au café du Commerce, mais son œil triste déshabillait la reine de trèfle ou la dame de carreau, tandis que le problème des jambes absentes dans ces figures à deux têtes embrouillait tout à fait les images écloses en sa pensée.

Alors il conçut un plan, un vrai plan de Normand rusé. Il fit prendre à sa femme une bonne qui lui convenait, non point une belle fille, une coquette, une parée, mais une gaillarde, rouge et râblée, qui n'éveillerait point de soupçons et qu'il avait préparée avec soin à ses projets.

Elle leur fut donnée en confiance par le directeur de l'octroi, un ami complice et complaisant qui la garantissait sous tous les rapports. Et Mme Bombard accepta avec confiance le trésor qu'on lui présentait.

Simon fut heureux, heureux avec précaution, avec crainte, et avec des difficultés incroyables.

Il ne dérobait à la surveillance inquiète de sa femme que de très courts instants, par-ci par-là, sans tranquillité.

Il cherchait un truc, un stratagème, et il finit par en trouver un qui réussit parfaitement.

Mme Bombard qui n'avait rien à faire se couchait tôt, tandis que Bombard qui jouait au whist, au café du Commerce, rentrait chaque jour à neuf heures et demie précises. Il imagina de faire attendre Victorine dans le couloir de sa maison, sur les marches du vestibule, dans l'obscurité.

Il avait cinq minutes au plus, car il redoutait toujours une surprise ; mais enfin cinq minutes de temps en temps suffisaient à son ardeur, et il glissait un louis, car il était large en ses plaisirs, dans la main de la servante, qui remontait bien vite à son grenier.

Et il riait, il triomphait tout seul, il répétait tout haut comme le barbier du roi Midas, dans les roseaux du fleuve, en pêchant l'ablette :

« Fichue dedans, la patronne. »

Et le bonheur de ficher dedans Mme Bombard équivalait, certes, pour lui, à tout ce qu'avait d'imparfait et d'incomplet sa conquête à gages.

Or, un soir, il trouva comme d'habitude Victorine l'attendant sur les marches, mais elle lui parut plus vive, plus animée que d'habitude, et il demeura peut-être dix minutes au rendez-vous du corridor.

Quand il entra dans la chambre conjugale, Mme Bombard n'y était pas. Il sentit un grand frisson froid qui lui courait dans le dos et il tomba sur une chaise, torturé d'angoisse.

Elle apparut, un bougeoir à la main.

Il demanda, tremblant :

« Tu étais sortie ? »

Elle répondit tranquillement :

« Je été dans la cuisine boire un verre d'eau. »

Il s'efforça de calmer les soupçons qu'elle pouvait avoir ; mais elle semblait tranquille, heureuse, confiante ; et il se rassura.

Quand ils pénétrèrent, le lendemain, dans la salle à manger pour déjeuner, Victorine mit sur la table les côtelettes.

Comme elle se relevait, Mme Bombard lui tendit un louis qu'elle tenait délicatement entre deux doigts, et lui dit, avec son accent calme et sérieux :

« Tené, ma fille, voilà vingt francs dont j'avé privé vô, hier au soir. Je vô les rendé. »

Et la fille interdite prit la pièce d'or qu'elle regardait d'un air stupide, tandis que Bombard, effaré, ouvrait sur sa femme des yeux énormes.

La revanche

SCÈNE PREMIÈRE

M. DE GARELLE *(seul, au fond d'un fauteuil)* — Me voici à Cannes, en garçon, drôle de chose. Je suis garçon ! À Paris, je ne m'en apercevais guère. En voyage, c'est autre chose. Ma foi, je ne m'en plains pas.

Et ma femme est remariée !

Est-il heureux, lui, mon successeur, plus heureux que moi ? Quel imbécile ça doit être pour l'avoir épousée après moi ? Au fait, je n'étais pas moins sot pour l'avoir épousée le premier. Elle avait des qualités, pourtant, des qualités... physiques... considérables, mais aussi des tares morales importantes.

Quelle rouée, et quelle menteuse, et quelle coquette, et quelle charmeuse, pour ceux qui ne l'avaient point épousée ! Étais-je cocu ? Cristi ! quelle torture de se demander cela du matin au soir sans obtenir de certitude !

En ai-je fait des marches et des démarches pour l'épier, sans rien savoir. Dans tous les cas, si j'étais cocu, je ne le suis plus, grâce à Naquet. Comme c'est facile tout de même, le divorce ! Ça m'a coûté une cravache de dix francs et une courbature dans

le bras droit, sans compter le plaisir de taper à
cœur, que veux-tu, sur une femme que je soupçonnais fortement de me tromper !

Quelle pile, quelle pile !...

(Il se lève en riant et fait quelques pas, puis se
rassied.)

Il est vrai que le jugement a été prononcé à son
bénéfice et à mon préjudice – mais quelle pile !

Maintenant, je vais passer l'hiver dans le Midi, en
garçon ! Quelle chance ! N'est-ce pas charmant de
voyager avec l'éternel espoir de l'amour qui rôde ?
Que vais-je rencontrer, dans cet hôtel, tout à
l'heure, ou sur la Croisette, ou dans la rue peut-
être ? Où est-elle, celle qui m'aimera demain et que
j'aimerai ? Comment seront ses yeux, ses lèvres, ses
cheveux, son sourire ? Comment sera-t-elle, la
première femme qui me tendra sa bouche et que
j'envelopperai dans mes bras ? Brune ou blonde ?
grande ou petite ? rieuse ou sévère ? grasse ou ?...
Elle sera grasse !

Oh ! comme je plains ceux qui ne connaissent
pas, qui ne connaissent plus le charme exquis de
l'attente. La vraie femme que j'aime moi, c'est
l'Inconnue, l'Espérée, la Désirée, celle qui hante
mon cœur sans que mes yeux aient vu sa forme, et
dont la séduction s'accroît de toutes les perfections
rêvées. Où est-elle ? Dans cet hôtel, derrière cette
porte ? Dans une des chambres de cette maison,
tout près, ou loin encore ? Qu'importe, pourvu que
je la désire, pourvu que je sois certain de la rencontrer ! Et je la rencontrerai assurément aujourd'hui
ou demain, cette semaine ou la suivante, tôt ou
tard ; mais il faudra bien que je la trouve !

Et j'aurai, tout entière, la joie délicieuse du

premier baiser, des premières caresses, toute la griserie des découvertes amoureuses, tout le mystère de l'inexploré aussi charmants, le premier jour, qu'une virginité conquise ! Oh ! les imbéciles qui ne comprennent pas l'adorable sensation des voiles levés pour la première fois. Oh ! les imbéciles qui se marient... car... ces voiles-là... il ne faut pas les lever trop souvent... sur le même spectacle...

Tiens, une femme !...

(Une femme traverse le fond du promenoir, élégante, fine, la taille cambrée.)

Bigre ! elle a de la taille, et de l'allure. Tâchons de voir... la tête.

(Elle passe près de lui sans l'apercevoir, enfoncé dans son fauteuil. Il murmure :)

Sacré nom d'un chien, c'est ma femme ! ma femme, ou plutôt non, la femme de Chantever. Elle est jolie tout de même, la gueuse...

Est-ce que je vais avoir envie de la répouser maintenant ?... Bon, elle s'est assise et elle prend *Gil Blas*. Faisons le mort.

Ma femme ! Quel drôle d'effet ça m'a produit. Ma femme ! Au fait, voici un an, plus d'un an qu'elle n'a été ma femme... Oui, elle avait des qualités physiques... considérables ; quelle jambe ! J'en ai des frissons rien que d'y penser. Et une poitrine, d'un fini. Ouf ! Dans les premiers temps nous jouions à l'exercice – gauche – droite – gauche – droite – quelle poitrine ! Gauche ou droite, ça se valait.

Mais quelle teigne... au moral.

A-t-elle eu des amants ? En ai-je souffert de ce doute-là ? Maintenant, zut, ça ne me regarde plus.

Je n'ai jamais vu une créature plus séduisante quand elle entrait au lit. Elle avait une manière de sauter dessus et de se glisser dans les draps...

Bon, je vais redevenir amoureux d'elle...

Si je lui parlais ?... Mais que lui dirais-je ?

Et puis elle va crier *au secours*, au sujet de la pile ! Quelle pile ! J'ai peut-être été un peu brutal tout de même.

Si je lui parlais ? Ça serait drôle, et crâne, après tout. Sacrebleu, oui, je lui parlerai, et même si je suis vraiment fort... Nous verrons bien...

SCÈNE II

(Il s'approche de la jeune femme qui lit avec attention Gil Blas, *et d'une voix douce :)*

Me permettez-vous, madame, de me rappeler à votre souvenir ?

(Mme de Chantever lève brusquement la tête, pousse un cri, et veut s'enfuir. Il lui barre le chemin, et, humblement :

Vous n'avez rien à craindre, madame, je ne suis plus votre mari.

MME DE CHANTEVER – Oh ! vous osez ! Après... après ce qui s'est passé !

M. DE GARELLE – J'ose... et je n'ose pas... Enfin... Expliquez ça comme vous voudrez. Quand je vous ai aperçue, il m'a été impossible de ne pas venir vous parler.

MME DE CHANTEVER – J'espère que cette plaisanterie est terminée, n'est-ce pas ?

M. DE GARELLE – Ce n'est point une plaisanterie,
madame.

MME DE CHANTEVER – Une gageure, alors, à moins
que ce ne soit une simple insolence. D'ailleurs, un
homme qui frappe une femme est capable de tout.

M. DE GARELLE – Vous êtes dure, madame. Vous ne
devriez pas cependant, me semble-t-il, me reprocher aujourd'hui un emportement que je regrette
d'ailleurs. J'attendais plutôt, je l'avoue, des remer-
ciements de votre part.

MME DE CHANTEVER *(stupéfaite)* – Ah çà, vous êtes
fou ? ou bien vous vous moquez de moi comme un
rustre.

M. DE GARELLE – Nullement, madame, et pour ne
pas me comprendre, il faut que vous soyez fort
malheureuse.

MME DE CHANTEVER – Que voulez-vous dire ?

M. DE GARELLE – Que si vous étiez heureuse avec
celui qui a pris ma place, vous me seriez reconnaissante de ma violence qui vous a permis cette
nouvelle union.

MME DE CHANTEVER – C'est pousser trop loin la
plaisanterie, monsieur. Veuillez me laisser seule.

M. DE GARELLE – Pourtant, madame, songez-y, si je
n'avais point commis l'infamie de vous frapper,
nous traînerions encore aujourd'hui notre boulet...

MME DE CHANTEVER *(blessée)* – Le fait est que vous
m'avez rendu là un rude service !

M. DE GARELLE – N'est-ce pas ? Un service qui
mérite mieux que votre accueil de tout à l'heure.

MME DE CHANTEVER – C'est possible. Mais votre
figure m'est si désagréable...

M. DE GARELLE – Je n'en dirai pas autant de la vôtre.

MME DE CHANTEVER – Vos galanteries me déplaisent autant que vos brutalités.

M. DE GARELLE – Que voulez-vous, madame, je n'ai plus le droit de vous battre : il faut bien que je me montre aimable.

MME DE CHANTEVER – Ça, c'est franc, du moins. Mais si vous voulez être vraiment aimable, vous vous en irez.

M. DE GARELLE – Je ne pousse pas encore si loin que ça le désir de vous plaire.

MME DE CHANTEVER – Alors, quelle est votre prétention ?

M. DE GARELLE – Réparer mes torts, en admettant que j'en ai eu.

MME DE CHANTEVER *(indignée)* – Comment ? en admettant que vous en ayez eu ? Mais vous perdez la tête. Vous m'avez rouée de coups et vous trouvez peut-être que vous vous êtes conduit envers moi le mieux du monde.

M. DE GARELLE – Peut-être !

MME DE CHANTEVER – Comment ? Peut-être ?

M. DE GARELLE – Oui, madame. Vous connaissez la comédie qui s'appelle le *Mari cocu, battu et content*. Eh bien, ai-je été ou n'ai-je pas été cocu, tout est là ! Dans tous les cas, c'est vous qui avez été battue, et pas contente...

MME DE CHANTEVER *(se levant)* – Monsieur, vous m'insultez.

M. DE GARELLE *(vivement)* – Je vous en prie, écoutez-moi une minute. J'étais jaloux, très jaloux, ce qui prouve que je vous aimais. Je vous ai battue, ce qui le prouve davantage encore, et battue très fort, ce qui le démontre victorieusement. Or, si vous avez été fidèle, et battue, vous êtes vraiment à plaindre, tout à fait à plaindre, je le confesse, et...

MME DE CHANTEVER – Ne me plaignez pas.

M. DE GARELLE – Comment l'entendez-vous ? On peut le comprendre de deux façons. Cela veut dire, soit que vous méprisez ma pitié, soit qu'elle est imméritée. Or, si la pitié dont je vous reconnais digne est imméritée, c'est que les coups... les coups violents que vous avez reçus de moi étaient plus que mérités.

MME DE CHANTEVER – Prenez-le comme vous voudrez.

M. DE GARELLE – Bon. Je comprends. Donc, j'étais avec vous, madame, un mari cocu.

MME DE CHANTEVER – Je ne dis pas cela.

M. DE GARELLE – Vous le laissez entendre.

MME DE CHANTEVER – Je laisse entendre que je ne veux pas de votre pitié.

M. DE GARELLE – Ne jouons pas sur les mots et avouez-moi franchement que j'étais...

MME DE CHANTEVER – Ne prononcez pas ce mot infâme, qui me révolte et me dégoûte.

M. DE GARELLE – Je vous passe le mot, mais avouez la chose.

MME DE CHANTEVER – Jamais. Ça n'est pas vrai.

M. DE GARELLE – Alors, je vous plains de tout mon cœur et la proposition que j'allais vous faire n'a plus de raison d'être.

MME DE CHANTEVER – Quelle proposition ?

M. DE GARELLE – Il est inutile de vous la dire, puisqu'elle ne peut exister que si vous m'aviez trompé.

MME DE CHANTEVER – Eh bien, admettez un moment que je vous ai trompé.

M. DE GARELLE – Cela ne suffit pas. Il me faut un aveu.

MME DE CHANTEVER – Je l'avoue.

M. DE GARELLE – Cela ne suffit pas. Il me faut des preuves.

MME DE CHANTEVER *(souriant)* – Vous en demandez trop, à la fin.

M. DE GARELLE – Non, madame. J'allais vous faire, vous disais-je, une proposition grave, très grave, sans quoi je ne serais point venu vous trouver ainsi après ce qui s'est passé entre nous, de vous à moi, d'abord, et de moi à vous ensuite. Cette proposition, qui peut avoir pour nous deux les conséquences les plus sérieuses, demeurerait sans valeur si je n'avais pas été trompé par vous.

MME DE CHANTEVER – Vous êtes surprenant. Mais que voulez-vous de plus ? Je vous ai trompé, na.

M. DE GARELLE – Il me faut des preuves.

MME DE CHANTEVER – Mais quelles preuves voulez-vous que je vous donne ? Je n'en ai pas sur moi ou plutôt je n'en ai plus.

M. DE GARELLE – Peu importe où elles soient. Il me les faut.

MME DE CHANTEVER – Mais on n'en peut pas garder, des preuves, de ces choses-là... et..., à moins d'un flagrant délit... *(Après un silence.)* Il me semble que ma parole devrait vous suffire.

M. DE GARELLE *(s'inclinant)* – Alors, vous êtes prête à le jurer.

MME DE CHANTEVER *(levant la main)* – Je le jure.

M. DE GARELLE *(sérieux)* – Je vous crois, madame. Et avec qui m'avez-vous trompé ?

MME DE CHANTEVER – Oh ! mais, vous en demandez trop, à la fin.

M. DE GARELLE – Il est indispensable que je sache son nom.

MME DE CHANTEVER – Il m'est impossible de vous le dire.

M. DE GARELLE – Pourquoi ça ?

MME DE CHANTEVER – Parce que je suis une femme mariée.

M. DE GARELLE – Eh bien ?

MME DE CHANTEVER – Et le secret professionnel ?

M. DE GARELLE – C'est juste.

MME DE CHANTEVER – D'ailleurs, c'est avec M. de Chantever que je vous ai trompé.

M. DE GARELLE – Ça n'est pas vrai.

MME DE CHANTEVER – Pourquoi ça ?

M. DE GARELLE – Parce qu'il ne vous aurait pas épousée.

MME DE CHANTEVER – Insolent ! Et cette proposition ?...

M. DE GARELLE – La voici. Vous venez d'avouer que j'ai été, grâce à vous, un de ces êtres ridicules, toujours bafoués, quoi qu'ils fassent, comiques s'ils se taisent, et plus grotesques encore s'ils se fâchent, qu'on nomme des maris trompés. Eh bien, madame, il est indubitable que les quelques coups de cravache reçus par vous sont loin de compenser l'outrage et le dommage conjugal que j'ai éprouvés de votre fait, et il est non moins indubitable que vous me devez une compensation plus sérieuse et d'une autre nature, maintenant que je ne suis plus votre mari.

MME DE CHANTEVER – Vous perdez la tête. Que voulez-vous dire ?

M. DE GARELLE – Je veux dire, madame, que vous devez me rendre aujourd'hui les heures charmantes

que vous m'avez volées quand j'étais votre époux,
pour les offrir à je ne sais qui.

MME DE CHANTEVER — Vous êtes fou.

M. DE GARELLE — Nullement. Votre amour m'appartenait, n'est-ce pas ? Vos baisers m'étaient dus,
tous vos baisers, sans exception. Est-ce vrai ? Vous
en avez distrait une partie au bénéfice d'un autre !
Eh bien, il importe, il m'importe que la restitution
ait lieu, restitution sans scandale, restitution secrète, comme on fait pour les vols honteux.

MME DE CHANTEVER — Mais pour qui me prenez-vous ?

M. DE GARELLE — Pour la femme de M. de Chantever.

MME DE CHANTEVER — Ça, par exemple, c'est trop
fort.

M. DE GARELLE — Pardon, celui qui m'a trompé
vous a bien prise pour la femme de M. de Garelle.
Il est juste que mon tour arrive. Ce qui est trop fort,
c'est de refuser de rendre ce qui est légitimement
dû.

MME DE CHANTEVER — Et si je disais oui... vous
pourriez...

M. DE GARELLE — Mais certainement.

MME DE CHANTEVER — Alors, à quoi aurait servi le
divorce ?

M. DE GARELLE — À raviver notre amour.

MME DE CHANTEVER — Vous ne m'avez jamais
aimée.

M. DE GARELLE — Je vous en donne pourtant une
rude preuve.

MME DE CHANTEVER — Laquelle ?

M. DE GARELLE — Comment ? Laquelle ? Quand un
homme est assez fou pour proposer à une femme
de l'épouser d'abord et de devenir son amant

ensuite, cela prouve qu'il aime ou je ne m'y connais pas en amour.

MME DE CHANTEVER – Oh ! ne confondons pas. Épouser une femme prouve l'amour ou le désir, mais la prendre comme maîtresse ne prouve rien... que le mépris. Dans le premier cas, on accepte toutes les charges, tous les ennuis, et toutes les responsabilités de l'amour ; dans le second cas, on laisse ces fardeaux au légitime propriétaire et on ne garde que le plaisir, avec la faculté de disparaître le jour où la personne aura cessé de plaire. Cela ne se ressemble guère.

M. DE GARELLE – Ma chère amie, vous raisonnez fort mal. Quand on aime une femme, on ne devrait pas l'épouser, parce qu'en l'épousant on est sûr qu'elle vous trompera, comme vous avez fait à mon égard. La preuve est là. Tandis qu'il est indiscutable qu'une maîtresse reste fidèle à son amant avec tout l'acharnement qu'elle met à tromper son mari. Est-ce pas vrai ? Si vous voulez qu'un lien indissoluble se lie entre une femme et vous, faites-la épouser par un autre, le mariage n'est qu'une ficelle qu'on coupe à volonté, et devenez l'amant de cette femme : l'amour libre est une chaîne qu'on ne brise pas. – Nous avons coupé la ficelle, je vous offre la chaîne.

MME DE CHANTEVER – Vous êtes drôle. Mais je refuse.

M. DE GARELLE – Alors, je préviendrai M. de Chantever.

MME DE CHANTEVER – Vous le préviendrez de quoi ?

M. DE GARELLE – Je lui dirai que vous m'avez trompé !

MME DE CHANTEVER – Que je vous ai trompé... Vous...

M. DE GARELLE – Oui, quand vous étiez ma femme.

MME DE CHANTEVER – Eh bien ?

M. DE GARELLE – Eh bien, il ne vous le pardonnera pas.

MME DE CHANTEVER – Lui ?

M. DE GARELLE – Parbleu ! Ça n'est pas fait pour le rassurer.

MME DE CHANTEVER *(riant)*. – Ne faites pas ça, Henry.

(Une voix dans l'escalier appelant : « Mathilde ».)

MME DE CHANTEVER *(bas)* – Mon mari ! Adieu.

M. DE GARELLE *(se levant)* – Je vais vous conduire près de lui et me présenter.

MME DE CHANTEVER – Ne faites pas ça.

M. DE GARELLE – Vous allez voir.

MME DE CHANTEVER – Je vous en prie.

M. DE GARELLE – Alors acceptez la chaîne.

LA VOIX – Mathilde !

MME DE CHANTEVER – Laissez-moi.

M. DE GARELLE – Où vous reverrai-je ?

MME DE CHANTEVER – Ici – ce soir – après dîner.

M. DE GARELLE *(lui baisant la main)* – Je vous aime...

(Elle se sauve.)

(M. de Garelle retourne doucement à son fauteuil et se laisse tomber dedans.)

Eh bien ! vrai. J'aime mieux ce rôle-là que le précédent. C'est qu'elle est charmante, tout à fait charmante, et bien plus charmante encore depuis que j'ai entendu la voix de M. de Chantever l'appeler comme ça « Mathilde », avec ce ton de propriétaire qu'ont les maris.

La chambre 11

« C OMMENT ! vous ne savez pas pourquoi on a
déplacé M. le premier président Amandon ?
— Non, pas du tout.
— Lui non plus, d'ailleurs, ne l'a jamais su. Mais
c'est une histoire des plus bizarres.
— Contez-la-moi.
— Vous vous rappelez bien Mme Amandon, cette
jolie petite brune maigre, si distinguée et fine qu'on
appelait Madame Marguerite dans tout Perthuis-le-Long ?
— Oui, parfaitement. »

Eh bien, écoutez. Vous vous rappelez aussi
comme elle était respectée, considérée, aimée
mieux que personne dans la ville ; elle savait recevoir, organiser une fête ou une œuvre de bienfaisance, trouver de l'argent pour les pauvres et
distraire les jeunes gens par mille moyens.

Elle était fort élégante et fort coquette, cependant, mais d'une coquetterie platonique et d'une
élégance charmante de province, car c'était une
provinciale cette petite femme-là, une provinciale
exquise.

Messieurs les écrivains qui sont tous parisiens
nous chantent la Parisienne sur tous les tons, parce

qu'ils ne connaissent qu'elle, mais je déclare, moi ! que la provinciale vaut cent fois plus, quand elle est de qualité supérieure.

La provinciale fine a une allure toute particulière, plus discrète que celle de la Parisienne, plus humble, qui ne promet rien et donne beaucoup, tandis que la Parisienne, la plupart du temps, promet beaucoup et ne donne rien au déshabillé.

La Parisienne, c'est le triomphe élégant et effronté du faux. La provinciale, c'est la modestie du vrai.

Une petite provinciale délurée, avec son air de bourgeoise alerte, sa candeur trompeuse de pensionnaire, son sourire qui ne dit rien, et ses bonnes petites passions adroites, mais tenaces, doit montrer mille fois plus de ruse, de souplesse, d'invention féminine que toutes les Parisiennes réunies, pour arriver à satisfaire ses goûts, ou ses vices, sans éveiller aucun soupçon, aucun potin, aucun scandale dans la petite ville qui la regarde avec tous ses yeux et toutes ses fenêtres.

Mme Amandon était un type de cette race rare, mais charmante. Jamais on ne l'avait suspectée, jamais on n'aurait pensé que sa vie n'était pas limpide comme son regard, un regard marron, transparent et chaud, mais si honnête – vas-y voir !

Donc, elle avait un truc admirable, d'une invention géniale, d'une ingéniosité merveilleuse et d'une incroyable simplicité.

Elle cueillait tous ses amants dans l'armée, et les gardait trois ans, le temps de leur séjour dans la garnison. – Voilà. – Elle n'avait pas d'amour, elle avait des sens.

Dès qu'un nouveau régiment arrivait à Perthuis-le-Long, elle prenait des renseignements sur tous les officiers entre trente et quarante ans – car avant trente ans on n'est pas encore discret. Après quarante ans, on faiblit souvent.

Oh ! elle connaissait les cadres aussi bien que le colonel. Elle savait tout, tout, les habitudes intimes, l'instruction, l'éducation, les qualités physiques, la résistance à la fatigue, le caractère patient ou violent, la fortune, la tendance à l'épargne ou à la prodigalité. Puis elle faisait son choix. Elle prenait de préférence les hommes d'allure calme, comme elle, mais elle les voulait beaux. Elle voulait encore qu'ils n'eussent aucune liaison connue, aucune passion ayant pu laisser des traces ou ayant fait quelque bruit. Car l'homme dont on cite les amours n'est jamais un homme bien discret.

Après avoir distingué celui qui l'aimerait pendant les trois ans de séjour réglementaire, il restait à lui jeter le mouchoir.

Que de femmes se seraient trouvées embarrassées, auraient pris les moyens ordinaires, les voies suivies par toutes, se seraient fait faire la cour en marquant toutes les étapes de la conquête et de la résistance, en laissant un jour baiser les doigts, le lendemain le poignet, le jour suivant la joue, et puis la bouche, et puis le reste.

Elle avait une méthode plus prompte, plus discrète et plus sûre. Elle donnait un bal.

L'officier choisi invitait à danser la maîtresse de la maison. Or, en valsant, entraînée par le mouvement rapide, étourdie par l'ivresse de la danse, elle se serrait contre lui comme pour se donner, et lui étreignait la main d'une pression nerveuse et continue.

S'il ne comprenait pas, ce n'était qu'un sot, et elle

passait au suivant, classé au numéro deux dans les cartons de son désir.

S'il comprenait, c'était une chose faite, sans tapage, sans galanteries compromettantes, sans visites nombreuses.

Quoi de plus simple et de plus pratique ?

Comme les femmes devraient user d'un procédé semblable pour nous faire comprendre que nous leur plaisons ! Combien cela supprimerait de difficultés, d'hésitations, de paroles, de mouvements, d'inquiétudes, de trouble, de malentendus ! Combien souvent nous passons à côté d'un bonheur possible, sans nous en douter, car qui peut pénétrer le mystère des pensées, les abandons secrets de la volonté, les appels muets de la chair, tout l'inconnu d'une âme de femme, dont la bouche reste silencieuse, l'œil impénétrable et clair ?

Dès qu'il avait compris, il lui demandait un rendez-vous. Et elle le faisait toujours attendre un mois ou six semaines, pour l'épier, le connaître et se garder s'il avait quelque défaut dangereux.

Pendant ce temps, il se creusait la tête pour savoir où ils pourraient se rencontrer sans péril ; il imaginait des combinaisons difficiles et peu sûres.

Puis, dans quelque fête officielle, elle lui disait tout bas :

« Allez, mardi soir, à neuf heures, à l'hôtel du Cheval d'or près des remparts, route de Vouziers, et demandez Mademoiselle Clarisse. Je vous attendrai, surtout soyez en civil. »

Depuis huit ans, en effet, elle avait une chambre meublée à l'année dans cette auberge inconnue. C'était une idée de son premier amant qu'elle avait trouvée pratique, et l'homme parti, elle garda le nid.

Oh ! un nid médiocre, quatre murs tapissés de papier gris clair à fleurs bleues, un lit de sapin, sous des rideaux de mousseline, un fauteuil acheté par les soins de l'aubergiste, sur son ordre, deux chaises, une descente de lit, et les quelques vases nécessaires pour la toilette ! Que fallait-il de plus ?

Sur les murs, trois grandes photographies. Trois colonels à cheval ; les colonels de ses amants ! Pourquoi ? Ne pouvant garder l'image même, le souvenir direct, elle avait peut-être voulu conserver ainsi des souvenirs par ricochet ?

Et elle n'avait jamais été reconnue par personne dans toutes ses visites au Cheval d'or direz-vous ?

Jamais ! Par personne !

Le moyen employé par elle était admirable et simple. Elle avait imaginé et organisé des séries de réunions de bienfaisance et de piété auxquelles elle allait souvent et auxquelles elle manquait parfois. Le mari, connaissant ses œuvres pieuses, qui lui coûtaient fort cher, vivait sans soupçons.

Donc, une fois le rendez-vous convenu, elle disait, en dînant, devant les domestiques :

« Je vais ce soir à l'Association des ceintures de flanelle pour les vieillards paralytiques. »

Et elle sortait vers huit heures, entrait à l'Association, en ressortait aussitôt, passait par diverses rues, et, se trouvant seule dans quelque ruelle, dans quelque coin sombre et sans quinquet, elle enlevait son chapeau, le remplaçait par un bonnet de bonne apporté sous son mantelet, dépliait un tablier blanc dissimulé de la même façon, le nouait autour de sa taille, et portant dans une serviette son chapeau de ville et le vêtement qui tout à l'heure lui couvrait les épaules, elle s'en allait trottinant, hardie, les hanches découvertes, petite bobonne qui fait une commission ; et quelquefois même elle courait comme si elle eût été fort pressée.

Qui donc aurait reconnu dans cette servante mince et vive Mme la première présidente Amandon ?

Elle arrivait au Cheval d'or, montait à sa chambre dont elle avait la clef ; et le gros patron, maître Trouveau, la voyant passer de son comptoir, murmurait :

« V'là mam'zelle Clarisse qui va-t-à ses amours. »

Il avait bien deviné quelque chose, le gros malin, mais il ne cherchait pas à en savoir davantage, et certes il a été bien surpris en apprenant que sa cliente était Mme Amandon, Madame Marguerite, comme on disait dans Perthuis-le-Long.

Or, voici comment l'horrible découverte eut lieu.

Jamais Mademoiselle Clarisse ne venait à ses rendez-vous deux soirs de suite, jamais, jamais, étant trop fine et trop prudente pour cela. Et maître Trouveau le savait bien, puisque pas une fois, depuis huit ans, il ne l'avait vue arriver le lendemain d'une visite. Souvent même, dans les jours de presse, il avait disposé de la chambre pour une nuit.

Or, pendant l'été dernier, M. le Premier Amandon s'absenta pendant une semaine. On était en juillet ; madame avait des ardeurs, et comme on ne pouvait pas craindre d'être surpris, elle demanda à son amant, le beau commandant de Varangelles, un mardi soir, en le quittant, s'il voulait la revoir le lendemain, il répondit :

« Comment donc ! »

Et il fut convenu qu'ils se retrouveraient à l'heure ordinaire le mercredi. Elle dit tout bas :

« Si tu arrives le premier, mon chéri, tu te coucheras pour m'attendre. »

Ils s'embrassèrent, puis se séparèrent.

Or, le lendemain, vers dix heures, comme maître Trouveau lisait les *Tablettes de Perthuis*, organe républicain de la ville, il cria, de loin, à sa femme, qui plumait une volaille dans la cour :

« Voilà le choléra dans le pays. Il est mort un homme hier à Vauvigny. »

Puis il n'y pensa plus, son auberge étant pleine de monde, et les affaires allant fort bien.

Vers midi, un voyageur se présenta, à pied, une espèce de touriste, qui se fit servir un bon déjeuner, après avoir bu deux absinthes. Et comme il faisait fort chaud, il absorba un litre de vin, et deux litres d'eau, au moins.

Il prit ensuite son café, son petit verre, ou plutôt, trois petits verres. Puis, se sentant un peu lourd, il demanda une chambre pour dormir une heure ou deux. Il n'y en avait plus une seule de libre, et le patron, ayant consulté sa femme, lui donna celle de Mademoiselle Clarisse.

L'homme y entra, puis, vers cinq heures, comme on ne l'avait pas vu ressortir, le patron alla le réveiller.

Quel étonnement, il était mort !

L'aubergiste redescendit trouver sa femme :

« Dis donc, l'artiste que j'avais mis dans la chambre 11, je crois bien qu'il est mort. »

Elle leva les bras :

« Pas possible ! Seigneur Dieu. C'est-il le choléra ? »

Maître Trouveau secoua la tête :

« Je croirais plutôt à une *contagion* cérébrale vu qu'il est noir comme la lie de vin. »

Mais la bourgeoise, effarée, répétait :

« Faut pas le dire, faut pas le dire, on croirait au choléra. Va faire tes déclarations et ne parle pas. On l'emportera-t-à la nuit pour n'être point vus. Et ni vu ni connu, je t'embrouille. »

L'homme murmura :

« Mam'zelle Clarisse est v'nue hier, la chambre est libre ce soir. »

Et il alla chercher le médecin qui constata le décès, par congestion après un repas copieux. Puis il fut convenu avec le commissaire de police qu'on enlèverait le cadavre vers minuit, afin qu'on ne soupçonnât rien dans l'hôtel.

Il était neuf heures à peine, quand Mme Amandon pénétra furtivement dans l'escalier du Cheval d'or, sans être vue par personne, ce jour-là. Elle gagna sa chambre, ouvrit la porte, entra. Une bougie brûlait sur la cheminée. Elle se tourna vers le lit. Le commandant était couché, mais il avait fermé les rideaux.

Elle prononça :

« Une minute, mon chéri, j'arrive. »

Et elle se dévêtit avec une brusquerie fiévreuse, jetant ses bottines par terre et son corset sur le fauteuil. Puis sa robe noire et ses jupes dénouées étant tombées en cercle autour d'elle, elle se dressa, en chemise de soie rouge, ainsi qu'une fleur qui vient d'éclore.

Comme le commandant n'avait point dit un mot, elle demanda :

« Dors-tu, mon gros ? »

Il ne répondit pas, et elle se mit à rire en murmurant :

« Tiens, il dort, c'est trop drôle ! »

Elle avait gardé ses bas, des bas de soie noire à jour, et, courant au lit, elle se glissa dedans avec rapidité, en saisissant à pleins bras et en baisant à pleines lèvres, pour le réveiller brusquement, le cadavre glacé du voyageur !

Pendant une seconde, elle demeura immobile, trop effarée pour rien comprendre. Mais le froid de cette chair inerte fit pénétrer dans la sienne une épouvante atroce et irraisonnée avant que son esprit eût pu commencer à réfléchir.

Elle avait fait un bond hors du lit, frémissant de la tête aux pieds ; puis, courant à la cheminée, elle saisit la bougie, revint et regarda ! Et elle aperçut un visage affreux qu'elle ne connaissait point, noir, enflé, les yeux clos, avec une grimace horrible de la mâchoire.

Elle poussa un cri, un de ces cris aigus et interminables que jettent les femmes dans leurs affolements, et laissant tomber sa bougie, elle ouvrit la porte, s'enfuit, nue, par le couloir en continuant à hurler d'une façon épouvantable.

Un commis voyageur en chaussettes, qui occupait la chambre n° 4, sortit aussitôt et la reçut dans ses bras.

Il demanda, effaré :

« Qu'est-ce qu'il y a, belle enfant ? »

Elle balbutia, éperdu :

« On... on... on... a tué quelqu'un... dans... dans ma chambre... »

D'autres voyageurs apparaissaient. Le patron lui-même accourut.

Et tout à coup le commandant montra sa haute taille au bout du corridor.

Dès qu'elle l'aperçut, elle se jeta vers lui en criant :

« Sauvez-moi, sauvez-moi, Gontran... On a tué quelqu'un dans notre chambre. »

Les explications furent difficiles. M. Trouveau, cependant, raconta la vérité et demanda qu'on relâchât immédiatement mam'zelle Clarisse, dont il répondait sur sa tête. Mais le commis voyageur en chaussettes, ayant examiné le cadavre, affirma qu'il y avait crime, et il décida les autres voyageurs à empêcher qu'on ne laissât partir mam'zelle Clarisse et son amant.

Ils durent attendre l'arrivée du commissaire de police, qui leur rendit la liberté, mais qui ne fut pas discret.

Le mois suivant, M. le Premier Amandon recevait un avancement avec une nouvelle résidence.

L'inconnue

ON PARLAIT DE BONNES FORTUNES et chacun en racontait d'étranges ; rencontres surprenantes et délicieuses, en wagon, dans un hôtel, à l'étranger, sur une plage. Les plages, au dire de Roger des Annettes, étaient singulièrement favorables à l'amour.

Gontran, qui se taisait, fut consulté.

« C'est encore Paris qui vaut le mieux, dit-il. Il en est de la femme comme du bibelot, nous l'apprécions davantage dans les endroits où nous ne nous attendons point à en rencontrer ; mais on n'en rencontre vraiment de rares qu'à Paris. »

Il se tut quelques secondes, puis reprit :

« Cristi ! c'est gentil ! Allez un matin de printemps dans nos rues. Elles ont l'air d'éclore comme des fleurs, les petites femmes qui trottent le long des maisons. Oh ! le joli, le joli, joli spectacle ! On sent la violette au bord des trottoirs ; la violette qui passe dans les voitures lentes poussées par les marchandes.

« Il fait gai par la ville ; et on regarde les femmes. Cristi de cristi, comme elles sont tentantes avec leurs toilettes claires, leurs toilettes légères qui montrent la peau. On flâne, le nez au vent et l'esprit allumé ; on flâne, et on flaire et on guette. C'est rudement bon, ces matins-là !

« On la voit venir de loin, on la distingue et on la reconnaît à cent pas, celle qui va nous plaire de tout près. À la fleur de son chapeau, au mouvement de sa tête, à sa démarche, on la devine. Elle vient. On se dit : "Attention, en voilà une", et on va au-devant d'elle en la dévorant des yeux.

« Est-ce une fillette qui fait les courses du magasin, une jeune femme qui vient de l'église ou qui va chez son amant ? Qu'importe ! La poitrine est ronde sous le corsage transparent. – Oh ! si on pouvait mettre le doigt dessus ? Le doigt ou la lèvre. – Le regard est timide ou hardi, la tête brune ou blonde ? Qu'importe ! L'effleurement de cette femme qui trotte vous fait courir un frisson dans le dos. Et comme on la désire jusqu'au soir, celle qu'on a rencontrée ainsi ! Certes, j'ai bien gardé le souvenir d'une vingtaine de créatures vues une fois ou dix fois de cette façon et dont j'aurais été follement amoureux si je les avais connues plus intimement.

« Mais voilà, celles qu'on chérirait éperdument, on ne les connaît jamais. Avez-vous remarqué ça ? c'est assez drôle ! On aperçoit, de temps en temps, des femmes dont la seule vue nous ravage de désirs. Mais on ne fait que les apercevoir, celles-là. Moi, quand je pense à tous les êtres adorables que j'ai coudoyés dans les rues de Paris, j'ai des crises de rage à me pendre. Où sont-elles ! Qui sont-elles ? Où pourrait-on les retrouver ? les revoir ? Un proverbe dit qu'on passe souvent à côté du bonheur, eh bien ! moi je suis certain que j'ai passé plus d'une fois à côté de celle qui m'aurait pris comme un linot avec l'appât de sa chair fraîche. »

Roger des Annettes avait écouté en souriant. Il répondit :

Je connais ça aussi bien que toi. Voilà même ce qui m'est arrivé, à moi. Il y a cinq ans environ, je rencontrai pour la première fois, sur le pont de la Concorde, une grande jeune femme un peu forte qui me fit un effet... mais un effet... étonnant. C'était une brune, une brune grasse, avec des cheveux luisants, mangeant le front, et des sourcils liant les deux yeux sous leur grand arc allant d'une tempe à l'autre. Un peu de moustache sur les lèvres faisait rêver... rêver... comme on rêve à des bois aimés en voyant un bouquet sur une table. Elle avait la taille très cambrée, la poitrine très saillante, présentée comme un défi, offerte comme une tentation. L'œil était pareil à une tache d'encre sur de l'émail blanc. Ce n'était pas un œil, mais un trou noir, un trou profond ouvert dans sa tête, dans cette femme, par où on voyait en elle, on entrait en elle. Oh ! l'étrange regard opaque et vide, sans pensée et si beau !

J'imaginai que c'était une juive. Je la suivis. Beaucoup d'hommes se retournaient. Elle marchait en se dandinant d'une façon peu gracieuse, mais troublante. Elle prit un fiacre place de la Concorde. Et je demeurai comme une bête, à côté de l'Obélisque, je demeurai frappé par la plus forte émotion de désir qui m'eût encore assailli.

J'y pensai pendant trois semaines au moins, puis je l'oubliai.

Je la revis six mois plus tard, rue de la Paix ; et je sentis, en l'apercevant, une secousse au cœur comme lorsqu'on retrouve une maîtresse follement aimée jadis. Je m'arrêtai pour bien la voir venir. Quand elle passa près de moi, à me toucher, il me sembla que j'étais devant la bouche d'un four. Puis, lorsqu'elle se fut éloignée, j'eus la sensation d'un vent frais qui me courait sur le visage. Je ne la suivis pas. J'avais peur de faire quelque sottise, peur de moi-même.

Elle hanta souvent mes rêves. Tu connais ces obsessions-là.

Je fus un an sans la retrouver ; puis, un soir, au coucher du soleil, vers le mois de mai, je la reconnus qui montait devant moi l'avenue des Champs-Élysées.

L'arc de l'Étoile se dessinait sur le rideau de feu du ciel. Une poussière d'or, un brouillard de clarté rouge voltigeait, c'était un de ces soirs délicieux qui sont les apothéoses de Paris.

Je la suivais avec l'envie furieuse de lui parler, de m'agenouiller, de lui dire l'émotion qui m'étranglait.

Deux fois je la dépassai pour revenir. Deux fois j'éprouvai de nouveau, en la croisant, cette sensation de chaleur ardente qui m'avait frappé, rue de la Paix.

Elle me regarda. Puis je la vis entrer dans une maison de la rue de Presbourg. Je l'attendis deux heures sous une porte. Elle ne sortit pas. Je me décidai alors à interroger le concierge. Il eut l'air de ne pas me comprendre : « Ça doit être une visite », dit-il.

Et je fus encore huit mois sans la revoir.

Or, un matin de janvier, par un froid de Sibérie, je suivais le boulevard Malesherbes, en courant pour m'échauffer, quand, au coin d'une rue, je heurtai si violemment une femme qu'elle laissa tomber un petit paquet.

Je voulus m'excuser. C'était elle !

Je demeurai d'abord stupide de saisissement ; puis, lui ayant rendu l'objet qu'elle tenait à la main, je lui dis brusquement :

« Je suis désolé et ravi, madame, de vous avoir bousculée ainsi. Voilà plus de deux ans que je vous connais, que je vous admire, que j'ai le désir le plus violent de vous être présenté ; et je ne puis arriver à savoir qui vous êtes ni où vous demeurez. Excusez de semblables paroles, attribuez-les à une envie passionnée d'être au nombre de ceux qui ont le droit de vous saluer. Un pareil sentiment ne peut vous blesser, n'est-ce pas ? Vous ne me connaissez point. Je m'appelle le baron Roger des Annettes. Informez-vous, on vous dira que je suis recevable. Maintenant, si vous résistez à ma demande, vous ferez de moi un homme infiniment malheureux. Voyons, soyez bonne, donnez-moi, indiquez-moi un moyen de vous voir. »

Elle me regardait fixement, de son œil étrange et mort, et elle répondit en souriant :

« Donnez-moi votre adresse. J'irai chez vous. »

Je fus tellement stupéfait que je dus le laisser paraître. Mais je ne suis jamais longtemps à me remettre de ces surprises-là, et je m'empressai de lui donner une carte qu'elle glissa dans sa poche d'un geste rapide, d'une main habituée aux lettres escamotées.

Je balbutiai, redevenu hardi :

« Quand vous verrai-je ? »

Elle hésita, comme si elle eût fait un calcul compliqué, cherchant sans doute à se rappeler,

heure par heure, l'emploi de son temps ; puis elle
murmura :

« Dimanche matin, voulez-vous ?

– Je crois bien que je veux. »

Et elle s'en alla, après m'avoir dévisagé, jugé,
pesé, analysé de ce regard lourd et vague qui
semblait vous laisser quelque chose sur la peau, une
sorte de glu, comme s'il eût projeté sur les gens un
de ces liquides épais dont se servent les pieuvres
pour obscurcir l'eau et endormir leurs proies.

Je me livrai, jusqu'au dimanche, à un terrible
travail d'esprit pour deviner ce qu'elle était et pour
me fixer une règle de conduite avec elle.

Devais-je la payer ? Comment ?

Je me décidai à acheter un bijou, un joli bijou,
ma foi, que je posai, dans son écrin, sur la cheminée.

Et je l'attendis, après avoir mal dormi.

Elle arriva, vers dix heures, très calme, très tranquille, et elle me tendit la main comme si elle m'eût
connu beaucoup. Je la fis asseoir, je la débarrassai
de son chapeau, de son voile, de sa fourrure, de son
manchon. Puis je commençai, avec un certain
embarras, à me montrer plus galant, car je n'avais
point de temps à perdre.

Elle ne se fit nullement prier d'ailleurs, et nous
n'avions pas échangé vingt paroles que je commençais à la dévêtir. Elle continua toute seule cette
besogne malaisée que je ne réussis jamais à achever.
Je me pique aux épingles, je serre les cordons en des
nœuds indéliables au lieu de les démêler ; je
brouille tout, je confonds tout, je retarde tout et je
perds la tête.

Oh ! mon cher ami, connais-tu dans la vie des
moments plus délicieux que ceux-là, quand on

regarde, d'un peu loin, par discrétion, pour ne
point effaroucher cette pudeur d'autruche qu'elles
ont toutes, celle qui se dépouille, pour vous, de
toutes ses étoffes bruissantes tombant en rond à ses
pieds, l'une après l'autre ?

Et quoi de plus joli aussi que leurs mouvements
pour détacher ces doux vêtements qui s'abattent,
vides et mous, comme s'ils venaient d'être frappés
de mort ? Comme elle est superbe et saisissante
l'apparition de la chair, des bras nus et de la gorge
après la chute du corsage, et combien troublante la
ligne du corps devinée sous le dernier voile !

Mais voilà que, tout à coup, j'aperçus une chose
surprenante, une tache noire, entre les épaules ;
car elle me tournait le dos ; une grande tache en
relief, très noire. J'avais promis d'ailleurs de ne pas
regarder.

Qu'était-ce ? Je n'en pouvais douter pourtant, et
le souvenir de la moustache visible, des sourcils
unissant les yeux, de cette toison de cheveux qui la
coiffait comme un casque, aurait dû me préparer à
cette surprise.

Je fus stupéfait cependant, et hanté brusquement
par des visions et des réminiscences singulières. Il
me sembla que je voyais une des magiciennes des
Mille et Une Nuits, un de ces êtres dangereux et
perfides qui ont pour mission d'entraîner les hommes en des abîmes inconnus. Je pensai à Salomon
faisant passer sur une glace la reine de Saba pour
s'assurer qu'elle n'avait point le pied fourchu.

Et... et quand il fallut lui chanter ma chanson
d'amour, je découvris que je n'avais plus de voix,
mais plus un filet, mon cher. Pardon, j'avais une
voix de chanteur du pape, ce dont elle s'étonna

d'abord et se fâcha ensuite absolument, car elle prononça, en se rhabillant avec vivacité :

« Il était bien inutile de me déranger. »

Je voulus lui faire accepter la bague achetée pour elle, mais elle articula avec tant de hauteur : « Pour qui me prenez-vous, monsieur ? » que je devins rouge jusqu'aux oreilles de cet empilement d'humiliations. Et elle partit sans ajouter un mot.

Or voilà toute mon aventure. Mais ce qu'il y a de pis, c'est que, maintenant, je suis amoureux d'elle et follement amoureux.

Je ne puis plus voir une femme sans penser à elle. Toutes les autres me répugnent, me dégoûtent, à moins qu'elles ne lui ressemblent. Je ne puis poser un baiser sur une joue sans voir sa joue à elle à côté de celle que j'embrasse, et sans souffrir affreusement du désir inapaisé qui me torture.

Elle assiste à tous mes rendez-vous, à toutes les caresses qu'elle me gâte, qu'elle me rend odieuses. Elle est toujours là, habillée ou nue, comme ma vraie maîtresse ; elle est là, tout près de l'autre, debout ou couchée, visible mais insaisissable. Et je crois maintenant que c'était bien une femme ensorcelée, qui portait entre ses épaules un talisman mystérieux.

Qui est-elle ? Je ne le sais pas encore. Je l'ai rencontrée de nouveau deux fois. Je l'ai saluée. Elle ne m'a point rendu mon salut, elle a feint de ne me point connaître. Qui est-elle ! Une Asiatique, peut-être ? Sans doute une juive d'Orient ? Oui, une juive ! J'ai dans l'idée que c'est une juive ? Mais pourquoi ? Voilà ! Pourquoi ? Je ne sais pas !

Le moyen de Roger

JE ME PROMENAIS sur le boulevard avec Roger quand un vendeur quelconque cria contre nous : « Demandez le moyen de se débarrasser de sa belle-mère ! Demandez ! »

Je m'arrêtai net et je dis à mon camarade :

« Voici un cri qui me rappelle une question que je veux te poser depuis longtemps. Qu'est-ce donc que ce "moyen de Roger" dont ta femme parle toujours ? Elle plaisante là-dessus d'une façon si drôle et si entendue, qu'il s'agit, pour moi, d'une potion aux cantharides dont tu aurais le secret. Chaque fois qu'on cite devant elle un jeune homme fatigué, épuisé, essoufflé, elle se tourne vers toi et dit, en riant :

« "Il faudrait lui indiquer le moyen de Roger." Et ce qu'il y a de plus drôle dans cette affaire, c'est que tu rougis toutes les fois. »

Roger répondit :

Il y a de quoi, et si ma femme se doutait en vérité de ce dont elle parle, elle se tairait, je te l'assure bien. Je vais te confier cette histoire, à toi. Tu sais que j'ai épousé une veuve dont j'étais fort amoureux.

Ma femme a toujours eu la parole libre et avant
d'en faire ma compagne légitime nous avions souvent de ces conversations un peu pimentées, permi-
ses d'ailleurs avec les veuves, qui ont gardé le goût
du piment dans la bouche. Elle aimait beaucoup les
histoires gaies, les anecdotes grivoises, en tout bien
tout honneur. Les péchés de langue ne sont pas
graves, en certains cas ; elle est hardie, moi je suis
un peu timide, et elle s'amusait souvent, avant notre
mariage, à m'embarrasser par des questions ou des
plaisanteries auxquelles il ne m'était pas facile de
répondre. Du reste, c'est peut-être cette hardiesse
qui m'a rendu amoureux d'elle. Quant à être
amoureux, je l'étais des pieds à la tête, corps et âme,
et elle le savait, la gredine.

Il fut décidé que nous ne ferions aucune cérémonie, aucun voyage. Après la bénédiction à l'église
nous offririons une collation à nos témoins, puis
nous ferions une promenade en tête à tête, dans un
coupé, et nous reviendrions dîner chez moi, rue du
Helder.

Donc, nos témoins partis, nous voilà montant en
voiture et je dis au cocher de nous conduire au bois
de Boulogne. C'était à la fin de juin ; il faisait un
temps merveilleux.

Dès que nous fûmes seuls, elle se mit à rire.

« Mon cher Roger, dit-elle, c'est le moment d'être
galant. Voyons comment vous allez vous y
prendre. »

Interpellé de la sorte, je me trouvai immédiatement paralysé. Je lui baisais la main, je lui répétais :
« Je vous aime. » Je m'enhardis deux fois à lui baiser la nuque, mais les passants me gênaient. Elle
répétait toujours d'un petit air provocant et
drôle : « Et après... et après... » Cet « et après »

m'énervait et me désolait. Ce n'était pas dans un coupé, au bois de Boulogne, en plein jour, qu'on pouvait... Tu comprends.

Elle voyait bien ma gêne et s'en amusait. De temps en temps elle répétait :

« Je crains bien d'être mal tombée. Vous m'inspirez beaucoup d'inquiétudes. »

Et moi aussi, je commençais à en avoir des inquiétudes sur moi-même. Quand on m'intimide, je ne suis plus capable de rien.

Au dîner elle fut charmante. Et, pour m'enhardir, je renvoyai mon domestique qui me gênait. Oh ! nous demeurions convenables, mais, tu sais comme les amoureux sont bêtes, nous buvions dans le même verre, nous mangions dans la même assiette, avec la même fourchette. Nous nous amusions à croquer des gaufrettes par les deux bouts, afin que nos lèvres se rencontrassent au milieu.

Elle me dit :

« Je voudrais un peu de champagne. »

J'avais oublié cette bouteille sur le dressoir. Je la pris, j'arrachai les cordes et je pressai le bouchon pour le faire partir. Il ne sauta pas. Gabrielle se mit à sourire et murmura :

« Mauvais présage. »

Je poussai avec mon pouce la tête enflée du liège, je l'inclinais à droite, je l'inclinais à gauche, mais en vain, et, tout à coup, je cassai le bouchon au ras du verre.

Gabrielle soupira :

« Mon pauvre Roger. »

Je pris un tire-bouchon que je vissai dans la partie restée au fond du goulot. Il me fut impossible ensuite de l'arracher ! Je dus rappeler Prosper. Ma femme, à présent, riait de tout son cœur et répétait :

« Ah bien... ah bien... je vois que je peux compter sur vous. »

Elle était à moitié grise.

Elle le fut aux trois quarts après le café.

La mise au lit d'une veuve n'exigeant pas toutes les cérémonies maternelles nécessaires pour une jeune fille, Gabrielle passa tranquillement dans sa chambre en me disant :

« Fumez votre cigare pendant un quart d'heure. »

Quand je la rejoignis, je manquais de confiance en moi, je l'avoue. Je me sentais énervé, troublé, mal à l'aise.

Je pris ma place d'époux. Elle ne disait rien. Elle me regardait avec un sourire sur les lèvres, avec l'envie visible de se moquer de moi. Cette ironie, dans un pareil moment, acheva de me déconcerter et, je l'avoue, me coupa – bras et jambes.

Quand Gabrielle s'aperçut de mon... embarras, elle ne fit rien pour me rassurer, bien au contraire. Elle me demanda, d'un petit air indifférent :

« Avez-vous tous les jours autant d'esprit ? »

Je ne pus m'empêcher de répondre :

« Écoutez, vous êtes insupportable. »

Alors elle se remit à rire, mais à rire d'une façon immodérée, inconvenante, exaspérante.

Il est vrai que je faisais triste figure, et que je devais avoir l'air fort sot.

De temps en temps, entre deux crises folles de gaieté, elle prononçait, en étouffant :

« Allons – du courage – un peu d'énergie – mon – mon pauvre ami. »

Puis elle se remettait à rire si éperdument qu'elle en poussait des cris.

À la fin je me sentis si énervé, si furieux contre

moi et contre elle que je compris que j'allais la battre si je ne quittais point la place.

Je sautai du lit, je m'habillai brusquement avec rage, sans dire un mot.

Elle s'était soudain calmée et, comprenant que j'étais fâché, elle demanda :

« Qu'est-ce que vous faites ? Où allez-vous ? »

Je ne répondis pas. Et je descendis dans la rue. J'avais envie de tuer quelqu'un, de me venger, de faire quelque folie. J'allai devant moi à grands pas, et brusquement la pensée d'entrer chez des filles me vint dans l'esprit.

Qui sait ? ce serait une épreuve, une expérience, peut-être un entraînement ? En tout cas ce serait une vengeance ! Et si jamais je devais être trompé par ma femme elle l'aurait toujours été d'abord par moi.

Je n'hésitai point. Je connaissais une hôtellerie d'amour non loin de ma demeure, et j'y courus, j'y entrai comme font ces gens qui se jettent à l'eau pour voir s'ils savent encore nager.

Je nageais, et fort bien. Et je demeurai là longtemps, savourant cette vengeance secrète et raffinée. Puis je me retrouvai dans la rue à cette heure fraîche où la nuit va finir. Je me sentais maintenant calme et sûr de moi, content, tranquille, et prêt encore, me semblait-il, pour des prouesses.

Alors, je rentrai chez moi avec lenteur ; et j'ouvris doucement la porte de ma chambre.

Gabrielle lisait, accoudée sur son oreiller. Elle leva la tête et demanda d'un ton craintif :

« Vous voilà ? Qu'est-ce que vous avez eu ? »

Je ne répondis pas. Je me déshabillai avec assurance. Et je repris, en maître triomphant, la place que j'avais quittée en fuyard.

Elle fut stupéfaite et convaincue que j'avais employé quelque secret mystérieux.

Et maintenant, à tout propos, elle parle du moyen de Roger comme elle parlerait d'un procédé scientifique infaillible.

Mais, hélas ! voici dix ans de cela, et aujourd'hui la même épreuve n'aurait plus beaucoup de chances de succès, pour moi du moins.

Mais si tu as quelque ami qui redoute les émotions d'une nuit de noces, indique-lui mon stratagème et affirme-lui que, de vingt à trente-cinq ans, il n'est point de meilleure manière pour dénouer des aiguillettes, comme aurait dit le sire de Brantôme.

Joseph

ELLES ÉTAIENT GRISES, tout à fait grises, la petite baronne Andrée de Fraisières et la petite comtesse Noëmi de Gardens.

Elles avaient dîné en tête à tête, dans le salon vitré qui regardait la mer. Par les fenêtres ouvertes, la brise molle d'un soir d'été entrait, tiède et fraîche en même temps, une brise savoureuse d'Océan. Les deux jeunes femmes, étendues sur leurs chaises longues, buvaient maintenant de minute en minute une goutte de chartreuse en fumant des cigarettes, et elles se faisaient des confidences intimes, des confidences que seule cette jolie ivresse inattendue pouvait amener sur leurs lèvres.

Leurs maris étaient retournés à Paris dans l'après-midi, les laissant seules sur cette petite plage déserte qu'ils avaient choisie pour éviter les rôdeurs galants des stations à la mode. Absents cinq jours sur sept, ils redoutaient les parties de campagne, les déjeuners sur l'herbe, les leçons de natation et la rapide familiarité qui naît dans le désœuvrement des villes d'eaux. Dieppe, Étretat, Trouville leur paraissant donc à craindre, ils avaient loué une maison bâtie et abandonnée par un original dans le vallon de Roqueville, près Fécamp, et ils avaient enterré là leurs femmes pour tout l'été.

Elles étaient grises. Ne sachant qu'inventer pour se distraire, la petite baronne avait proposé à la petite comtesse un dîner fin, au champagne. Elles s'étaient d'abord beaucoup amusées à cuisiner elles-mêmes ce dîner ; puis elles l'avaient mangé avec gaieté en buvant ferme pour calmer la soif qu'avait éveillée dans leur gorge la chaleur des fourneaux. Maintenant elles bavardaient et déraisonnaient à l'unisson en fumant des cigarettes et en se gargarisant doucement avec la chartreuse. Vraiment, elles ne savaient plus du tout ce qu'elles disaient.

La comtesse, les jambes en l'air sur le dossier d'une chaise, était plus partie encore que son amie.

« Pour finir une soirée comme celle-là, disait-elle, il nous faudrait des amoureux. Si j'avais prévu ça tantôt, j'en aurais fait venir deux de Paris et je t'en aurais cédé un...

— Moi, reprit l'autre, j'en trouve toujours ; même ce soir, si j'en voulais un, je l'aurais.

— Allons donc ! À Roqueville, ma chère ? un paysan, alors.

— Non, pas tout à fait.

— Alors, raconte-moi.

— Qu'est-ce que tu veux que je te raconte ?

— Ton amoureux ?

— Ma chère, moi je ne peux pas vivre sans être aimée. Si je n'étais pas aimée, je me croirais morte.

— Moi aussi.

— N'est-ce pas ?

— Oui. Les hommes ne comprennent pas ça ! nos maris surtout !

— Non, pas du tout. Comment veux-tu qu'il en soit autrement ? L'amour qu'il nous faut est fait de gâteries, de gentillesses, de galanteries. C'est la nourriture de notre cœur, ça. C'est indispensable à notre vie, indispensable, indispensable...

— Indispensable.

— Il faut que je sente que quelqu'un pense à moi, toujours, partout. Quand je m'endors, quand je m'éveille, il faut que je sache qu'on m'aime quelque part, qu'on rêve de moi, qu'on me désire. Sans cela je serais malheureuse, malheureuse. Oh! mais malheureuse à pleurer tout le temps.

— Moi aussi.

— Songe donc que c'est impossible autrement. Quand un mari a été gentil pendant six mois, ou un an, ou deux ans, il devient forcément une brute, oui, une vraie brute... Il ne se gêne plus pour rien, il se montre tel qu'il est, il fait des scènes pour les notes, pour toutes les notes. On ne peut pas aimer quelqu'un avec qui on vit toujours.

— Ça, c'est bien vrai...

— N'est-ce pas ?... Où donc en étais-je ? Je ne me rappelle plus du tout.

— Tu disais que tous les maris sont des brutes !

— Oui, des brutes... tous.

— C'est vrai.

— Et après ?...

— Quoi, après ?

— Qu'est-ce que je disais après ?

— Je ne sais pas, moi, puisque tu ne l'as pas dit ?

— J'avais pourtant quelque chose à te raconter.

— Oui, c'est vrai, attends ?...

— Ah! j'y suis...

— Je t'écoute.

— Je te disais donc que moi, je trouve partout des amoureux.

— Comment fais-tu ?

— Voilà. Suis-moi bien. Quand j'arrive dans un

pays nouveau, je prends des notes et je fais mon choix.

— Tu fais ton choix ?

— Oui, parbleu. Je prends des notes d'abord. Je m'informe. Il faut avant tout qu'un homme soit discret, riche et généreux, n'est-ce pas ?

— C'est vrai.

— Et puis, il faut qu'il me plaise comme homme.

— Nécessairement.

— Alors je l'amorce.

— Tu l'amorces ?

— Oui, comme on fait pour prendre du poisson. Tu n'as jamais pêché à la ligne ?

— Non, jamais.

— Tu as eu tort. C'est très amusant. Et puis c'est instructif. Donc, je l'amorce...

— Comment fais-tu ?

— Bête, va. Est-ce qu'on ne prend pas les hommes qu'on veut prendre, comme s'ils avaient le choix ! Et ils croient choisir encore... ces imbéciles... mais c'est nous qui choisissons... toujours... Songe donc, quand on n'est pas laide, et pas sotte, comme nous, tous les hommes sont des prétendants, tous sans exception. Nous, nous les passons en revue du matin au soir, et quand nous en avons visé un nous l'amorçons...

— Ça ne me dit pas comment tu fais ?

— Comment je fais ?... mais je ne fais rien. Je me laisse regarder, voilà tout.

— Tu te laisses regarder ?...

— Mais oui. Ça suffit. Quand on s'est laissé regarder plusieurs fois de suite, un homme vous trouve aussitôt la plus jolie et la plus séduisante de toutes les femmes. Alors il commence à vous faire la cour. Moi je lui laisse comprendre qu'il n'est pas mal, sans rien dire bien entendu ; et il tombe amoureux comme un bloc. Je le tiens. Et ça dure plus ou moins, selon ses qualités.

— Tu prends comme ça tous ceux que tu veux ?

— Presque tous.

— Alors, il y en a qui résistent ?

— Quelquefois.

— Pourquoi ?

— Oh ! pourquoi ? On est Joseph pour trois raisons. Parce qu'on est très amoureux d'une autre. Parce qu'on est d'une timidité excessive et parce qu'on est... comment dirai-je ?... incapable de mener jusqu'au bout la conquête d'une femme...

— Oh ! ma chère !... Tu crois ?...

— Oui... oui... J'en suis sûre..., il y en a beaucoup de cette dernière espèce, beaucoup, beaucoup... beaucoup plus qu'on ne croit. Oh ! ils ont l'air de tout le monde... ils sont habillés comme les autres... ils font les paons... Quand je dis les paons... je me trompe, ils ne pourraient pas se déployer.

— Oh ! ma chère...

— Quant aux timides, ils sont quelquefois d'une sottise imprenable. Ce sont des hommes qui ne doivent pas savoir se déshabiller, même pour se coucher tout seuls, quand ils ont une glace dans leur chambre. Avec ceux-là, il faut être énergique, user du regard et de la poignée de main. C'est même quelquefois inutile. Ils ne savent jamais comment ni par où commencer. Quand on perd connaissance devant eux, comme dernier moyen... ils vous soignent... Et pour peu qu'on tarde à reprendre ses sens... ils vont chercher du secours.

« Ceux que je préfère, moi, ce sont les amoureux des autres. Ceux-là, je les enlève d'assaut, à... à... à... à la baïonnette, ma chère !

– C'est bon, tout ça, mais quand il n'y a pas d'hommes, comme ici, par exemple.

– J'en trouve.

– Tu en trouves. Où ça ?

– Partout. Tiens, ça me rappelle mon histoire.

« Voilà deux ans, cette année, que mon mari m'a fait passer l'été dans sa terre de Bougrolles. Là, rien... mais tu entends, rien de rien, de rien, de rien ! Dans les manoirs des environs, quelques lourdauds dégoûtants, des chasseurs de poil et de plume vivant dans des châteaux sans baignoires, de ces hommes qui transpirent et se couchent par là-dessus, et qu'il serait impossible de corriger, parce qu'ils ont des principes d'existence malpropres.

« Devine ce que j'ai fait ?

– Je ne devine pas !

– Ah ! ah ! ah ! Je venais de lire un tas de romans de George Sand pour l'exaltation de l'homme du peuple, des romans où les ouvriers sont sublimes et tous les hommes du monde criminels. Ajoute à cela que j'avais vu *Ruy Blas* l'hiver précédent et que ça m'avait beaucoup frappée. Eh bien ! un de nos fermiers avait un fils, un beau gars de vingt-deux ans, qui avait étudié pour être prêtre, puis quitté le séminaire par dégoût. Eh bien, je l'ai pris comme domestique !

– Oh !... Et après !...

– Après... après, ma chère, je l'ai traité de très haut, en lui montrant beaucoup de ma personne. Je ne l'ai pas amorcé, celui-là, ce rustre, je l'ai allumé !...

– Oh ! Andrée !

– Oui, ça m'amusait même beaucoup. On dit que les domestiques, ça ne compte pas ! Eh bien il

ne comptait point. Je le sonnais pour les ordres
chaque matin quand ma femme de chambre
m'habillait, et aussi chaque soir quand elle me
déshabillait.

— Oh ! Andrée !

— Ma chère, il a flambé comme un toit de paille.
Alors, à table, pendant les repas, je n'ai plus parlé
que de propreté, de soins du corps, de douches, de
bains. Si bien qu'au bout de quinze jours il se
trempait matin et soir dans la rivière, puis se
parfumait à empoisonner le château. J'ai même été
obligée de lui interdire les parfums, en lui disant,
d'un air furieux, que les hommes ne devaient
jamais employer que de l'eau de Cologne.

— Oh ! Andrée !

— Alors, j'ai eu l'idée d'organiser une bibliothèque de campagne. J'ai fait venir quelques centaines
de romans moraux que je prêtais à tous nos paysans
et à mes domestiques. Il s'était glissé dans ma
collection quelques livres... quelques livres... poétiques... de ceux qui troublent les âmes... des pensionnaires et des collégiens... Je les ai donnés à mon
valet de chambre. Ça lui a appris la vie... une drôle
de vie.

— Oh... Andrée !

— Alors je suis devenue familière avec lui, je me
suis mise à le tutoyer. Je l'avais nommé Joseph. Ma
chère, il était dans un état... dans un état effrayant...
Il devenait maigre comme... comme un coq... et il
roulait des yeux de fou. Moi je m'amusais énormément. C'est un des mes meilleurs étés...

— Et après ?...

— Après... oui... Eh bien, un jour que mon mari
était absent, je lui ai dit d'atteler le panier pour me

conduire dans les bois. Il faisait très chaud, très chaud... Voilà !

— Oh ! Andrée, dis-moi tout... Ça m'amuse tant.

— Tiens, bois un verre de chartreuse, sans ça je finirais le carafon toute seule. Eh bien après, je me suis trouvée mal en route.

— Comment ça ?

— Que tu es bête. Je lui ai dit que j'allais me trouver mal et qu'il fallait me porter sur l'herbe. Et puis quand j'ai été sur l'herbe j'ai suffoqué et je lui ai dit de me délacer. Et puis, quand j'ai été délacée, j'ai perdu connaissance.

— Tout à fait ?

— Oh non, pas du tout.

— Eh bien ?

— Eh bien ! j'ai été obligée de rester près d'une heure sans connaissance. Il ne trouvait pas de remède. Mais j'ai été patiente, et je n'ai rouvert les yeux qu'après sa chute.

— Oh ! Andrée !... Et qu'est-ce que tu lui as dit ?

— Moi rien ! Est-ce que je savais quelque chose, puisque j'étais sans connaissance ? Je l'ai remercié. Je lui ai dit de me remettre en voiture ; et il m'a ramenée au château. Mais il a failli verser en tournant la barrière !

— Oh ! Andrée ! Et c'est tout ?...

— C'est tout...

— Tu n'as perdu connaissance qu'une fois ?

— Rien qu'une fois, parbleu ! Je ne voulais pas faire mon amant de ce goujat.

— L'as-tu gardé longtemps après ça ?

— Mais oui. Je l'ai encore. Pourquoi est-ce que je l'aurais renvoyé. Je n'avais pas à m'en plaindre.

— Oh ! Andrée ! Et il t'aime toujours ?

— Parbleu.

– Où est-il ? »

La petite baronne étendit la main vers la muraille et poussa le timbre électrique. La porte s'ouvrit presque aussitôt, et un grand valet entra qui répandait autour de lui une forte senteur d'eau de Cologne.

La baronne lui dit : « Joseph, mon garçon, j'ai peur de me trouver mal, va me chercher ma femme de

chambre. »

L'homme demeurait immobile comme un soldat devant un officier, et fixait un regard ardent sur sa maîtresse, qui reprit : « Mais va donc vite, grand sot, nous ne sommes pas dans le bois aujourd'hui, et Rosalie me soignera mieux que toi. »

Il tourna sur ses talons et sortit.

La petite comtesse, effarée, demanda :

« Et qu'est-ce que tu diras à ta femme de chambre ?

– Je lui dirai que c'est passé ! Non, je me ferai tout de même délacer. Ça me soulagera la poitrine, car je ne peux plus respirer. Je suis grise... ma chère... mais grise à tomber si je me levais. »

La confidence

LA PETITE BARONNE DE GRANGERIE sommeillait sur sa chaise longue, quand la petite marquise de Rennedou entra brusquement, d'un air agité, le corsage un peu fripé, le chapeau un peu tourné, et elle tomba sur une chaise, en disant :

« Ouf ! c'est fait ! »

Son amie, qui la savait calme et douce d'ordinaire, s'était redressée fort surprise. Elle demanda :

« Quoi ! Qu'est-ce que tu as fait ! »

La marquise, qui semblait ne pouvoir tenir en place, se relevant, se mit à marcher par la chambre, puis elle se jeta sur les pieds de la chaise longue où reposait son amie, et, lui prenant les mains :

« Écoute, chérie, jure-moi de ne jamais répéter ce que je vais t'avouer !

— Je te le jure.

— Sur ton salut éternel ?

— Sur mon salut éternel.

— Eh bien ! je viens de me venger de Simon. »

L'autre s'écria :

« Oh ! que tu as bien fait !

— N'est-ce pas ? Figure-toi que, depuis six mois, il était devenu plus insupportable encore qu'autrefois ; mais insupportable pour tout. Quand je l'ai épousé, je savais bien qu'il était laid, mais je le

croyais bon. Comme je m'étais trompée ! Il avait
pensé, sans doute, que je l'aimais pour lui-même,
avec son gros ventre et son nez rouge, car il se mit
à roucouler comme un tourtereau. Moi, tu comprends, ça me faisait rire, c'est de là que je l'ai
appelé : Pigeon. Les hommes, vraiment, se font de
drôles d'idées sur eux-mêmes. Quand il a compris
que je n'avais pour lui que de l'amitié, il est devenu
soupçonneux, il a commencé à me dire des choses aigres, à me traiter de coquette, de rouée, de je
ne sais quoi. Et puis, c'est devenu plus grave à la
suite de... de... c'est fort difficile à dire ça... Enfin, il
était très amoureux de moi... très amoureux... et il
me le prouvait souvent, trop souvent. Oh ! ma
chère, en voilà un supplice que d'être... aimée par
un homme grotesque... Non, vraiment, je ne pouvais plus... plus du tout... c'est comme si on vous
arrachait une dent tous les soirs... bien pis que ça,
bien pis ! Enfin figure-toi dans tes connaissances
quelqu'un de très vilain, de très ridicule, de très
répugnant, avec un gros ventre, – c'est ça qui est
affreux, – et de gros mollets velus. Tu le vois,
n'est-ce pas ? Eh bien figure-toi encore que ce
quelqu'un-là est ton mari... et que... tous les
soirs... tu comprends. Non, c'est odieux... !
odieux... ! Moi, ça me donnait des nausées, de
vraies nausées... des nausées dans ma cuvette.
Vrai, je ne pouvais plus. Il devrait y avoir une loi
pour protéger les femmes dans ces cas-là. – Mais
figure-toi ça, tous les soirs... Pouah ! que c'est sale !

« Ce n'est pas que j'aie rêvé des amours poétiques, non jamais. On n'en trouve plus. Tous les
hommes, dans notre monde, sont des palefreniers
ou des banquiers ; ils n'aiment que les chevaux ou
l'argent ; et s'ils aiment les femmes, c'est à la façon

des chevaux, pour les montrer dans leur salon comme on montre au Bois une paire d'alezans. Rien de plus. La vie est telle aujourd'hui que le sentiment n'y peut avoir aucune part.

« Vivons donc en femmes pratiques et indifférentes. Les relations même ne sont plus que des rencontres régulières, où on répète chaque fois les mêmes choses. Pour qui pourrait-on, d'ailleurs, avoir un peu d'affection ou de tendresse ? Les hommes, nos hommes, ne sont en général que des mannequins corrects à qui manquent toute intelligence et toute délicatesse. Si nous cherchons un peu d'esprit comme on cherche de l'eau dans le désert, nous appelons près de nous des artistes ; et nous voyons arriver des poseurs insupportables ou des bohèmes mal élevés. Moi je cherche un homme, comme Diogène, un seul homme dans toute la société parisienne ; mais je suis déjà bien certaine de ne pas le trouver et je ne tarderai pas à souffler ma lanterne. Pour en revenir à mon mari, comme ça me faisait une vraie révolution de le voir entrer chez moi en chemise et en caleçon, j'ai employé tous les moyens, tous, tu entends bien, pour l'éloigner et pour... le dégoûter de moi. Il a d'abord été furieux ; et puis il est devenu jaloux, il s'est imaginé que je le trompais. Dans les premiers temps, il se contentait de me surveiller. Il regardait avec des yeux de tigre tous les hommes qui venaient à la maison ; et puis la persécution a commencé. Il m'a suivie, partout. Il a employé des moyens abominables pour me surprendre. Puis il ne m'a plus laissée causer avec personne. Dans les bals, il restait planté derrière moi, allongeant sa grosse tête de chien courant aussitôt que je disais un mot. Il me poursuivait au buffet, me défendait de danser avec

celui-ci ou avec celui-là, m'emmenait au milieu du
cotillon, me rendait stupide et ridicule et me faisait
passer pour je ne sais quoi. C'est alors que j'ai cessé
d'aller dans le monde.

« Dans l'intimité, c'est devenu pis encore. Figure-toi que ce misérable-là me traitait de... de... je
n'oserai pas dire le mot... de catin !

« Ma chère !... il me disait le soir : "Avec qui as-tu
couché aujourd'hui ?" Moi, je pleurais et il était
enchanté.

« Et puis, c'est devenu pis encore. L'autre semaine, il m'emmena dîner aux Champs-Élysées. Le
hasard voulut que Baubignac fût à la table voisine.
Alors voilà Simon qui se met à m'écraser les pieds
avec fureur et qui me grogne par-dessus le melon :
"Tu lui as donné rendez-vous, sale bête ; attends un
peu." Alors, tu ne te figurerais jamais ce qu'il a fait,
ma chère : il a ôté tout doucement l'épingle de mon
chapeau et il me l'a enfoncée dans le bras. Moi j'ai
poussé un grand cri. Tout le monde est accouru.
Alors il a joué une affreuse comédie de chagrin. Tu
comprends !

« À ce moment-là, je me suis dit : Je me vengerai
et sans tarder encore. Qu'est-ce que tu aurais fait,
toi ?

– Oh ! je me serais vengée !...

– Eh bien ! ça y est.

– Comment ?

– Quoi ? tu ne comprends pas ?

– Mais, ma chère... cependant... Eh bien, oui...

– Oui, quoi ?... Voyons, pense à sa tête. Tu le vois
bien, n'est-ce pas, avec sa grosse figure, son nez
rouge et ses favoris qui tombent comme des oreilles
de chien.

– Oui.

– Pense, avec ça, qu'il est plus jaloux qu'un tigre.

– Oui.

– Eh bien, je me suis dit : Je vais me venger pour moi toute seule et pour Marie, car je comptais bien te le dire, mais rien qu'à toi, par exemple. Pense à sa figure, et pense aussi qu'il... qu'il... qu'il est...

– Quoi... tu l'as...

– Oh ! ma chérie, surtout ne le dis à personne, jure-le-moi encore !... Mais pense comme c'est comique !... pense... Il me semble tout changé depuis ce moment-là !... et je ris toute seule... toute seule... Pense donc à sa tête... ! ! ! »

La baronne regardait son amie, et le rire fou qui lui montait à la gorge lui jaillit entre les dents ; elle se mit à rire, mais à rire comme si elle avait une attaque de nerfs ; et, les deux mains sur sa poitrine, la figure crispée, la respiration coupée, elle se penchait en avant comme pour tomber sur le nez.

Alors la petite marquise partit à son tour en suffoquant. Elle répétait, entre deux cascades de petits cris :

« Pense... pense... est-ce drôle ?... dis... pense à sa tête !... pense à ses favoris !... à son nez !... pense donc... est-ce drôle ?... mais surtout... ne le dis pas... ne... le... dis pas... jamais !... »

Elles demeuraient presque suffoquées, incapables de parler, pleurant de vraies larmes dans ce délire de gaieté.

La baronne se calma la première ; et toute palpitante encore :

« Oh !... raconte-moi comment tu as fait ça... raconte-moi... c'est si drôle... si drôle !... »

Mais l'autre ne pouvait point parler : elle balbutiait :

« Quand j'ai eu pris ma résolution... je me suis

dit... Allons... vite... il faut que ce soit tout de suite...
Et je l'ai... fait... aujourd'hui...

— Aujourd'hui !...

— Oui... tout à l'heure... et j'ai dit à Simon de
venir me chercher chez toi pour nous amuser... Il va
venir... tout à l'heure !... Il va venir !... Pense...
pense... pense à sa tête en le regardant... »

La baronne, un peu apaisée, soufflait comme
après une course. Elle reprit :

« Oh ! dis-moi comment tu as fait... dis-moi !

— C'est bien simple... Je me suis dit : Il est jaloux
de Baubignac ; eh bien ! ce sera Baubignac. Il est
bête comme ses pieds, mais très honnête ; incapable de rien dire. Alors j'ai été chez lui, après
déjeuner.

— Tu as été chez lui ? Sous quel prétexte ?

— Une quête... pour les orphelins...

— Raconte... vite... raconte...

— Il a été si étonné en me voyant qu'il ne pouvait
plus parler. Et puis il m'a donné deux louis pour
ma quête ; et puis comme je me levais pour m'en
aller, il m'a demandé des nouvelles de mon mari ;
alors j'ai fait semblant de ne pouvoir plus me
contenir et j'ai raconté tout ce que j'avais sur le
cœur. Je l'ai fait encore plus noir qu'il n'est, va !...
Alors Baubignac s'est ému, il a cherché des moyens
de me venir en aide... et moi j'ai commencé à
pleurer... mais comme on pleure... quand on veut...
Il m'a consolée... il m'a fait asseoir... et puis comme
je ne me calmais pas, il m'a embrassée... Moi, je
disais : "Oh ! mon pauvre ami... mon pauvre ami !"
Il répétait : "Ma pauvre amie... ma pauvre amie !"
— et il m'embrassait toujours... toujours... jusqu'au
bout. Voilà.

« Après ça, moi j'ai eu une grande crise de

désespoir et de reproches – Oh ! je l'ai traité, traité comme le dernier des derniers... Mais j'avais une envie de rire folle. Je pensais à Simon, à sa tête, à ses favoris... ! Songe !... ! songe donc ! ! Dans la rue, en venant chez toi, je ne pouvais plus me tenir. Mais songe !... Ça y est !... Quoi qu'il arrive maintenant, ça y est ! Et lui qui avait tant peur de ça ! Il peut y avoir des guerres, des tremblements de terre, des épidémies, nous pouvons tous mourir... ça y est ! ! ! Rien ne peut plus empêcher ça ! ! ! pense à sa tête... et dis-toi ça y est ! ! ! ! ! »

La baronne, qui s'étranglait, demanda :

« Reverras-tu Baubignac... ?

– Non. Jamais, par exemple... j'en ai assez... il ne vaudrait pas mieux que mon mari... »

Et elles recommencèrent à rire toutes les deux avec tant de violence qu'elles avaient des secousses d'épileptiques.

Un coup de timbre arrêta leur gaieté.

La marquise murmura :

« C'est lui... regarde-le... »

La porte s'ouvrit ; et un gros homme parut, un gros homme au teint rouge, à la lèvre épaisse, aux favoris tombants ; et il roulait des yeux irrités.

Les deux jeunes femmes le regardèrent une seconde, puis elles s'abattirent brusquement sur la chaise longue, dans un tel délire de rire qu'elles gémissaient comme on fait dans les affreuses souffrances.

Et lui, répétait d'une voix sourde :

« Eh bien, êtes-vous folles ?... êtes-vous folles ?... êtes-vous folles... ? »

Imprudence

AVANT LE MARIAGE, ils s'étaient aimés chastement, dans les étoiles. Ça avait été d'abord une rencontre charmante sur une plage de l'Océan. Il l'avait trouvée délicieuse, la jeune fille rose qui passait, avec ses ombrelles claires et ses toilettes fraîches, sur le grand horizon marin. Il l'avait aimée, blonde et frêle, dans ce cadre de flots bleus et de ciel immense. Et il confondait l'attendrissement que cette femme à peine éclose faisait naître en lui, avec l'émotion vague et puissante qu'éveillait dans son âme, dans son cœur, et dans ses veines, l'air vif et salé, et le grand paysage plein de soleil et de vagues.

Elle l'avait aimé, elle, parce qu'il lui faisait la cour, qu'il était jeune, assez riche, gentil et délicat. Elle l'avait aimé parce qu'il est naturel aux jeunes filles d'aimer les jeunes hommes qui leur disent des paroles tendres.

Alors, pendant trois mois, ils avaient vécu côte à côte, les yeux dans les yeux et les mains dans les mains. Le bonjour qu'ils échangeaient, le matin, avant le bain, dans la fraîcheur du jour nouveau, et l'adieu du soir, sur le sable, sous les étoiles, dans la tiédeur de la nuit calme, murmurés tout bas, tout bas, avaient déjà un goût de baisers, bien que leurs lèvres ne se fussent jamais rencontrées.

Ils rêvaient l'un de l'autre aussitôt endormis, pensaient l'un à l'autre aussitôt éveillés, et, sans se le dire encore, s'appelaient et se désiraient de toute leur âme et de tout leur corps.

Après le mariage, ils s'étaient adorés sur la terre. Ça avait été d'abord une sorte de rage sensuelle et infatigable ; puis une tendresse exaltée faite de poésie palpable, de caresses déjà raffinées, d'inventions gentilles et polissonnes. Tous leurs regards signifiaient quelque chose d'impur, et tous leurs gestes leur rappelaient la chaude intimité des nuits.

Maintenant, sans se l'avouer, sans le comprendre encore peut-être, ils commençaient à se lasser l'un de l'autre. Ils s'aimaient bien, pourtant ; mais ils n'avaient plus rien à se révéler, plus rien à faire qu'ils n'eussent fait souvent, plus rien à apprendre l'un par l'autre, pas même un mot d'amour nouveau, un élan imprévu, une intonation qui fît plus brûlant le verbe connu, si souvent répété.

Ils s'efforçaient cependant de rallumer la flamme affaiblie des premières étreintes. Ils imaginaient, chaque jour, des ruses tendres, des gamineries naïves ou compliquées, toute une suite de tentatives désespérées pour faire renaître dans leurs cœurs l'ardeur inapaisable des premiers jours, et dans leurs veines la flamme du mois nuptial.

De temps en temps, à force de fouetter leur désir, ils retrouvaient une heure d'affolement factice que suivait aussitôt une lassitude dégoûtée.

Ils avaient essayé des clairs de lune, des promenades sous les feuilles dans la douceur des soirs, de la poésie des berges baignées de brume, de l'excitation des fêtes publiques.

Or, un matin, Henriette dit à Paul :

« Veux-tu m'emmener dîner au cabaret ?

— Mais oui, ma chérie.

— Dans un cabaret très connu ?

— Mais oui. »

Il la regardait, l'interrogeant de l'œil, voyant bien qu'elle pensait à quelque chose qu'elle ne voulait pas dire.

Elle reprit :

« Tu sais, dans un cabaret... comment expliquer ça ?... dans un cabaret galant... dans un cabaret où on se donne des rendez-vous ? »

Il sourit :

« Oui. Je comprends, dans un cabinet particulier d'un grand café ?

— C'est ça. Mais d'un grand café où tu sois connu, où tu aies déjà soupé... non... dîné... enfin tu sais... enfin... je voudrais... non, je n'oserai jamais dire ça ?

— Dis-le, ma chérie ; entre nous, qu'est-ce que ça fait ? Nous n'en sommes pas aux petits secrets.

— Non, je n'oserai pas.

— Voyons, ne fais pas l'innocente. Dis-le ?

— Eh bien... eh bien... je voudrais... je voudrais être prise pour ta maîtresse... na... et que les garçons, qui ne savent pas que tu es marié, me regardent comme ta maîtresse, et toi aussi... que tu me croies ta maîtresse, une heure, dans cet endroit-là, où tu dois avoir des souvenirs... Voilà !... Et je croirai moi-même que je suis ta maîtresse... Je commettrai une grosse faute... Je te tromperai... avec toi... Voilà !... C'est très vilain... Mais je voudrais... Ne me fais pas rougir... Je sens que je rougis... Tu ne te figures pas comme ça me... me... troublerait de dîner comme ça avec toi, dans un

endroit pas comme il faut... dans un cabinet parti-
culier où on s'aime tous les soirs... tous les soirs...
C'est très vilain... Je suis rouge comme une pivoine.
Ne me regarde pas... »

Il riait, très amusé, et répondit :

« Oui, nous irons, ce soir, dans un endroit très
chic où je suis connu. »

Ils montaient, vers sept heures, l'escalier d'un
grand café du boulevard, lui souriant, l'air vainqueur, elle, timide, voilée, ravie. Dès qu'ils furent
entrés dans un cabinet meublé de quatre fauteuils
et d'un large canapé de velours rouge, le maître
d'hôtel, en habit noir, entra et présenta la carte.
Paul la tendit à sa femme.

« Qu'est-ce que tu veux manger ?

– Mais je ne sais pas, moi, ce qu'on mange ici. »

Alors il lut la litanie des plats tout en ôtant son
pardessus qu'il remit aux mains du valet. Puis il dit :

« Menu corsé – potage bisque – poulet à la diable,
râble de lièvre, homard à l'américaine, salade de
légumes bien épicée et dessert. – Nous boirons du
champagne. »

Le maître d'hôtel souriait en regardant la jeune
femme. Il reprit la carte en murmurant :

« Monsieur Paul veut-il de la tisane ou du champagne ?

– Du champagne très sec. »

Henriette fut heureuse d'entendre que cet
homme savait le nom de son mari.

Ils s'assirent, côte à côte, sur le canapé et com-
mencèrent à manger.

Dix bougies les éclairaient, reflétées dans une
grande glace ternie par des milliers de noms tracés

au diamant et qui jetaient sur le cristal clair une sorte d'immense toile d'araignée.

Henriette buvait coup sur coup pour s'animer, bien qu'elle se sentît étourdie dès les premiers verres. Paul, excité par des souvenirs, baisait à tout moment la main de sa femme. Ses yeux brillaient.

Elle se sentait étrangement émue par ce lieu suspect, agitée, contente, un peu souillée mais vibrante. Deux valets graves, muets, habitués à tout voir et à tout oublier, à n'entrer qu'aux instants nécessaires, et à sortir aux minutes d'épanchements, allaient et venaient vite et doucement.

Vers le milieu du dîner, Henriette était grise, tout à fait grise, et Paul, en gaieté, lui pressait le genou de toute sa force. Elle bavardait maintenant, hardie, les joues rouges, le regard vif et noyé.

« Oh ! voyons, Paul, confesse-toi, tu sais je voudrais tout savoir ?

— Quoi donc, ma chérie ?

— Je n'ose pas te dire.

— Dis toujours...

— As-tu eu des maîtresses... beaucoup... avant moi ? »

Il hésitait, un peu perplexe, ne sachant s'il devait cacher ses bonnes fortunes ou s'en vanter.

Elle reprit :

« Oh ! je t'en prie, dis-moi, en as-tu eu beaucoup ?

— Mais quelques-unes.

— Combien ?

— Je ne sais pas, moi... Est-ce qu'on sait ces choses-là ?

— Tu ne les a pas comptées ?...

— Mais non.

— Oh ! alors, tu en as eu beaucoup ?

– Mais oui.

– Combien à peu près... seulement à peu près.

– Mais je ne sais pas du tout, ma chérie. Il y a des années où j'en ai eu beaucoup, et des années où j'en ai eu bien moins.

– Combien par an, dis ?

– Tantôt vingt ou trente, tantôt quatre ou cinq seulement.

– Oh ! ça fait plus de cent femmes en tout.

– Mais oui, à peu près.

– Oh ! que c'est dégoûtant !

– Pourquoi ça, dégoûtant ?

– Mais parce que c'est dégoûtant, quand on y pense... toutes ces femmes... nues... et toujours... toujours la même chose... Oh ! que c'est dégoûtant tout de même, plus de cent femmes ! »

Il fut choqué qu'elle jugeât cela dégoûtant, et répondit de cet air supérieur que prennent les hommes pour faire comprendre aux femmes qu'elles disent une sottise :

« Voilà qui est drôle, par exemple ! s'il est dégoûtant d'avoir cent femmes, il est dégoûtant également d'en avoir une.

– Oh non, pas du tout !

– Pourquoi non ?

– Parce que, une femme, c'est une liaison, c'est un amour qui vous attache à elle, tandis que cent femmes c'est de la saleté, de l'inconduite. Je ne comprends pas comment un homme peut se frotter à toutes ces filles qui sont sales...

– Mais non, elles sont très propres.

– On ne peut pas être propre en faisant le métier qu'elles font.

– Mais, au contraire, c'est à cause de leur métier qu'elles sont propres.

– Oh ! fi ! quand on songe que la veille elles faisaient ça avec un autre ! C'est ignoble !

– Ce n'est pas plus ignoble que de boire dans ce verre où a bu je ne sais qui, ce matin, et qu'on a bien moins lavé, sois-en certaine, que...

– Oh ! tais-toi, tu me révoltes...

– Mais alors pourquoi me demandes-tu si j'ai eu des maîtresses ?

– Dis donc, tes maîtresses, c'étaient des filles, toutes ?... Toutes les cent ?...

– Mais non, mais non...

– Qu'est-ce que c'était alors ?

– Mais des actrices... des... des petites ouvrières... et des... quelques femmes du monde...

– Combien de femmes du monde ?

– Six.

– Seulement six ?

– Oui.

– Elles étaient jolies ?

– Mais oui.

– Plus jolies que les filles ?

– Non.

– Lesquelles est-ce que tu préférais, des filles ou des femmes du monde ?

– Les filles.

– Oh ! que tu es sale ! Pourquoi ça ?

– Parce que je n'aime guère les talents d'amateur.

– Oh ! l'horreur ! Tu es abominable, sais-tu ? Dis donc, et ça t'amusait de passer comme ça de l'une à l'autre ?

– Mais oui.

– Beaucoup ?

– Beaucoup.

– Qu'est-ce qui t'amusait ? Est-ce qu'elles ne se ressemblent pas ?

– Mais non.

– Ah ! les femmes ne se ressemblent pas.

– Pas du tout.

– En rien ?

– En rien.

– Que c'est drôle ! Qu'est-ce qu'elles ont de différent ?

– Mais, tout.

– Le corps ?

– Mais oui, le corps.

– Le corps tout entier ?

– Le corps tout entier.

– Et quoi encore ?

– Mais, la manière de... d'embrasser, de parler, de dire les moindres choses.

– Ah ! Et c'est très amusant de changer ?

– Mais oui.

– Et les hommes aussi sont différents ?

– Ça, je ne sais pas.

– Tu ne sais pas ?

– Non.

– Ils doivent être différents.

– Oui... sans doute... »

Elle resta pensive, son verre de champagne à la main. Il était plein, elle le but d'un trait ; puis le reposant sur la table, elle jeta ses deux bras autour du cou de son mari, en lui murmurant dans la bouche :

« Oh ! mon chéri, comme je t'aime !... »

Il la saisit d'une étreinte emportée... Un garçon qui entrait recula en refermant la porte ; et le service fut interrompu pendant cinq minutes environ.

Quand le maître d'hôtel reparut, l'air grave et digne, apportant les fruits du dessert, elle tenait de nouveau un verre plein entre ses doigts, et, regardant au fond du liquide jaune et transparent, comme pour y voir des choses inconnues et rêvées, elle murmurait d'une voix songeuse :

« Oh ! oui ! ça doit être amusant tout de même ! »

Sauvée

ELLE ENTRA COMME UNE BALLE qui crève une vitre, la petite marquise de Rennedon, et elle se mit à rire avant de parler, à rire aux larmes comme elle avait fait un mois plus tôt, en annonçant à son amie qu'elle avait trompé le marquis pour se venger, rien que pour se venger, et rien qu'une fois, parce qu'il était vraiment trop bête et trop jaloux.

La petite baronne de Grangerie avait jeté sur son canapé le livre qu'elle lisait et elle regardait Annette avec curiosité, riant déjà elle-même.

Enfin elle demanda :

« Qu'est-ce que tu as encore fait ?

— Oh !... ma chère... ma chère... C'est trop drôle... trop drôle..., figure-toi... je suis sauvée !... sauvée !... sauvée !

— Comment sauvée ?

— Oui, sauvée !

— De quoi ?

— De mon mari, ma chère, sauvée ! Délivrée ! libre ! libre ! libre !

— Comment libre ? En quoi ?

— En quoi ? Le divorce ! Oui, le divorce ! Je tiens le divorce !

— Tu es divorcée ?

— Non, pas encore, que tu es sotte ! On ne

divorce pas en trois heures ! Mais j'ai des preuves...
des preuves... des preuves qu'il me trompe... un
flagrant délit... songe !... un flagrant délit... je le
tiens...

— Oh ! dis-moi ça ! Alors il te trompait ?

— Oui... c'est-à-dire non... oui et non... je ne sais
pas. Enfin, j'ai des preuves, c'est l'essentiel.

— Comment as-tu fait ?

— Comment j'ai fait ?... Voilà ! Oh ! j'ai été forte,
rudement forte. Depuis trois mois il était devenu
odieux, tout à fait odieux, brutal, grossier, despote,
ignoble enfin. Je me suis dit : "Ça ne peut pas durer,
il me faut le divorce ! Mais comment ?" Ça n'était
pas facile. J'ai essayé de me faire battre par lui. Il n'a
pas voulu. Il me contrariait du matin au soir, me
forçait à sortir quand je ne voulais pas, à rester chez
moi quand je désirais dîner en ville ; il me rendait
la vie insupportable d'un bout à l'autre de la
semaine, mais il ne me battait pas.

« Alors, j'ai tâché de savoir s'il avait une maîtresse. Oui, il en avait une, mais il prenait mille
précautions pour aller chez elle. Ils étaient impre-
nables ensemble. Alors, devine ce que j'ai fait ?

— Je ne devine pas.

— Oh ! tu ne devinerais jamais. J'ai prié mon frère
de me procurer une photographie de cette fille.

— De la maîtresse de ton mari ?

— Oui. Ça a coûté quinze louis à Jacques, le prix
d'un soir, de sept heures à minuit, dîner compris,
trois louis l'heure. Il a obtenu la photographie
par-dessus le marché.

— Il me semble qu'il aurait pu l'avoir à moins en
usant d'une ruse quelconque et sans... sans... sans
être obligé de prendre en même temps l'original.

— Oh ! elle est jolie. Ça ne déplaisait pas à

Jacques. Et puis moi j'avais besoin de détails sur elle, de détails physiques sur sa taille, sur sa poitrine, sur son teint, sur mille choses enfin.

– Je ne comprends pas.

– Tu vas voir. Quand j'ai connu tout ce que je voulais savoir, je me suis rendue chez un... comment dirai-je... chez un homme d'affaires... tu sais... de ces hommes qui font des affaires de toutes sortes... de toute nature... des agents de... de... de publicité et de complicité... de ces hommes... enfin tu comprends.

– Oui, à peu près. Et tu lui as dit ?

– Je lui ai dit, en lui montrant la photographie de Clarisse (elle s'appelle Clarisse) : "monsieur, il me faut une femme de chambre qui ressemble à ça. Je la veux jolie, élégante, fine, propre. Je la paierai ce qu'il faudra. Si ça me coûte dix mille francs, tant pis. Je n'en aurai pas besoin plus de trois mois."

« Il avait l'air très étonné, cet homme. Il demanda : "Madame la veut-elle irréprochable ?"

« Je rougis, et je balbutiai : "Mais oui, comme probité."

« Il reprit : "... Et... comme mœurs..." Je n'osai pas répondre. Je fis seulement un signe de tête qui voulait dire : non. Puis, tout à coup, je compris qu'il avait un horrible soupçon, et je m'écriai, perdant l'esprit : "Oh ! monsieur... c'est pour mon mari... qui me trompe... qui me trompe en ville... et je veux... je veux qu'il me trompe chez moi... vous comprenez... pour le surprendre..."

« Alors, l'homme se mit à rire. Et je compris à son regard qu'il m'avait rendu son estime. Il me trouvait même très forte. J'aurais bien parié qu'à ce moment-là il avait envie de me serrer la main.

« Il me dit : "Dans huit jours, madame, j'aurai
votre affaire. Et nous changerons de sujet s'il le faut.
Je réponds du succès. Vous ne me payerez qu'après
réussite. Ainsi cette photographie représente la
maîtresse de monsieur votre mari ?

« – Oui, monsieur.

« – Une belle personne, une fausse maigre. Et
quel parfum ?"

« Je ne comprenais pas ; je répétai : "Comment,
quel parfum ?"

« Il sourit : "Oui, madame, le parfum est essentiel
pour séduire un homme ; car cela lui donne des
ressouvenirs inconscients qui le disposent à l'action ; le parfum établit des confusions obscures
dans son esprit, le trouble et l'énerve en lui rappelant ses plaisirs. Il faudrait tâcher de savoir aussi ce
que monsieur votre mari à l'habitude de manger
quand il dîne avec cette dame. Vous pourriez lui
servir les mêmes plats le soir où vous le pincerez.
Oh ! nous le tenons, madame, nous le tenons."

« Je m'en allai enchantée. J'étais tombée là vraiment sur un homme très intelligent.

« Trois jours plus tard, je vis arriver chez moi une
grand fille brune, très belle, avec l'air modeste et
hardi en même temps, un singulier air de rouée.
Elle fut très convenable avec moi. Comme je ne
savais pas trop qui c'était, je l'appelais "Mademoiselle" ; alors, elle me dit : "Oh ! Madame peut
m'appeler Rose tout court." Nous commençâmes à
causer.

« "Eh bien, Rose, vous savez pourquoi vous venez
ici ?

« – Je m'en doute, Madame.

« – Fort bien, ma fille..., et cela ne vous... ennuie
pas trop ?

« – Oh ! Madame, c'est le huitième divorce que je fais ; j'y suis habituée.

« – Alors parfait. Vous faut-il longtemps pour réussir ?

« – Oh ! Madame, cela dépend tout à fait du tempérament de Monsieur. Quand j'aurai vu Monsieur cinq minutes en tête à tête, je pourrai répondre exactement à Madame.

« – Vous le verrez tout à l'heure, mon enfant. Mais je vous préviens qu'il n'est pas beau.

« – Cela ne me fait rien, Madame. J'en ai séparé déjà de très laids. Mais je demanderai à Madame si elle s'est informée du parfum.

« – Oui, ma bonne Rose, – la verveine.

« – Tant mieux, Madame, j'aime beaucoup cette odeur-là ! Madame peut-elle me dire aussi si la maîtresse de Monsieur porte du linge de soie ?

« – Non, mon enfant : de la batiste avec dentelles.

« – Oh ! alors, c'est une personne comme il faut. Le linge de soie commence à devenir commun.

« – C'est très vrai, ce que vous dites là !

« – Eh bien, Madame, je vais prendre mon service."

« Elle prit son service, en effet, immédiatement, comme si elle n'eût fait que cela toute sa vie.

« Une heure plus tard mon mari rentrait. Rose ne leva même pas les yeux sur lui, mais il leva les yeux sur elle, lui. Elle sentait déjà la verveine à plein nez. Au bout de cinq minutes elle sortit.

« Il me demanda aussitôt :

« "Qu'est-ce que c'est que cette fille-là ?

« – Mais... ma nouvelle femme de chambre.

« – Où l'avez-vous trouvée ?

« – C'est la baronne de Grangerie qui me l'a donnée, avec les meilleurs renseignements.

« – Ah ! elle est assez jolie !

« – Vous trouvez ?

« – Mais oui... pour une femme de chambre."

« J'étais ravie. Je sentais qu'il mordait déjà.

« Le soir même, Rose me disait : "Je puis maintenant promettre à Madame, que ça ne durera pas plus de quinze jours. Monsieur est très facile !

« – Ah ! vous avez déjà essayé ?

« – Non, Madame ; mais ça se voit au premier coup d'œil. Il a déjà envie de m'embrasser en passant à côté de moi.

« – Il ne vous a rien dit ?

« – Non, Madame ; il m'a seulement demandé mon nom... pour entendre le son de ma voix.

« – Très bien, ma bonne Rose. Allez le plus vite que vous pourrez.

« – Que Madame ne craigne rien. Je ne résisterai que le temps nécessaire pour ne pas me déprécier."

« Au bout de huit jours, mon mari ne sortait presque plus. Je le voyais rôder toute l'après-midi dans la maison ; et ce qu'il y avait de plus significatif dans son affaire, c'est qu'il ne m'empêchait plus de sortir. Et moi j'étais dehors toute la journée... pour... pour le laisser libre.

« Le neuvième jour, comme Rose me déshabillait, elle me dit d'un air timide :

« "C'est fait, Madame, de ce matin."

« Je fus un peu surprise, un rien émue même, non de la chose, mais plutôt de la manière dont elle me l'avait dite. Je balbutiai : "Et... et... ça s'est bien passé ?...

« – Oh ! très bien, Madame. Depuis trois jours déjà il me pressait, mais je ne voulais pas aller trop vite. Madame me préviendra du moment où elle désire le flagrant délit.

« – Oui, ma fille. Tenez !... prenons jeudi.

« – Va pour jeudi, Madame. Je n'accorderai rien jusque-là pour tenir Monsieur en éveil.

« – Vous êtes sûre de ne pas manquer ?

« – Oh ! oui, Madame, très sûre. Je vais allumer Monsieur dans les grands prix, de façon à le faire donner juste à l'heure que Madame voudra bien me désigner.

« – Prenons cinq heures, ma bonne Rose.

« – Ça va pour cinq heures, Madame ; et à quel endroit ?

« – Mais... dans ma chambre.

« – Soit, dans la chambre de Madame."

« Alors, ma chérie, tu comprends ce que j'ai fait. J'ai été chercher papa et maman d'abord, et puis mon oncle d'Orvelin, le président, et puis M. Raplet, le juge, l'ami de mon mari. Je ne les ai pas prévenus de ce que j'allais leur montrer. Je les ai fait entrer tous sur la pointe des pieds jusqu'à la porte de ma chambre. J'ai attendu cinq heures, cinq heures juste... Oh ! comme mon cœur battait. J'avais fait monter aussi le concierge pour avoir un témoin de plus ! Et puis,... et puis, au moment où la pendule commence à sonner, pan, j'ouvre la porte toute grande... Ah ! ah ! ah ! ça y était en plein... en plein... ma chère... Oh ! quelle tête !... si tu avais vu sa tête !... Et il s'est retourné... l'imbécile ? Ah ! qu'il était drôle... Je riais, je riais... Et papa qui s'est fâché, qui voulait battre mon mari... Et le concierge, un bon serviteur, qui l'aidait à se rhabiller... devant nous... devant nous... Il boutonnait ses bretelles... que c'était farce !... Quant à Rose, parfaite ! absolument parfaite...

Elle pleurait... elle pleurait très bien. C'est une fille précieuse... Si tu en as jamais besoin, n'oublie pas !

« Et me voici... Je suis venue tout de suite te raconter la chose... tout de suite. Je suis libre. Vive le divorce !... »

Et elle se mit à danser au milieu du salon, tandis que la petite baronne, songeuse et contrariée, murmurait :

« Pourquoi ne m'as-tu pas invitée à voir ça ? »

Le signe

LA PETITE MARQUISE DE RENNEDON dormait encore, dans sa chambre close et parfumée, dans son grand lit doux et bas, dans ses draps de batiste légère, fine comme une dentelle, caressants comme un baiser ; elle dormait seule, tranquille, de l'heureux et profond sommeil des divorcées.

Des voix la réveillèrent qui parlaient vivement dans le petit salon bleu. Elle reconnut son amie chère, la petite baronne de Grangerie, se disputant pour entrer avec la femme de chambre qui défendait la porte de sa maîtresse.

Alors la petite marquise se leva, tira les verrous, tourna la serrure, souleva la portière et montra sa tête, rien que sa tête blonde, cachée sous un nuage de cheveux.

« Qu'est-ce que tu as, dit-elle, à venir si tôt ? Il n'est pas encore neuf heures. »

La petite baronne, très pâle, nerveuse, fiévreuse, répondit :

« Il faut que je te parle. Il m'arrive une chose horrible.

— Entre, ma chérie. »

Elle entra, elles s'embrassèrent ; et la petite marquise se recoucha pendant que la femme de chambre ouvrait les fenêtres, donnait de l'air et du

jour. Puis, quand la domestique fut partie, Mme de
Rennedon reprit : « Allons, raconte. »

Mme de Grangerie se mit à pleurer, versant ces
jolies larmes claires qui rendent plus charmantes les
femmes, et elle balbutiait sans s'essuyer les yeux
pour ne point les rougir : « Oh ! ma chère, c'est
abominable, abominable, ce qui m'arrive. Je n'ai
pas dormi de la nuit, mais pas une minute ; tu
entends, pas une minute. Tiens, tâte mon cœur,
comme il bat. »

Et, prenant la main de son amie, elle la posa sur
sa poitrine, sur cette ronde et ferme enveloppe du
cœur des femmes, qui suffit souvent aux hommes et
les empêche de rien chercher dessous. Son cœur
battait fort, en effet.

Elle continua :

Ça m'est arrivé hier dans la journée... vers quatre
heures... ou quatre heures et demie. Je ne sais pas
au juste. Tu connais bien mon appartement, tu sais
que mon petit salon, celui où je me tiens toujours,
donne sur la rue Saint-Lazare, au premier ; et que
j'ai la manie de me mettre à la fenêtre pour regarder passer les gens. C'est si gai, ce quartier de la
gare, si remuant, si vivant... Enfin, j'aime ça ! Donc
hier, j'étais assise sur la chaise basse que je me suis
fait installer dans l'embrasure de ma fenêtre ; elle
était ouverte, cette fenêtre, et je ne pensais à rien ;
je respirais l'air bleu. Tu te rappelles comme il
faisait beau, hier !

Tout à coup je remarque que, de l'autre côté de
la rue, il y a aussi une femme à la fenêtre, une
femme en rouge ; moi j'étais en mauve, tu sais, ma
jolie toilette mauve. Je ne la connaissais pas cette

femme, une nouvelle locataire, installée depuis un mois ; et comme il pleut depuis un mois, je ne l'avais point vue encore. Mais je m'aperçus tout de suite que c'était une vilaine fille. D'abord je fus très dégoûtée et très choquée qu'elle fût à la fenêtre comme moi ; et puis, peu à peu, ça m'amusa de l'examiner. Elle était accoudée, et elle guettait les hommes, et les hommes aussi la regardaient, tous ou presque tous. On aurait dit qu'ils étaient prévenus par quelque chose en approchant de la maison, qu'ils la flairaient comme les chiens flairent le gibier, car ils levaient soudain la tête et échangeaient bien vite un regard avec elle, un regard de franc-maçon. Le sien disait : « Voulez-vous ? »

Le leur répondait : « Pas le temps », ou bien : « Une autre fois », ou bien : « Pas le sou », ou bien : « Veux-tu te cacher, misérable ! » C'étaient les yeux des pères de famille qui disaient cette dernière phrase.

Tu ne te figures pas comme c'était drôle de la voir faire son manège ou plutôt son métier.

Quelquefois elle fermait brusquement la fenêtre et je voyais un monsieur tourner sous la porte. Elle l'avait pris, celui-là, comme un pêcheur à la ligne prend un goujon. Alors je commençais à regarder ma montre. Ils restaient de douze à vingt minutes, jamais plus. Vraiment, elle me passionnait, à la fin, cette araignée. Et puis elle n'était pas laide, cette fille.

Je me demandais : « Comment fait-elle pour se faire comprendre si bien, si vite, complètement. Ajoute-t-elle à son regard un signe de tête ou un mouvement de main ? »

Et je pris ma lunette de théâtre pour me rendre compte de son procédé. Oh ! il était bien simple :

un coup d'œil d'abord, puis un sourire, puis un tout petit geste de tête qui voulait dire : « Montez-vous ? » Mais si léger, si vague, si discret, qu'il fallait vraiment beaucoup de chic pour le réussir comme elle.

Et je me demandais : « Est-ce que je pourrais le faire aussi bien, ce petit coup de bas en haut, hardi et gentil » ; car il était très gentil, son geste.

Et j'allai l'essayer devant la glace. Ma chère, je le faisais mieux qu'elle, beaucoup mieux ! J'étais enchantée ; et je revins me mettre à la fenêtre.

Elle ne prenait plus personne, à présent, la pauvre fille, plus personne. Vraiment elle n'avait pas de chance. Comme ça doit être terrible tout de même de gagner son pain de cette façon-là, terrible et amusant quelquefois, car enfin il y en a qui ne sont pas mal, de ces hommes qu'on rencontre dans la rue.

Maintenant ils passaient tous sur mon trottoir et plus un seul sur le sien. Le soleil avait tourné. Ils arrivaient les uns derrière les autres, des jeunes, des vieux, des noirs, des blonds, des gris, des blancs.

J'en voyais de très gentils, mais très gentils, ma chère, bien mieux que mon mari, et que le tien, ton ancien mari, puisque tu es divorcée. Maintenant tu peux choisir.

Je me disais : « Si je leur faisais le signe, est-ce qu'ils me comprendraient, moi, moi qui suis une honnête femme ? » Et voilà que je suis prise d'une envie folle de le leur faire ce signe, mais d'une envie, d'une envie de femme grosse... d'une envie épouvantable, tu sais, de ces envies... auxquelles on ne peut pas résister ! J'en ai quelquefois comme ça, moi. Est-ce bête, dis, ces choses-là ! Je crois que nous avons des âmes de singes, nous autres femmes.

On m'a affirmé du reste (c'est un médecin qui m'a dit ça) que le cerveau du singe ressemblait beaucoup au nôtre. Il faut toujours que nous imitions quelqu'un. Nous imitons nos maris, quand nous les aimons, dans le premier mois des noces, et puis nos amants ensuite, nos amies, nos confesseurs, quand ils sont bien. Nous prenons leurs manières de penser, leurs manières de dire, leurs mots, leurs gestes, tout. C'est stupide.

Enfin, moi quand je suis trop tentée de faire une chose, je la fais toujours.

Je me dis donc : « Voyons, je vais essayer sur un, sur un seul, pour voir. Qu'est-ce qui peut m'arriver ? Rien ! Nous échangerons un sourire, et voilà tout, et je ne le reverrai jamais ; et si je le vois il ne me reconnaîtra pas ; et s'il me reconnaît je nierai, parbleu. »

Je commence donc à choisir. J'en voulais un qui fût bien, très bien. Tout à coup je vois venir un grand blond, très joli garçon. J'aime les blonds, tu sais.

Je le regarde. Il me regarde. Je souris, il sourit ; je fais le geste ; oh ! à peine, à peine, il répond « oui » de la tête et le voilà qui entre, ma chérie ! Il entre par la grande porte de la maison.

Tu ne te figures pas ce qui s'est passé en moi à ce moment-là ! J'ai cru que j'allais devenir folle ! Oh ! quelle peur ! Songe, il allait parler aux domestiques ! A Joseph qui est tout dévoué à mon mari ! Joseph aurait cru certainement que je connaissais ce monsieur depuis longtemps.

Que faire ? dis ? Que faire ? Et il allait sonner tout à l'heure, dans une seconde. Que faire, dis ? J'ai pensé que le mieux était de courir à sa rencontre, de lui dire qu'il se trompait, de le supplier de s'en

aller. Il aurait pitié d'une femme, d'une pauvre
femme ! Je me précipite donc à la porte et je l'ouvre
juste au moment où il posait la main sur le timbre.

Je balbutiai, tout à fait folle : « Allez-vous-en,
monsieur, allez-vous-en, vous vous trompez, je suis
une honnête femme, une femme mariée. C'est une
erreur, une affreuse erreur ; je vous ai pris pour un
de mes amis à qui vous ressemblez beaucoup. Ayez
pitié de moi, monsieur. »

Et voilà qu'il se met à rire, ma chère, et il répond :
« Bonjour, ma chatte. Tu sais, je la connais, ton
histoire. Tu es mariée, c'est deux louis au lieu d'un.
Tu les auras. Allons montre-moi la route. »

Et il pousse ; il referme la porte, et comme je
demeurais, épouvantée, en face de lui, il m'embrasse, me prend par la taille et me fait rentrer dans
le salon qui était resté ouvert.

Et puis, il se met à regarder tout comme un
commissaire-priseur, et il reprend : « Bigre, c'est
gentil, chez toi, c'est très chic. Faut que tu sois
rudement dans la dèche en ce moment-ci pour faire
la fenêtre ! »

Alors, moi, je recommence à le supplier : « Oh !
monsieur, allez-vous-en ! allez-vous-en ! Mon mari
va rentrer ! Il va rentrer dans un instant, c'est son
heure ! Je vous jure que vous vous trompez ! »

Et il me répond tranquillement : « Allons, ma
belle, assez de manières comme ça. Si ton mari
rentre, je lui donnerai cent sous pour aller prendre
quelque chose en face. »

Comme il aperçoit sur la cheminée la photographie de Raoul, il me demande :

« C'est ça, ton... ton mari ?

— Oui, c'est lui.

– Il a l'air d'un joli mufle. Et ça, qu'est-ce que c'est ? Une de tes amies ? »

C'était ta photographie, ma chère, tu sais celle en toilette de bal. Je ne savais plus ce que je disais, je balbutiai :

« Oui, c'est une de mes amies.

– Elle est très gentille. Tu me la feras connaître. »

Et voilà la pendule qui se met à sonner cinq heures ; et Raoul rentre tous les jours à cinq heures et demie ! S'il revenait avant que l'autre fût parti, songe donc ! Alors... alors... j'ai perdu la tête... tout à fait... j'ai pensé... j'ai pensé... que... que le mieux... était de... de... de... me débarrasser de cet homme le... le plus vite possible... Plus tôt ce serait fini... tu comprends... et... et voilà... voilà... puisqu'il le fallait... et il le fallait, ma chère... il ne serait pas parti sans ça... Donc j'ai... j'ai... j'ai mis le verrou à la porte du salon... Voilà.

La petite marquise de Rennedon s'était mise à rire, mais à rire follement, la tête dans l'oreiller, secouant son lit tout entier.

Quand elle se fut un peu calmée, elle demanda :

« Et... et... il était joli garçon.

– Mais oui.

– Et tu te plains ?

– Mais... mais... vois-tu, ma chère, c'est que... il a dit... qu'il reviendrait demain... à la même heure... et j'ai... j'ai une peur atroce... Tu n'as pas idée comme il est tenace... et volontaire... Que faire... dis... que faire ? »

La petite marquise s'assit dans son lit pour réfléchir ; puis elle déclara brusquement :

« Fais-le arrêter. »

La petite baronne fut stupéfaite. Elle balbutia :

« Comment ? Tu dis ? À quoi penses-tu ? Le faire
arrêter ? Sous quel prétexte ?

— Oh ! c'est bien simple. Tu vas aller chez le
commissaire ; tu lui diras qu'un monsieur te suit
depuis trois mois ; qu'il a eu l'insolence de monter
chez toi hier ; qu'il t'a menacée d'une nouvelle
visite pour demain, et que tu demandes protection
à la loi. On te donnera deux agents qui l'arrêteront.

— Mais, ma chère, s'il raconte...

— Mais on ne le croira pas, sotte, du moment que
tu auras bien arrangé ton histoire au commissaire.
Et on te croira, toi, qui es une femme du monde
irréprochable.

— Oh ! je n'oserai jamais.

— Il faut oser, ma chère, ou bien tu es perdue.

— Songe qu'il va... qu'il va m'insulter... quand on
l'arrêtera.

— Eh bien, tu auras des témoins et tu le feras
condamner.

— Condamner à quoi ?

— À des dommages. Dans ce cas, il faut être
impitoyable !

— Ah ! à propos de dommages..., il y a une chose
qui me gêne beaucoup..., mais beaucoup... Il m'a
laissé... deux louis... sur la cheminée.

— Deux louis ?

— Oui.

— Pas plus ?

— Non.

— C'est peu. Ça m'aurait humiliée, moi. Eh
bien ?

— Eh bien ! qu'est-ce qu'il faut faire de cet
argent ? »

La petite marquise hésita quelques secondes, puis répondit d'une voix sérieuse :

« Ma chère... Il faut faire... Il faut faire... un petit cadeau à ton mari... ça n'est que justice. »

Une soirée

L E MARÉCHAL DES LOGIS VARAJOU avait obtenu huit
jours de permission pour les passer chez sa
sœur, Mme Padoie. Varajou, qui tenait garnison à
Rennes et y menait joyeuse vie, se trouvant à sec et
mal avec sa famille, avait écrit à sa sœur qu'il
pourrait lui consacrer une semaine de liberté. Ce
n'est point qu'il aimât beaucoup Mme Padoie, une
petite femme moralisante, dévote, et toujours irritée ; mais il avait besoin d'argent, grand besoin, et
il se rappelait que, de tous ses parents, les Padoie
étaient les seuls qu'il n'eût jamais rançonnés.

Le père Varajou, ancien horticulteur à Angers,
retiré maintenant des affaires, avait fermé sa bourse
à son garnement de fils et ne le voyait guère depuis
deux ans. Sa fille avait épousé Padoie, ancien
employé des finances, qui venait d'être nommé
receveur des contributions à Vannes.

Donc Varajou, en descendant du chemin de fer,
se fit conduire à la maison de son beau-frère. Il le
trouva dans son bureau, en train de discuter avec
des paysans bretons des environs. Padoie se souleva
sur sa chaise, tendit la main par-dessus sa table
chargée de papiers, murmura : « Prenez un siège, je
suis à vous dans un instant », se rassit et recommença sa discussion.

Les paysans ne comprenaient point ses explications, le receveur ne comprenait pas leurs raisonnements ; il parlait français, les autres parlaient breton, et le commis qui servait d'interprète ne semblait comprendre personne.

Ce fut long, très long, Varajou considérait son beau-frère en songeant : « Quel crétin ! » Padoie devait avoir près de cinquante ans ; il était grand, maigre, osseux, lent, velu, avec des sourcils en arcade qui faisaient sur ses yeux deux voûtes de poils. Coiffé d'un bonnet de velours orné d'un feston d'or, il regardait avec mollesse, comme il faisait tout. Sa parole, son geste, sa pensée, tout était mou. Varajou se répétait : « Quel crétin ! »

Il était, lui, un de ces braillards tapageurs pour qui la vie n'a pas de plus grands plaisirs que le café et la fille publique. En dehors de ces deux pôles de l'existence, il ne comprenait rien. Hâbleur, bruyant, plein de dédain pour tout le monde, il méprisait l'univers entier du haut de son ignorance. Quand il avait dit : « Nom d'un chien, quelle fête ! » il avait certes exprimé le plus haut degré d'admiration dont fût capable son esprit.

Padoie, ayant enfin éloigné ses paysans, demanda :

« Vous allez bien ?

— Pas mal, comme vous voyez. Et vous ?

— Assez bien, merci. C'est très aimable d'avoir pensé à nous venir voir.

— Oh ! j'y songeais depuis longtemps ; mais vous savez, dans le métier militaire, on n'a pas grande liberté.

— Oh ! je sais, je sais ; n'importe, c'est très aimable.

— Et Joséphine va bien ?

« – Oui, oui, merci, vous la verrez tout à l'heure.
– Où est-elle donc ?
– Elle fait quelques visites ; nous avons beaucoup de relations ici ; c'est une ville très comme il faut.
– Je m'en doute. »

Mais la porte s'ouvrit. Mme Padoie apparut. Elle alla vers son frère sans empressement, lui tendit la joue et demanda :

« Il y a longtemps que tu es ici ?
– Non, à peine une demi-heure.
– Ah ! je croyais que le train aurait du retard. Si tu veux venir dans le salon. »

Ils passèrent dans la pièce voisine, laissant Padoie à ses chiffres et à ses contribuables.

Dès qu'ils furent seuls :

« J'en ai appris de belles sur ton compte, dit-elle.
– Quoi donc ?
– Il paraît que tu te conduis comme un polisson, que tu te grises, que tu fais des dettes. »

Il eut l'air très étonné.

« Moi ! Jamais de la vie.
– Oh ! ne nie pas, je le sais. »

Il essaya encore de se défendre, mais elle lui ferma la bouche par une semonce si violente qu'il dut se taire.

Puis elle reprit :

« Nous dînons à six heures, tu es libre jusqu'au dîner. Je ne puis te tenir compagnie parce que j'ai pas mal de choses à faire. »

Resté seul, il hésita entre dormir ou se promener. Il regardait tour à tour la porte conduisant à sa chambre et celle conduisant à la rue. Il se décida pour la rue.

Donc il sortit et se mit à rôder, d'un pas lent, le sabre sur les mollets, par la triste ville bretonne, si endormie, si calme, si morte au bord de sa mer intérieure, qu'on appelle « le Morbihan ». Il regardait les petites maisons grises, les rares passants, les boutiques vides, et il murmurait : « Pas gai, pas folichon, Vannes. Triste idée de venir ici ! »

Il gagna le port, si morne, revint par un boulevard solitaire et désolé, et rentra avant cinq heures. Alors il se jeta sur son lit pour sommeiller jusqu'au dîner.

La bonne le réveilla en frappant à sa porte.

« C'est servi, Monsieur. »

Il descendit.

Dans la salle humide, dont le papier se décollait près du sol, une soupière attendait sur une table ronde sans nappe, qui portait aussi trois assiettes mélancoliques.

M. et Mme Padoie entrèrent en même temps que Varajou.

On s'assit, puis la femme et le mari dessinèrent un petit signe de croix sur le creux de leur estomac, après quoi Padoie servit la soupe, de la soupe grasse. C'était jour de pot-au-feu.

Après la soupe vint le bœuf, du bœuf trop cuit, fondu, graisseux, qui tombait en bouillie. Le sous-officier le mâchait avec lenteur, avec dégoût, avec fatigue, avec rage.

Mme Padoie disait à son mari :

« Tu vas ce soir chez M. le premier président ?

— Oui, ma chère.

— Ne reste pas tard. Tu te fatigues toutes les fois que tu sors. Tu n'es pas fait pour le monde avec ta mauvaise santé. »

Alors elle parla de la société de Vannes, de l'excellente société où les Padoie étaient reçus avec considération, grâce à leurs sentiments religieux.

Puis on servit des pommes de terre en purée, avec un plat de charcuterie, en l'honneur du nouveau venu.

Puis du fromage. C'était fini. Pas de café.

Quand Varajou comprit qu'il devrait passer la soirée en tête à tête avec sa sœur, subir ses reproches, écouter ses sermons, sans avoir même un petit verre à laisser couler dans sa gorge pour faire glisser les remontrances, il sentit bien qu'il ne pourrait pas supporter ce supplice, et il déclara qu'il devait aller à la gendarmerie pour faire régulariser quelque chose sur sa permission.

Et il se sauva, dès sept heures.

À peine dans la rue, il commença par se secouer comme un chien qui sort de l'eau. Il murmurait : « Nom d'un nom, d'un nom, d'un nom, quelle corvée ! »

Et il se mit à la recherche d'un café, du meilleur café de la ville. Il le trouva sur une place, derrière deux becs de gaz. Dans l'intérieur, cinq ou six hommes, des demi-messieurs peu bruyants, buvaient et causaient doucement, accoudés sur de petites tables, tandis que deux joueurs de billard marchaient autour du tapis vert où roulaient les billes en se heurtant.

On entendait leur voix compter : « Dix-huit, – dix-neuf. – Pas de chance. – Oh ! joli coup ! bien joué ! – Onze. – Il fallait prendre par la rouge. – Vingt. – Bille en tête, bille en tête. – Douze. Hein ! j'avais raison ? »

Varajou commanda : « Une demi-tasse et un carafon de fine, de la meilleure. »

Puis il s'assit, attendant sa consommation.

Il était accoutumé à passer ses soirs de liberté avec ses camarades, dans le tapage et la fumée des

pipes. Ce silence, ce calme l'exaspéraient. Il se mit
à boire, du café d'abord, puis son carafon
d'eau-de-vie, puis un second qu'il demanda. Il avait
envie de rire maintenant, de crier, de chanter, de
battre quelqu'un.

Il se dit : « Cristi, me voilà remonté. Il faut que je
fasse la fête. » Et l'idée lui vint aussitôt de trouver
des filles pour s'amuser.

Il appela le garçon.

« Hé, l'employé !

— Voilà, m'sieu.

— Dites, l'employé, ousqu'on rigole ici ? »

L'homme resta stupide à cette question.

« Je n' sais pas, m'sieu. Mais ici !

— Comment ici ? Qu'est-ce que tu appelles rigo-
ler, alors, toi ?

— Mais je n' sais pas, m'sieu, boire de la bonne
bière ou du bon vin.

— Va donc, moule, et les demoiselles, qu'est-ce
que t'en fais ?

— Les demoiselles ! ah ! ah !

— Oui, les demoiselles, ousqu'on en trouve ici ?

— Des demoiselles ?

— Mais oui, des demoiselles ! »

Le garçon se rapprocha, baissa la voix :

« Vous demandez ousqu'est la maison ?

— Mais oui, parbleu !

— Vous prenez la deuxième rue à gauche et puis
la première à droite. C'est au 15.

— Merci, ma vieille. V'là pour toi.

— Merci, m'sieu. »

Et Varajou sortit en répétant : « Deuxième à
gauche, première à droite, 15. » Mais au bout de
quelques secondes, il pensa : « Deuxième à gauche,
— oui. — Mais en sortant du café, fallait-il prendre à

droite ou à gauche ? Bah ! tant pis, nous verrons bien. »

Et il marcha, tourna dans la seconde rue à gauche, puis dans la première à droite, et chercha le numéro 15. C'était une maison d'assez belle apparence, dont on voyait, derrière les volets clos, les fenêtres éclairées au premier étage. La porte d'entrée demeurait entrouverte, et une lampe brûlait dans le vestibule. Le sous-officier pensa :

« C'est bien ici. »

Il entra donc et, comme personne ne venait, il appela :

« Ohé ! ohé ! »

Une petite bonne apparut et demeura stupéfaite en apercevant un soldat. Il lui dit : « Bonjour, mon enfant. Ces dames sont en haut ?

– Oui, Monsieur.

– Au salon ?

– Oui, Monsieur.

– Je n'ai qu'à monter ?

– Oui, Monsieur.

– La porte en face ?

– Oui, Monsieur. »

Il monta, ouvrit une porte et aperçut, dans une pièce bien éclairée par deux lampes, un lustre et deux candélabres à bougies, quatre dames décolletées qui semblaient attendre quelqu'un.

Trois d'entre elles, les plus jeunes, demeuraient assises d'un air un peu guindé, sur des sièges de velours grenat, tandis que la quatrième, âgée de quarante-cinq ans environ, arrangeait des fleurs dans un vase ; elle était très grosse, vêtue d'une robe de soie verte qui laissait passer, pareille à l'enveloppe d'une fleur monstrueuse, ses bras énormes et son énorme gorge, d'un rose-rouge poudrederizé.

Le sous-officier salua :

« Bonjour, mesdames. »

La vieille se retourna, parut surprise, mais s'inclina.

« Bonjour, monsieur. »

Il s'assit.

Mais, voyant qu'on ne semblait pas l'accueillir avec empressement, il songea que les officiers seuls étaient sans doute admis dans ce lieu ; et cette pensée le troubla. Puis il se dit : « Bah ! s'il en vient un, nous verrons bien. » Et il demanda :

« Alors, ça va bien ? »

La dame, la grosse, la maîtresse du logis sans doute, répondit :

« Très bien ! merci. »

Puis il ne trouva plus rien, et tout le monde se tut.

Cependant il eut honte, à la fin, de sa timidité, et riant d'un rire gêné :

« Eh bien, on ne rigole donc pas. Je paye une bouteille de vin... »

Il n'avait point fini sa phrase que la porte s'ouvrit de nouveau, et Padoie, en habit noir, apparut.

Alors Varajou poussa un hurlement d'allégresse, et, se dressant, il sauta sur son beau-frère, le saisit dans ses bras et le fit danser tout autour du salon en hurlant : « V'là Padoie... V'là Padoie... V'là Padoie... »

Puis, lâchant le percepteur éperdu de surprise, il lui cria dans la figure :

« Ah ! ah ! ah ! farceur ! farceur !... Tu fais donc la fête, toi... Ah ! farceur... Et ma sœur !... Tu la lâches, dis !... »

Et songeant à tous les bénéfices de cette situation inespérée, à l'emprunt forcé, au chantage inévitable, il se jeta tout au long sur le canapé et se mit à rire si fort que tout le meuble en craquait.

Les trois jeunes dames, se levant d'un seul mouvement, se sauvèrent, tandis que la vieille reculait vers la porte, paraissait prête à défaillir.

Et deux messieurs apparurent, décorés, tous deux en habit. Padoie se précipita vers eux :

« Oh ! monsieur le président... il est fou... il est fou... On nous l'avait envoyé en convalescence... vous voyez bien qu'il est fou... »

Varajou s'était assis, ne comprenant plus, devinant tout à coup qu'il avait fait quelque monstrueuse sottise. Puis il se leva, et se tournant vers son beau-frère :

« Où donc sommes-nous ici ? » demanda-t-il.

Mais Padoie, saisi soudain d'une colère folle, balbutia :

« Où... où... où nous sommes... Malheureux... misérable... infâme... Où nous sommes... Chez monsieur le premier président !... chez monsieur le premier président de Mortemain... de Mortemain... de... de... de... de Mortemain... Ah !... ah !... canaille !... canaille !... canaille !... canaille !... »

La baronne

« T U POURRAS VOIR LÀ des bibelots intéressants, me dit mon ami Boisrené, viens avec moi. »

Il m'emmena donc au premier étage d'une belle maison, dans une grande rue de Paris. Nous fûmes reçus par un homme fort bien, de manières parfaites, qui nous promena de pièce en pièce en nous montrant des objets rares dont il disait le prix avec négligence. Les grosses sommes, dix, vingt, trente, cinquante mille francs, sortaient de ses lèvres avec tant de grâce et de facilité qu'on ne pouvait douter que des millions ne fussent enfermés dans le coffre-fort de ce marchand homme du monde.

Je le connaissais de renom depuis longtemps. Fort adroit, fort souple, fort intelligent, il servait d'intermédiaire pour toutes sortes de transactions. En relations avec tous les amateurs les plus riches de Paris, et même de l'Europe et de l'Amérique, sachant leurs goûts, leurs préférences du moment, il les prévenait par un mot ou par une dépêche, s'ils habitaient une ville lointaine, dès qu'il connaissait un objet à vendre pouvant leur convenir.

Des hommes de la meilleure société avaient eu recours à lui aux heures d'embarras, soit pour trouver de l'argent de jeu, soit pour payer une dette, soit pour vendre un tableau, un bijou de famille, une tapisserie, voire même un cheval ou une propriété dans les jours de crise aiguë.

On prétendait qu'il ne refusait jamais ses services quand il prévoyait un espoir de gain.

Boisrené semblait intime avec ce curieux marchand. Ils avaient dû traiter ensemble plus d'une affaire. Moi je regardais l'homme avec beaucoup d'intérêt.

Il était grand, mince, chauve, fort élégant. Sa voix douce, insinuante, avait un charme particulier, un charme tentateur qui donnait aux choses une valeur spéciale. Quand il tenait un bibelot en ses doigts, il le tournait, le retournait, le regardait avec tant d'adresse, de souplesse, d'élégance et de sympathie que l'objet paraissait aussitôt embelli, transformé par son toucher et par son regard. Et on l'estimait immédiatement beaucoup plus cher qu'avant d'avoir passé de la vitrine entre ses mains.

« Et votre christ, dit Boisrené, ce beau christ de la Renaissance que vous m'avez montré l'an dernier ? »

L'homme sourit et répondit :

« Il est vendu, et d'une façon fort bizarre. En voici une histoire parisienne, par exemple. Voulez-vous que je vous la dise ?

— Mais oui.

— Vous connaissez la baronne Samoris ?

— Oui et non. Je l'ai vue une fois, mais je sais ce que c'est !

— Vous le savez... tout à fait ?

— Oui.

— Voulez-vous me le dire, afin que je voie si vous ne vous trompez point ?

— Très volontiers. Mme Samoris est une femme du monde qui a une fille sans qu'on ait jamais

connu son mari. En tout cas, si elle n'a pas eu de
mari, elle a des amants d'une façon discrète, car on
la reçoit dans une certaine société tolérante ou
aveugle.

« Elle fréquente l'église, reçoit les sacrements
avec recueillement, de façon à ce qu'on le sache, et
ne se compromet jamais. Elle espère que sa fille fera
un beau mariage. Est-ce cela ?

– Oui, mais je complète vos renseignements. »

C'est une femme entretenue qui se fait respecter
de ses amants plus que si elle ne couchait pas avec
eux. C'est là un rare mérite ; car, de cette façon, on
obtient ce qu'on veut d'un homme. Celui qu'elle a
choisi, sans qu'il s'en doute, lui fait la cour longtemps, la désire avec crainte, la sollicite avec pudeur, l'obtient avec étonnement et la possède avec
considération. Il ne s'aperçoit point qu'il la paye,
tant elle s'y prend avec tact ; et elle maintient leurs
relations sur un tel ton de réserve, de dignité, de
comme il faut, qu'en sortant de son lit il soufflette-
rait l'homme capable de suspecter la vertu de sa
maîtresse. Et cela de la meilleure foi du monde.

J'ai rendu à cette femme, à plusieurs reprises,
quelques services. Et elle n'a point de secrets pour
moi.

Or, dans les premiers jours de janvier, elle est
venue me trouver pour m'emprunter trente mille
francs. Je ne les lui ai point prêtés, bien entendu ;
mais comme je désirais l'obliger, je l'ai priée de
m'exposer très complètement sa situation afin de
voir ce que je pourrais faire pour elle.

Elle me dit les choses avec de telles précautions
de langage qu'elle ne m'aurait pas conté plus

délicatement la première communion de sa fillette.
Je compris enfin que les temps étaient durs et
qu'elle se trouvait sans un sou.

La crise commerciale, les inquiétudes politiques
que le gouvernement actuel semble entretenir à
plaisir, les bruits de guerre, la gêne générale avaient
rendu l'argent hésitant, même entre les mains des
amoureux. Et puis elle ne pouvait, cette honnête
femme, se donner au premier venu.

Il lui fallait un homme du monde, du meilleur
monde, qui consolidât sa réputation tout en four-
nissant aux besoins quotidiens. Un viveur, même
très riche, l'eût compromise à tout jamais et rendu
problématique le mariage de sa fille. Elle ne pouvait non plus songer aux agences galantes, aux
intermédiaires déshonorants qui auraient pu, pour
quelque temps, la tirer d'embarras.

Or elle devait soutenir son train de maison,
continuer à recevoir à portes ouvertes pour ne point
perdre l'espérance de trouver, dans le nombre des
visiteurs, l'ami discret et distingué qu'elle attendait,
qu'elle choisirait.

Moi je lui fis observer que mes trente mille francs
avaient peu de chance de me revenir ; car, lorsqu'elle les aurait mangés, il faudrait qu'elle en
obtînt, d'un seul coup, au moins soixante mille
pour m'en rendre la moitié.

Elle semblait désolée en m'écoutant. Et je ne
savais qu'inventer quand une idée, une idée vraiment géniale, me traversa l'esprit.

Je venais d'acheter ce christ de la Renaissance
que je vous ai montré, une admirable pièce, la plus
belle, dans ce style, que j'aie jamais vue.

« Ma chère amie, lui dis-je, je vais faire porter
chez vous cet ivoire-là. Vous inventerez une histoire

ingénieuse, touchante, poétique, ce que vous voudrez, pour expliquer votre désir de vous en défaire. C'est, bien entendu, un souvenir de famille hérité de votre père.

« Moi, je vous enverrai des amateurs, et je vous en amènerai moi-même. Le reste vous regarde. Je vous ferai connaître leur situation par un mot la veille. Ce christ-là vaut cinquante mille francs ; mais je le laisserais à trente mille. La différence sera pour vous. »

Elle réfléchit quelques instants d'un air profond et répondit : « Oui, c'est peut-être une bonne idée. Je vous remercie beaucoup. »

Le lendemain, j'avais fait porter mon christ chez elle, et le soir même je lui envoyais le baron de Saint-Hospital.

Pendant trois mois je lui adressai des clients, tout ce que j'ai de mieux, de plus posé dans mes relations d'affaires. Mais je n'entendais plus parler d'elle.

Or, ayant reçu la visite d'un étranger qui parlait fort mal le français, je me décidai à le présenter moi-même chez la Samoris, pour voir.

Un valet de pied tout en noir nous reçut et nous fit entrer dans un joli salon, sombre, meublé avec goût, où nous attendîmes quelques minutes. Elle apparut, charmante, me tendit la main, nous fit asseoir ; et quand je lui eus expliqué le motif de ma visite, elle sonna.

Le valet de pied reparut.

« Voyez, dit-elle, si mademoiselle Isabelle peut laisser entrer dans sa chapelle. »

La jeune fille apporta elle-même la réponse. Elle avait quinze ans, un air modeste et bon, toute la fraîcheur de sa jeunesse.

Elle voulait nous guider elle-même dans sa chapelle.

C'était une sorte de boudoir pieux où brûlait une
lampe d'argent devant le christ, mon christ, couché
sur un lit de velours noir. La mise en scène était
charmante et fort habile.

L'enfant fit le signe de la croix, puis nous dit :
« Regardez, messieurs, est-il beau ? »

Je pris l'objet, je l'examinai et je le déclarai
remarquable. L'étranger aussi le considéra, mais il
semblait beaucoup plus occupé par les deux femmes que par le christ.

On sentait bon dans leur logis, on sentait l'encens, les fleurs et les parfums. On s'y trouvait bien.
C'était là vraiment une demeure confortable qui
invitait à rester.

Quand nous fûmes rentrés dans le salon, j'abor-
dai, avec réserve et délicatesse, la question de prix.
Mme Samoris demanda, en baissant les yeux, cinquante mille francs.

Puis elle ajouta : « Si vous désiriez le revoir,
monsieur, je ne sors guère avant trois heures ; et on
me trouve tous les jours. »

Dans la rue, l'étranger me demanda des détails
sur la baronne qu'il avait trouvée exquise. Mais je
n'entendis plus parler de lui ni d'elle.

Trois mois se passèrent.

Un matin, voici quinze jours à peine, elle arriva
chez moi à l'heure du déjeuner, et posant un
portefeuille entre mes mains : « Mon cher, vous êtes
un ange. Voici cinquante mille francs ; c'est moi qui
achète votre christ, et je le paye vingt mille francs de
plus que le prix convenu, à la condition que vous
m'enverrez toujours... toujours des clients... car il
est encore à vendre... mon christ... »

Les épingles

« A H ! MON CHER, quelles rosses les femmes !
    – Pourquoi dis-tu ça ?
    – C'est qu'elles m'ont joué un tour abominable.
    – À toi ?
    – Oui, à moi.
    – Les femmes, ou une femme ?
    – Deux femmes.
    – Deux femmes en même temps ?
    – Oui.
    – Quel tour ? »

Les deux jeunes gens étaient assis devant un grand café du boulevard et buvaient des liqueurs mélangées d'eau, ces apéritifs qui ont l'air d'infusions faites avec toutes les nuances d'une boîte d'aquarelle.

Ils avaient à peu près le même âge : vingt-cinq à trente ans. L'un était blond et l'autre brun. Ils avaient la demi-élégance des coulissiers, des hommes qui vont à la Bourse et dans les salons, qui fréquentent partout, vivent partout, aiment partout. Le brun reprit :

« Je t'ai dit ma liaison, n'est-ce pas, avec cette petite bourgeoise rencontrée sur la plage de Dieppe.

    – Oui.

– Mon cher, tu sais ce que c'est. J'avais une maîtresse à Paris, une que j'aime infiniment, une vieille amie, une bonne amie, une habitude enfin, et j'y tiens.

– À ton habitude ?

– Oui, à mon habitude et à elle. Elle est mariée aussi avec un brave homme, que j'aime beaucoup également, un bon garçon très cordial, un vrai camarade ! Enfin c'est une maison où j'avais logé ma vie.

– Eh bien ?

– Eh bien ! ils ne peuvent pas quitter Paris, ceux-là, et je me suis trouvé veuf à Dieppe.

– Pourquoi allais-tu à Dieppe ?

– Pour changer d'air. On ne peut pas rester tout le temps sur le boulevard.

– Alors ?

– Alors, j'ai rencontré sur la plage la petite dont je t'ai parlé.

– La femme du chef de bureau ?

– Oui. Elle s'ennuyait beaucoup. Son mari, d'ailleurs, ne venait que tous les dimanches, et il est affreux. Je la comprends joliment. Donc, nous avons ri et dansé ensemble.

– Et le reste ?

– Oui, plus tard. Enfin, nous nous sommes rencontrés, nous nous sommes plu, je le lui ai dit, elle me l'a fait répéter pour mieux comprendre, et elle n'y a pas mis d'obstacle.

– L'aimais-tu ?

– Oui, un peu ; elle est très gentille.

– Et l'autre ?

– L'autre était à Paris ! Enfin, pendant six semaines, ç'a été très bien et nous sommes rentrés ici dans les meilleurs termes. Est-ce que tu sais rompre

avec une femme, toi, quand cette femme n'a pas un
tort à ton égard ?

– Oui, très bien.

– Comment fais-tu ?

– Je la lâche.

– Mais comment t'y prends-tu pour la lâcher ?

– Je ne vais plus chez elle.

– Mais si elle vient chez toi ?

– Je... n'y suis pas.

– Et si elle revient ?

– Je lui dis que je suis indisposé.

– Si elle te soigne ?

– Je... je lui fais une crasse.

– Si elle l'accepte ?

– J'écris des lettres anonymes à son mari pour
qu'il la surveille les jours où je l'attends.

– Ça c'est grave ! Moi je n'ai pas de résistance. Je
ne sais pas rompre. Je les collectionne. Il y en a que
je ne vois plus qu'une fois par an, d'autres tous les
dix mois, d'autres au moment du terme, d'autres les
jours où elles ont envie de dîner au cabaret. Celles
que j'ai espacées ne me gênent pas, mais j'ai souvent bien du mal avec les nouvelles pour les distan-
cer un peu.

– Alors...

– Alors, mon cher, la petite ministère était tout
feu, tout flamme, sans un tort, comme je te l'ai dit !
Comme son mari passe tous ses jours au bureau,
elle se mettait sur le pied d'arriver chez moi à
l'improviste. Deux fois elle a failli rencontrer mon
habitude.

– Diable !

– Oui. Donc j'ai donné à chacune ses jours, des
jours fixes pour éviter les confusions. Lundi et

samedi à l'ancienne. Mardi, jeudi et dimanche à la nouvelle.

— Pourquoi cette préférence ?

— Ah ! mon cher, elle est plus jeune.

— Ça ne te faisait que deux jours de repos par semaine.

— Ça me suffit.

— Mes compliments !

— Or, figure-toi qu'il m'est arrivé l'histoire la plus ridicule du monde et la plus embêtante. Depuis quatre mois tout allait parfaitement ; je dormais sur mes deux oreilles et j'étais vraiment très heureux quand soudain, lundi dernier, tout craque.

« J'attendais mon habitude à l'heure dite, une heure un quart, en fumant un bon cigare.

« Je rêvassais, très satisfait de moi, quand je m'aperçus que l'heure était passée. Je fus surpris, car elle est très exacte. Mais je crus à un petit retard accidentel. Cependant une demi-heure se passe, puis une heure, une heure et demie et je compris qu'elle avait été retenue par une cause quelconque, une migraine peut-être ou un importun. C'est très ennuyeux ces choses-là, ces attentes... inutiles, très ennuyeux et très énervant. Enfin, j'en pris mon parti, puis je sortis et, ne sachant que faire, j'allai chez elle.

« Je la trouvai en train de lire un roman.

« "Eh bien ?", lui dis-je.

« Elle répondit tranquillement :

« "Mon cher, je n'ai pas pu, j'ai été empêchée.

« – Par quoi ?

« – Par... des occupations.

« – Mais... quelles occupations ?

« – Une visite très ennuyeuse."

« Je pensai qu'elle ne voulait pas me dire la vraie

raison, et, comme elle était très calme, je ne m'en inquiétai pas davantage. Je comptais rattraper le temps perdu, le lendemain, avec l'autre.

« Le mardi donc, j'étais très... très ému et très amoureux en expectative, de la petite ministère, et même étonné qu'elle ne devançât pas l'heure convenue. Je regardais la pendule à tout moment suivant l'aiguille avec impatience.

« Je la vis passer le quart, puis la demie, puis deux heures... Je ne tenais plus en place, traversant à grandes enjambées ma chambre, collant mon front à la fenêtre et mon oreille contre la porte pour écouter si elle ne montait pas l'escalier.

« Voici deux heures et demie, puis trois heures ! Je saisis mon chapeau et je cours chez elle. Elle lisait, mon cher, un roman !

« "Eh bien", lui dis-je avec anxiété.

« Elle répondit, aussi tranquillement que mon habitude :

« "Mon cher, je n'ai pas pu, j'ai été empêchée.

« – Par quoi ?

« – Par... des occupations.

« – Mais... quelles occupations ?

« – Une visite ennuyeuse."

« Certes, je supposai immédiatement qu'elle savait tout ; mais elle semblait pourtant si placide, si paisible que je finis par rejeter mon soupçon, par croire à une coïncidence bizarre, ne pouvant imaginer une pareille dissimulation de sa part. Et après une heure de causerie amicale, coupée d'ailleurs par vingt entrées de sa petite fille, je dus m'en aller fort embêté.

« Et figure-toi que le lendemain...

– Ç'a été la même chose ?

– Oui... et le lendemain encore. Et ç'a duré ainsi

trois semaines, sans une explication, sans que rien me révélât cette conduite bizarre dont cependant je soupçonnais le secret.

– Elles savaient tout ?

– Parbleu. Mais comment ? Ah ! j'en ai eu du tourment avant de l'apprendre.

– Comment l'as-tu su enfin ?

– Par lettres. Elles m'ont donné, le même jour, dans les mêmes termes, mon congé définitif.

– Et ?

– Et voici... Tu sais, mon cher, que les femmes ont toujours sur elles une armée d'épingles. Les épingles à cheveux, je les connais, je m'en méfie, et j'y veille, mais les autres sont bien plus perfides, ces sacrées petites épingles à tête noire qui nous semblent toutes pareilles, à nous grosses bêtes que nous sommes, mais qu'elles distinguent, elles, comme nous distinguons un cheval d'un chien.

« Or il paraît qu'un jour ma petite ministère avait laissé une de ces machines révélatrices piquées dans ma tenture, près de ma glace.

« Mon habitude, du premier coup, avait aperçu sur l'étoffe ce petit point noir gros comme une puce, et sans rien dire l'avait cueilli, puis avait laissé à la même place une de ses épingles à elle, noire aussi, mais d'un modèle différent.

« Le lendemain, la ministère voulut reprendre son bien, et reconnut aussitôt la substitution ; alors un soupçon lui vint, et elle en mit deux, en les croisant.

« L'habitude répondit à ce signe télégraphique par trois boules noires, l'une sur l'autre.

« Une fois ce commerce commencé, elles continuèrent à communiquer, sans se rien dire, seulement pour s'épier. Puis il paraît que l'habitude,

plus hardie, enroula le long de la petite pointe
d'acier un mince papier où elle avait écrit : "Poste
restante, boulevard Malesherbes, C.D."

« Alors elles s'écrivirent. J'étais perdu. Tu comprends que ça n'a pas été tout seul entre elles. Elles
y allaient avec précaution, avec mille ruses, avec
toute la prudence qu'il faut en pareil cas. Mais
l'habitude fit un coup d'audace et donna un rendez-vous à l'autre.

« Ce qu'elles se sont dit, je l'ignore ! Je sais
seulement que j'ai fait les frais de leur entretien. Et
voilà !

– C'est tout.

– Oui.

– Tu ne les vois plus.

– Pardon, je les vois encore comme ami ; nous
n'avons pas rompu tout à fait.

– Et elles, se sont-elles revues ?

– Oui, mon cher, elles sont devenues intimes.

– Tiens, tiens. Et ça ne te donne pas une idée,
ça ?

– Non, quoi ?

– Grand serin, l'idée de leur faire repiquer des
épingles doubles ? »

Allouma

1

UN DE MES AMIS m'avait dit : « Si tu passes par hasard aux environs de Bordj-Ebbaba, pendant ton voyage en Algérie, va donc voir mon ancien camarade Auballe, qui est colon là-bas. »

J'avais oublié le nom d'Auballe et le nom d'Ebbaba, et je ne songeais guère à ce colon, quand j'arrivai chez lui, par pur hasard.

Depuis un mois je rôdais à pied par toute cette région magnifique qui s'étend d'Alger à Cherchell, Orléansville et Tiaret. Elle est en même temps boisée et nue, grande et intime. On rencontre, entre deux monts, des forêts de pins profondes en des vallées étroites où roulent des torrents en hiver. Des arbres énormes tombés sur le ravin servent de pont aux Arabes, et aussi aux lianes qui s'enroulent aux troncs morts et les parent d'une vie nouvelle. Il y a des creux, en des plis inconnus de montagne, d'une beauté terrifiante, et des bords de ruisselets, plats et couverts de lauriers-roses, d'une inimaginable grâce.

Mais ce qui m'a laissé au cœur les plus chers

souvenirs en cette excursion, ce sont les marches de l'après-midi le long des chemins un peu boisés sur ces ondulations des côtes d'où l'on domine un immense pays onduleux et roux depuis la mer bleuâtre jusqu'à la chaîne de l'Ouarsenis qui porte sur ses faîtes la forêt de cèdres de Teniet-el-Haad.

Ce jour-là je m'égarai. Je venais de gravir un sommet, d'où j'avais aperçu, au-dessus d'une série de collines, la longue plaine de la Mitidja, puis par-derrière, sur la crête d'une autre chaîne, dans un lointain presque invisible, l'étrange monument qu'on nomme le Tombeau de la Chrétienne, sépulture d'une famille de rois de Mauritanie, dit-on. Je redescendais, allant vers le sud, découvrant devant moi jusqu'aux cimes dressées sur le ciel clair, au seuil du désert, une contrée bosselée, soulevée et fauve, fauve comme si toutes ces collines étaient recouvertes de peaux de lion cousues ensemble. Quelquefois, au milieu d'elles, une bosse plus haute se dressait, pointue et jaune, pareille au dos broussailleux d'un chameau.

J'allais à pas rapides, léger comme on l'est en suivant les sentiers tortueux sur les pentes d'une montagne. Rien ne pèse, en ces courses alertes dans l'air vif des hauteurs, rien ne pèse, ni le corps, ni le cœur, ni les pensées, ni même les soucis. Je n'avais plus rien en moi, ce jour-là, de tout ce qui écrase et torture notre vie, rien que la joie de cette descente. Au loin, j'apercevais des campements arabes, tentes brunes, pointues, accrochées au sol comme les coquilles de mer sur les rochers, ou bien des gourbis, huttes de branches d'où sortait une fumée grise. Des formes blanches, hommes ou femmes, erraient autour à pas lents ; et les clochettes des troupeaux tintaient vaguement dans l'air du soir.

Les arbousiers sur ma route se penchaient, étrangement chargés de leurs fruits de pourpre qu'ils répandaient dans le chemin. Ils avaient l'air d'arbres martyrs d'où coulait une sueur sanglante, car au bout de chaque branchette pendait une graine rouge comme une goutte de sang.

Le sol, autour d'eux, était couvert de cette pluie suppliciale, et le pied écrasant les arbouses laissait par terre des traces de meurtre. Parfois, d'un bond, en passant, je cueillais les plus mûres pour les manger.

Tous les vallons à présent se remplissaient d'une vapeur blonde qui s'élevait lentement comme la buée des flancs d'un bœuf ; et sur la chaîne des monts qui fermaient l'horizon, à la frontière du Sahara, flamboyait un ciel de Missel. De longues traînées d'or alternaient avec des traînées de sang – encore du sang ! du sang et de l'or, toute l'histoire humaine – et parfois entre elles s'ouvrait une trouée mince sur un azur verdâtre, infiniment lointain comme le rêve.

Oh ! que j'étais loin, que j'étais loin de toutes les choses et de toutes les gens dont on s'occupe autour des boulevards, loin de moi-même aussi, devenu une sorte d'être errant, sans conscience et sans pensée, un œil qui passe, qui voit, qui aime voir, loin encore de ma route à laquelle je ne songeais plus, car aux approches de la nuit je m'aperçus que j'étais perdu.

L'ombre tombait sur la terre comme une averse de ténèbres, et je ne découvrais rien devant moi que la montagne à perte de vue. Des tentes apparurent dans un vallon, j'y descendis et j'essayai de faire comprendre au premier Arabe rencontré la direction que je cherchais.

M'a-t-il deviné ? je l'ignore ; mais il me répondit longtemps, et moi je ne compris rien. J'allais, par désespoir, me décider à passer la nuit, roulé dans un tapis, auprès du campement, quand je crus reconnaître, parmi les mots bizarres qui sortaient de sa bouche, celui de Bordj-Ebbaba.

Je répétai :

« Bordj-Ebbaba.

– Oui, oui. »

Et je lui montrai deux francs, une fortune. Il se mit à marcher, je le suivis. Oh ! je suivis longtemps, dans la nuit profonde, ce fantôme pâle qui courait pieds nus devant moi par les sentiers pierreux où je trébuchais sans cesse.

Soudain une lumière brilla. Nous arrivions devant la porte d'une maison blanche, sorte de fortin aux murs droits et sans fenêtres extérieures. Je frappai, des chiens hurlèrent au-dedans. Une voix française demanda : « Qui est là ? »

Je répondis :

« Est-ce ici que demeure M. Auballe ?

– Oui. »

On m'ouvrit, j'étais en face de M. Auballe lui-même, un grand garçon blond, en savates, pipe à la bouche, avec l'air d'un hercule bon enfant.

Je me nommai ; il tendit ses deux mains en disant : « Vous êtes chez vous, monsieur. »

Un quart d'heure plus tard je dînais avidement en face de mon hôte qui continuait à fumer.

Je savais son histoire. Après avoir mangé beaucoup d'argent avec les femmes, il avait placé son reste en terres algériennes, et planté des vignes.

Les vignes marchaient bien ; il était heureux, et il avait en effet l'air calme d'un homme satisfait. Je ne pouvais comprendre comment ce Parisien, ce fêteur, avait pu s'accoutumer à cette vie monotone, dans cette solitude, et je l'interrogeai.

« Depuis combien de temps êtes-vous ici ?

— Depuis neuf ans.

— Et vous n'avez pas d'atroces tristesses ?

— Non, on se fait à ce pays, et puis on finit par l'aimer. Vous ne sauriez croire comme il prend les gens par un tas de petits instincts animaux que nous ignorons en nous. Nous nous y attachons d'abord par nos organes à qui il donne des satisfactions secrètes que nous ne raisonnons pas. L'air et le climat font la conquête de notre chair, malgré nous, et la lumière gaie dont il est inondé tient l'esprit clair et content, à peu de frais. Elle entre en nous à flots, sans cesse, par les yeux, et on dirait vraiment qu'elle lave tous les coins sombres de l'âme.

— Mais les femmes ?

— Ah !... ça manque un peu !

— Un peu seulement ?

— Mon Dieu, oui... un peu. Car on trouve toujours, même dans les tribus, des indigènes complaisants qui pensent aux nuits du Roumi. »

Il se tourna vers l'Arabe qui me servait, un grand garçon brun dont l'œil noir luisait sous le turban, et il lui dit :

« Va-t'en, Mohammed, je t'appellerai quand j'aurai besoin de toi. » Puis, à moi :

« Il comprend le français et je vais vous conter une histoire où il joue un grand rôle. »

L'homme étant parti, il commença :

J'étais ici depuis quatre ans environ, encore peu installé, à tous égards, dans ce pays dont je commençais à balbutier la langue, et obligé pour ne pas rompre tout à fait avec des passions, qui m'ont été fatales d'ailleurs, de faire à Alger un voyage de quelques jours, de temps en temps.

J'avais acheté cette ferme, ce bordj, ancien poste fortifié, à quelques centaines de mètres du campement indigène dont j'emploie les hommes à mes cultures. Dans cette tribu, fraction des Oulad-Taadja, je choisis en arrivant, pour mon service particulier, un grand garçon, celui que vous venez de voir, Mohammed ben Lam'har, qui me fut bientôt extrêmement dévoué. Comme il ne voulait pas coucher dans une maison dont il n'avait point l'habitude, il dressa sa tente à quelques pas de la porte, afin que je pusse l'appeler de ma fenêtre.

Ma vie, vous la devinez ? Tout le jour, je suivais les défrichements et les plantations, je chassais un peu, j'allais dîner avec les officiers des postes voisins, ou bien ils venaient dîner chez moi.

Quant aux... plaisirs – je vous les ai dits. Alger m'offrait les plus raffinés ; et de temps en temps, un Arabe complaisant et compatissant m'arrêtait au milieu d'une promenade pour me proposer d'amener chez moi, à la nuit, une femme de tribu. J'acceptais quelquefois, mais, le plus souvent, je refusais, par crainte des ennuis que cela pouvait me créer.

Et, un soir, en rentrant d'une tournée dans les terres, au commencement de l'été, ayant besoin de Mohammed, j'entrai dans sa tente sans l'appeler. Cela m'arrivait à tout moment.

Sur un de ces grands tapis rouges en haute laine du djebel Amour, épais et doux comme des matelas, une femme, une fille, presque nue, dormait, les bras croisés sur ses yeux. Son corps blanc, d'une blancheur luisante sous le jet de lumière de la toile soulevée, m'apparut comme un des plus parfaits échantillons de la race humaine que j'eusse vus. Les femmes sont belles par ici, grandes, et d'une rare harmonie de traits et de lignes.

Un peu confus, je laissai retomber le bord de la tente et je rentrai chez moi.

J'aime les femmes ! L'éclair de cette vision m'avait traversé et brûlé, ranimant en mes veines la vieille ardeur redoutable à qui je dois d'être ici. Il faisait chaud, c'était en juillet, et je passai presque toute la nuit à ma fenêtre, les yeux sur la tache sombre que faisait à terre la tente de Mohammed.

Quand il entra dans ma chambre, le lendemain, je le regardai bien en face, et il baissa la tête comme un homme confus, coupable. Devinait-il ce que je savais ?

Je lui demandai brusquement.

« Tu es donc marié, Mohammed ? »

Je le vis rougir et il balbutia :

« Non, moussié ! »

Je le forçais à parler français et à me donner des leçons d'arabe, ce qui produisait souvent une langue intermédiaire des plus incohérentes.

Je repris :

« Alors, pourquoi y a-t-il une femme chez toi ? »

Il murmura :

« Il est du Sud.

— Ah ! elle est du Sud. Cela ne m'explique pas comment elle se trouve sous ta tente. »

Sans répondre à ma question, il reprit :

« Il est très joli.

— Ah ! vraiment. Eh bien, une autre fois, quand tu recevras comme ça une très jolie femme du Sud, tu auras soin de la faire entrer dans mon gourbi et non dans le tien. Tu entends, Mohammed ? »

Il répondit avec un grand sérieux :

« Oui, moussié. »

J'avoue que pendant toute la journée je demeurai sous l'émotion agressive du souvenir de cette fille arabe étendue sur un tapis rouge ; et, en rentrant, à l'heure du dîner, j'eus une forte envie de traverser de nouveau la tente de Mohammed. Durant la soirée, il fit son service comme toujours, tournant autour de moi avec sa figure impassible, et je faillis plusieurs fois lui demander s'il allait garder long-temps sous son toit de poil de chameau cette demoiselle du Sud, qui était très jolie.

Vers neuf heures, toujours hanté par ce goût de la femme, qui est tenace comme l'instinct de chasse chez les chiens, je sortis pour prendre l'air et pour rôder un peu dans les environs du cône de toile brune à travers laquelle j'apercevais le point brillant d'une lumière.

Puis je m'éloignai, pour n'être pas surpris par Mohammed dans les environs de son logis.

En rentrant, une heure plus tard, je vis nettement son profil à lui, sous sa tente. Puis ayant tiré ma clef de ma poche, je pénétrai dans le bordj où cou-chaient, comme moi, mon intendant, deux labou-reurs de France et une vieille cuisinière cueillie à Alger.

Je montai mon escalier et je fus surpris en remar-quant un filet de clarté sous ma porte. Je l'ouvris, et j'aperçus en face de moi, assise sur une chaise de paille à côté de la table où brûlait une bougie, une fille au visage d'idole, qui semblait m'attendre avec tranquillité, parée de tous les bibelots d'argent que les femmes du Sud portent aux jambes, aux bras, sur la gorge et jusque sur le ventre. Ses yeux agrandis par le khôl jetaient sur moi un large regard ; et quatre petits signes bleus finement tatoués sur la chair étoilaient son front, ses joues et son menton. Ses bras, chargés d'anneaux, reposaient sur ses cuisses que recouvrait, tombant des épaules, une sorte de gebba de soie rouge dont elle était vêtue.

En me voyant entrer, elle se leva et resta devant moi debout, couverte de ses bijoux sauvages, dans une attitude de fière soumission.

« Que fais-tu ici ? lui dis-je en arabe.

— J'y suis parce qu'on m'a ordonné de venir.

— Qui te l'a ordonné ?

— Mohammed.

— C'est bon. Assieds-toi. »

Elle s'assit, baissa les yeux, et je demeurai devant elle, l'examinant.

La figure était étrange, régulière, fine et un peu bestiale, mais mystique comme celle d'un bouddha. Les lèvres, fortes et colorées d'une sorte de floraison rouge qu'on retrouvait ailleurs sur son corps, indiquaient un léger mélange de sang noir, bien que les mains et les bras fussent d'une blancheur irréprochable.

J'hésitais sur ce que je devais faire, troublé, tenté et confus. Pour gagner du temps et me donner le loisir de la réflexion, je lui posai d'autres questions, sur son origine, son arrivée dans ce pays et ses rapports avec Mohammed. Mais elle ne répondit qu'à celles qui m'intéressaient le moins et il me fut impossible de savoir pourquoi elle était venue, dans quelle intention, sur quel ordre, depuis quand, ni ce qui s'était passé entre elle et mon serviteur.

Comme j'allais lui dire : « Retourne sous la tente

de Mohammed », elle me devina peut-être, se
dressa brusquement et levant ses deux bras décou-
verts dont tous les bracelets sonores glissèrent
ensemble vers ses épaules, elle croisa ses mains
derrière mon cou en m'attirant avec un air de
volonté suppliante et irrésistible.

Ses yeux, allumés par le désir de séduire, par ce
besoin de vaincre l'homme qui rend fascinant
comme celui des félins le regard impur des femmes,
m'appelaient, m'enchaînaient, m'ôtaient toute
force de résistance, me soulevaient d'une ardeur
impétueuse. Ce fut une lutte courte, sans paroles,
violente, entre les prunelles seules, l'éternelle lutte
entre les deux brutes humaines, le mâle et la
femelle, où le mâle est toujours vaincu.

Ses mains, derrière ma tête, m'attiraient d'une
pression lente, grandissante, irrésistible comme une
force mécanique, vers le sourire animal de ses lèvres
rouges où je collai soudain les miennes en enlaçant
ce corps presque nu et chargé d'anneaux d'argent
qui tintèrent, de la gorge aux pieds, sous mon
étreinte.

Elle était nerveuse, souple et saine comme une
bête, avec des airs, des mouvements, des grâces et
une sorte d'odeur de gazelle, qui me firent trouver
à ses baisers une rare saveur inconnue, étrangère à
mes sens comme un goût de fruit des tropiques.

Bientôt... je dis bientôt, ce fut peut-être aux
approches du matin, je la voulus renvoyer, pensant
qu'elle s'en irait ainsi qu'elle était venue, et ne me
demandant pas encore ce que je ferais d'elle, ou ce
qu'elle ferait de moi.

Mais dès qu'elle eut compris mon intention, elle
murmura :

« Si tu me chasses, où veux-tu que j'aille maintenant ? Il faudra que je dorme sur la terre, dans la nuit. Laisse-moi me coucher sur le tapis, au pied de ton lit. »

Que pouvais-je répondre ? Que pouvais-je faire ? Je pensai que Mohammed, sans doute, regardait à son tour la fenêtre éclairée de ma chambre ; et des questions de toute nature, que je ne m'étais point posées dans le trouble des premiers instants, se formulèrent nettement.

« Reste ici, dis-je, nous allons causer. »

Ma résolution fut prise en une seconde. Puisque cette fille avait été jetée ainsi dans mes bras, je la garderais, j'en ferais une sorte de maîtresse esclave, cachée dans le fond de ma maison, à la façon des femmes des harems. Le jour où elle ne me plairait plus, il serait toujours facile de m'en défaire d'une façon quelconque, car ces créatures-là, sur le sol africain, nous appartenaient presque corps et âme.

Je lui dis :

« Je veux bien être bon pour toi. Je te traiterai de façon à ce que tu ne sois pas malheureuse, mais je veux savoir ce que tu es, et d'où tu viens. »

Elle comprit qu'il fallait parler et me conta son histoire, ou plutôt une histoire, car elle dut mentir d'un bout à l'autre, comme mentent tous les Arabes, toujours, avec ou sans motifs.

C'est là un des signes les plus surprenants et les plus incompréhensibles du caractère indigène : le mensonge. Ces hommes en qui l'islamisme s'est incarné jusqu'à faire partie d'eux, jusqu'à modeler leurs instincts, jusqu'à modifier la race entière et à la différencier des autres au moral autant que la couleur de la peau différencie le nègre du Blanc, sont menteurs dans les moelles au point que jamais on ne peut se fier à leurs dires. Est-ce à leur religion qu'ils doivent cela ? Je l'ignore. Il faut avoir vécu parmi eux pour savoir combien le mensonge fait partie de leur être, de leur cœur, de leur âme, est devenu chez eux une sorte de seconde nature, une nécessité de la vie.

Elle me raconta donc qu'elle était fille d'un caïd des Ouled-Sidi-Cheik et d'une femme enlevée par lui dans une razzia sur les Touaregs. Cette femme devait être une esclave noire, ou du moins provenir d'un premier croisement de sang arabe et de sang nègre. Les négresses, on le sait, sont fort prisées dans les harems où elles jouent le rôle d'aphrodisiaques.

Rien de cette origine d'ailleurs n'apparaissait hors cette couleur empourprée des lèvres et les fraises sombres de ses seins allongés, pointus et souples comme si des ressorts les eussent dressés. À cela, un regard attentif ne se pouvait tromper. Mais tout le reste appartenait à la belle race du Sud, blanche, svelte, dont la figure fine est faite de lignes droites et simples comme une tête d'image indienne. Les yeux très écartés augmentaient encore l'air un peu divin de cette rôdeuse du désert.

De son existence véritable, je ne sus rien de précis. Elle me la conta par détails incohérents qui semblaient surgir au hasard dans une mémoire en désordre ; et elle y mêlait des observations délicieusement puériles, toute une vision du monde nomade née dans une cervelle d'écureuil qui a sauté de tente en tente, de campement en campement, de tribu en tribu.

Et cela était débité avec l'air sévère que garde toujours ce peuple drapé, avec des mines d'idole qui potine et une gravité un peu comique.

Quand elle eut fini, je m'aperçus que je n'avais

rien retenu de cette longue histoire pleine d'événements insignifiants, emmagasinés en sa légère cervelle, et je me demandai si elle ne m'avait pas berné très simplement par ce bavardage vide et sérieux qui ne m'apprenait rien sur elle ou sur aucun fait de sa vie.

Et je pensais à ce peuple vaincu au milieu duquel nous campons ou plutôt qui campe au milieu de nous, dont nous commençons à parler la langue, que nous voyons vivre chaque jour sous la toile transparente de ses tentes, à qui nous imposons nos lois, nos règlements et nos coutumes, et dont nous ignorons tout, mais tout, entendez-vous, comme si nous n'étions pas là, uniquement occupés à le regarder depuis bientôt soixante ans. Nous ne savons pas davantage ce qui se passe sous cette hutte de branches et sous ce petit cône d'étoffe cloué sur la terre avec des pieux, à vingt mètres de nos portes, que nous ne savons encore ce que font, ce que pensent, ce que sont les Arabes dits civilisés des maisons mauresques d'Alger. Derrière le mur peint à la chaux de leur demeure des villes, derrière la cloison de branches de leur gourbi, ou derrière ce mince rideau brun de poil de chameau que secoue le vent, ils vivent près de nous, inconnus, mystérieux, menteurs, sournois, soumis, souriants, impénétrables. Si je vous disais qu'en regardant de loin, avec ma jumelle, le campement voisin, je devine qu'ils ont des superstitions, des cérémonies, mille usages encore ignorés de nous, pas même soupçonnés ! Jamais peut-être un peuple conquis par la force n'a su échapper aussi complètement à la domination réelle, à l'influence morale, et à l'investigation acharnée, mais inutile du vainqueur.

Or, cette infranchissable et secrète barrière que la

nature incompréhensible a verrouillée entre les
races, je la sentais soudain, comme je ne l'avais
jamais sentie, dressée entre cette fille arabe et moi,
entre cette femme qui venait de se donner, de se
livrer, d'offrir son corps à ma caresse et moi qui
l'avais possédée.

Je lui demandai, y songeant pour la première
fois :

« Comment t'appelles-tu ? »

Elle était demeurée quelques instants sans parler
et je la vis tressaillir comme si elle venait d'oublier
que j'étais là, tout contre elle. Alors, dans ses yeux
levés sur moi, je devinai que cette minute avait suffi
pour que le sommeil tombât sur elle, un sommeil
irrésistible et brusque, presque foudroyant, comme
tout ce qui s'empare des sens mobiles des femmes.

Elle répondit nonchalamment avec un bâille-
ment arrêté dans la bouche :

« Allouma. »

Je repris :

« Tu as envie de dormir ?

— Oui, dit-elle.

— Eh bien ! dors. »

Elle s'allongea tranquillement à mon côté, étendue sur le ventre, le front posé sur ses bras croisés,
et je sentis presque tout de suite que sa fuyante
pensée de sauvage s'était éteinte dans le repos.

Moi, je me mis à rêver, couché près d'elle,
cherchant à comprendre. Pourquoi Mohammed
me l'avait-il donnée ? Avait-il agi en serviteur
magnanime qui se sacrifie pour son maître jusqu'à
lui céder la femme attirée en sa tente pour lui-
même, ou bien avait-il obéi à une pensée plus
complexe, plus pratique, moins généreuse en jetant
dans mon lit cette fille qui m'avait plu ? L'Arabe,

quand il s'agit de femmes, a toutes les rigueurs pudibondes et toutes les complaisances inavouables ; et on ne comprend guère plus sa morale rigoureuse et facile que tout le reste de ses sentiments. Peut-être avais-je devancé, en pénétrant par hasard sous sa tente, les intentions bienveillantes de ce prévoyant domestique qui m'avait destiné cette femme, son amie, sa complice, sa maîtresse aussi peut-être.

Toutes ces suppositions m'assaillirent et me fatiguèrent si bien que tout doucement je glissai à mon tour dans un sommeil profond.

Je fus réveillé par le grincement de ma porte ; Mohammed entrait comme tous les matins pour m'éveiller. Il ouvrit la fenêtre par où un flot de jour s'engouffrant éclaira sur le lit le corps d'Allouma toujours endormie, puis il ramassa sur le tapis mon pantalon, mon gilet et ma jaquette afin de les brosser. Il ne jeta pas un regard sur la femme couchée à mon côté, ne parut pas savoir ou remarquer qu'elle était là, et il avait sa gravité ordinaire, la même allure, le même visage. Mais la lumière, le mouvement, le léger bruit des pieds nus de l'homme, la sensation de l'air pur sur la peau et dans les poumons tirèrent Allouma de son engourdissement. Elle allongea les bras, se retourna, ouvrit les yeux, me regarda, regarda Mohammed avec la même indifférence et s'assit. Puis elle murmura.

« J'ai faim, aujourd'hui.

– Que veux-tu manger ? demandai-je.

– Kahoua.

– Du café et du pain avec du beurre ?

– Oui. »

Mohammed, debout près de notre couche, mes vêtements sur les bras, attendait les ordres.

« Apporte à déjeuner pour Allouma et pour moi », lui dis-je.

Et il sortit sans que sa figure révélât le moindre étonnement ou le moindre ennui.

Quand il fut parti, je demandai à la jeune Arabe :

« Veux-tu habiter dans ma maison ?

— Oui, je le veux bien.

— Je te donnerai un appartement pour toi seule et une femme pour te servir.

— Tu es généreux, et je te suis reconnaissante.

— Mais si ta conduite n'est pas bonne, je te chasserai d'ici.

— Je ferai ce que tu exigeras de moi. »

Elle prit ma main et la baisa, en signe de soumission.

Mohammed rentrait, portant un plateau avec le déjeuner. Je lui dis :

« Allouma va demeurer dans la maison. Tu étaleras des tapis dans la chambre, au bout du couloir, et tu feras venir ici pour la servir la femme d'Abd el-Kader el-Hadara.

— Oui, moussié. »

Ce fut tout.

Une heure plus tard, ma belle Arabe était installée dans une grande chambre claire ; et comme je venais m'assurer que tout allait bien, elle me demanda, d'un ton suppliant, de lui faire cadeau d'une armoire à glace. Je promis, puis je la laissai accroupie sur un tapis du djebel Amour, une cigarette à la bouche, et bavardant avec la vieille Arabe que j'avais envoyé chercher, comme si elles se connaissaient depuis des années.

2

Pendant un mois, je fus très heureux avec elle et je m'attachai d'une façon bizarre à cette créature d'une autre race, qui me semblait presque d'une autre espèce, née sur une planète voisine.

Je ne l'aimais pas – non – on n'aime point les filles de ce continent primitif. Entre elles et nous, même entre elles et leurs mâles naturels, les Arabes, jamais n'éclôt la petite fleur bleue des pays du Nord. Elles sont trop près de l'animalité humaine, elles ont un cœur trop rudimentaire, une sensibilité trop peu affinée, pour éveiller dans nos âmes l'exaltation sentimentale qui est la poésie de l'amour. Rien d'intellectuel, aucune ivresse de la pensée ne se mêle à l'ivresse sensuelle que provoquent en nous ces êtres charmants et nuls.

Elles nous tiennent pourtant, elles nous prennent, comme les autres, mais d'une façon différente, moins tenace, moins cruelle, moins douloureuse.

Ce que j'éprouvai pour celle-ci, je ne saurais encore l'expliquer d'une façon précise. Je vous disais tout à l'heure que ce pays, cette Afrique nue, sans arts, vide de toutes les joies intelligentes, fait peu à peu la conquête de notre chair par un charme inconnaissable et sûr, par la caresse de l'air, par la douceur constante des aurores et des soirs, par sa lumière délicieuse, par le bien-être discret dont elle baigne tous nos organes ! Eh bien ! Allouma me prit de la même façon, par mille attraits cachés, captivants et physiques, par la séduction pénétrante non point de ses embrassements, car elle était d'une nonchalance tout orientale, mais de ses doux abandons.

Je la laissais absolument libre d'aller et de venir à sa guise et elle passait au moins un après-midi sur deux dans le campement voisin, au milieu des femmes de mes agriculteurs indigènes. Souvent aussi, elle demeurait durant une journée presque entière, à se mirer dans l'armoire à glace en acajou que j'avais fait venir de Miliana. Elle s'admirait en toute conscience, debout, devant la grande porte de verre où elle suivait ses mouvements avec une attention profonde et grave. Elle marchait la tête un peu penchée en arrière, pour juger ses hanches et ses reins, tournait, s'éloignait, se rapprochait, puis, fatiguée enfin de se mouvoir, elle s'asseyait sur un coussin et demeurait en face d'elle-même, les yeux dans ses yeux, le visage sévère, l'âme noyée dans cette contemplation.

Bientôt, je m'aperçus qu'elle sortait presque chaque jour après le déjeuner, et qu'elle disparaissait complètement jusqu'au soir.

Un peu inquiet, je demandai à Mohammed s'il savait ce qu'elle pouvait faire pendant ces longues heures d'absence. Il répondit avec tranquillité :

« Ne te tourmente pas, c'est bientôt le ramadan. Elle doit aller à ses dévotions. »

Lui aussi semblait ravi de la présence d'Allouma dans la maison ; mais pas une fois je ne surpris entre eux le moindre signe un peu suspect, pas une fois ils n'eurent l'air de se cacher de moi, de s'entendre, de me dissimuler quelque chose.

J'acceptai donc la situation telle quelle sans la comprendre, laissant agir le temps, le hasard et la vie.

Souvent, après l'inspection de mes terres, de mes

vignes, de mes défrichements, je faisais à pied de grandes promenades. Vous connaissez les superbes forêts de cette partie de l'Algérie, ces ravins presque impénétrables où les sapins abattus barrent les torrents, et ces petits vallons de lauriers-roses qui, du haut des montagnes, semblent des tapis d'Orient étendus le long des cours d'eau. Vous savez qu'à tout moment, dans ces bois et sur ces côtes, où on croirait que personne jamais n'a pénétré, on rencontre tout à coup le dôme de neige d'une koubba renfermant les os d'un humble marabout, d'un marabout isolé, à peine visité de temps en temps par quelques fidèles obstinés, venus du douar voisin avec une bougie dans leur poche pour l'allumer sur le tombeau du saint.

Or, un soir, comme je rentrais, je passai auprès d'une de ces chapelles mahométanes, et ayant jeté un regard par la porte toujours ouverte, je vis qu'une femme priait devant la relique. C'était un tableau charmant, cette Arabe assise par terre, dans cette chambre délabrée, où le vent entrait à son gré et amassait dans les coins, en tas jaunes, les fines aiguilles sèches tombées des pins. Je m'approchai pour mieux regarder, et je reconnus Allouma. Elle ne me vit pas, ne m'entendit point, absorbée tout entière par le souci du saint ; et elle parlait, à mi-voix, elle lui parlait, se croyant bien seule avec lui, racontant au serviteur de Dieu toutes ses préoccupations. Parfois elle se taisait un peu pour méditer, pour chercher ce qu'elle avait encore à dire, pour ne rien oublier de sa provision de confidences ; et parfois aussi elle s'animait comme s'il lui eût répondu, comme s'il lui eût conseillé une chose qu'elle ne voulait point faire et qu'elle combattait avec des raisonnements.

Je m'éloignai, sans bruit, ainsi que j'étais venu, et je rentrai pour dîner.

Le soir, je la fis venir et je la vis entrer avec un air soucieux qu'elle n'avait point d'ordinaire.

« Assieds-toi là », lui dis-je en lui montrant sa place sur le divan, à mon côté.

Elle s'assit, et comme je me penchais vers elle pour l'embrasser elle éloigna sa tête avec vivacité.

Je fus stupéfait et je demandai :

« Eh bien, qu'y a-t-il ?

— C'est ramadan », dit-elle.

Je me mis à rire.

« Et le marabout t'a défendu de te laisser embrasser pendant le ramadan ?

— Oh oui, je suis une Arabe et tu es un Roumi !

— Ce serait un gros péché ?

— Oh oui !

— Alors tu n'as rien mangé de la journée, jusqu'au coucher du soleil ?

— Non, rien.

— Mais au soleil couché tu as mangé ?

— Oui.

— Eh bien, puisqu'il fait nuit tout à fait, tu ne peux pas être plus sévère pour le reste que pour la bouche. »

Elle semblait crispée, froissée, blessée, et elle reprit avec une hauteur que je ne lui connaissais pas :

« Si une fille arabe se laissait toucher par un Roumi pendant le ramadan, elle serait maudite pour toujours.

— Et cela va durer tout le mois ? »

Elle répondit avec conviction :

« Oui, tout le mois de ramadan. »

Je pris un air irrité et je lui dis :

« Eh bien, tu peux aller le passer dans ta famille, le ramadan. »

Elle saisit mes mains et les portant sur son cœur :

« Oh ! je te prie, ne sois pas méchant, tu verras comme je serai gentille. Nous ferons ramadan ensemble, veux-tu ? Je te soignerai, je te gâterai, mais ne sois pas méchant. »

Je ne pus m'empêcher de sourire tant elle était drôle et désolée, et je l'envoyai coucher chez elle.

Une heure plus tard, comme j'allais me mettre au lit, deux petits coups furent frappés à ma porte, si légers que je les entendis à peine.

Je criai : « Entrez » et je vis apparaître Allouma portant devant elle un grand plateau chargé de friandises arabes, de croquettes sucrées, frites et sautées, de toute une pâtisserie bizarre de nomade.

Elle riait, montrant ses belles dents, et elle répéta :

« Nous allons faire ramadan ensemble. »

Vous savez que le jeûne, commencé à l'aurore et terminé au crépuscule, au moment où l'œil ne distingue plus un fil blanc d'un fil noir, est suivi chaque soir de petites fêtes intimes où on mange jusqu'au matin. Il en résulte que, pour les indigènes peu scrupuleux, le ramadan consiste à faire du jour la nuit, et de la nuit le jour. Mais Allouma poussait plus loin la délicatesse de conscience. Elle installa son plateau entre nous deux, sur le divan, et prenant avec ses longs doigts minces une petite boulette poudrée, elle me la mit dans la bouche en murmurant :

« C'est bon, mange. »

Je croquai le léger gâteau, qui était excellent en effet, et je lui demandai :

« C'est toi qui as fait ça ?

– Oui, c'est moi.

– Pour moi ?

– Oui, pour toi.

– Pour me faire supporter le ramadan ?

– Oui, ne sois pas méchant ! Je t'en apporterai tous les jours. »

Oh ! le terrible mois que je passai là ! un mois sucré, douceâtre, enrageant, un mois de gâteries et de tentations, de colères et d'efforts vains contre une invincible résistance.

Puis, quand arrivèrent les trois jours du beïram, je les célébrai à ma façon et le ramadan fut oublié.

L'été s'écoula, il fut très chaud. Vers les premiers jours de l'automne, Allouma me parut préoccupée, distraite, désintéressée de tout.

Or, un soir, comme je la faisais appeler, on ne la trouva point dans sa chambre. Je pensai qu'elle rôdait dans la maison et j'ordonnai qu'on la cherchât. Elle n'était pas rentrée ; j'ouvris la fenêtre et je criai :

« Mohammed. »

La voix de l'homme couché sous sa tente répondit :

« Oui, moussié.

– Sais-tu où est Allouma ?

– Non, moussié – pas possible – Allouma perdu ? »

Quelques secondes après, mon Arabe entrait chez moi, tellement ému qu'il ne maîtrisait point son trouble. Il demanda :

« Allouma perdu ?

– Mais oui, Allouma perdu.

– Pas possible ?

– Cherche », lui dis-je.

Il restait debout, songeant, cherchant, ne compre-

nant pas. Puis, il entra dans la chambre vide où les
vêtements d'Allouma traînaient, dans un désordre
oriental. Il regarda tout comme un policier, ou
plutôt il flaira comme un chien, puis, incapable
d'un long effort, il murmura avec résignation :

« Parti, il est parti ! »

Moi je craignais un accident, une chute, une
entorse au fond d'un ravin, et je fis mettre sur pied
tous les hommes du campement avec ordre de la
chercher jusqu'à ce qu'on l'eût retrouvée.

On la chercha toute la nuit, on la chercha le
lendemain, on la chercha toute la semaine. Aucune
trace ne fut découverte pouvant mettre sur la piste.
Moi je souffrais ; elle me manquait ; ma maison
semblait vide et mon existence déserte. Puis des
idées inquiétantes me passaient par l'esprit. Je
craignais qu'on l'eût enlevée, ou assassinée peut-
être. Mais comme j'essayais toujours d'interroger
Mohammed et de lui communiquer mes appréhen-
sions, il répondait sans varier :

« Non, parti. »

Puis il ajoutait le mot arabe « r'ézale » qui veut
dire « gazelle », comme pour exprimer qu'elle courait vite et qu'elle était loin.

Trois semaines se passèrent et je n'espérais plus
revoir jamais ma maîtresse arabe, quand un matin,
Mohammed, les traits éclairés par la joie, entra chez
moi et me dit :

« Moussié, Allouma il est revenu. »

Je sautai du lit et je demandai :

« Où est-elle ?

— N'ose pas venir ! Là-bas, sous l'arbre ! » Et de
son bras tendu, il me montrait par la fenêtre une
tache blanchâtre au pied d'un olivier.

Je me levai et je sortis. Comme j'approchais de ce

paquet de linge qui semblait jeté contre le tronc tordu, je reconnus les grands yeux sombres, les étoiles tatouées, la figure longue et régulière de la fille sauvage qui m'avait séduit. À mesure que j'avançais une colère me soulevait, une envie de frapper, de la faire souffrir, de me venger.

Je criai de loin :

« D'où viens-tu ? »

Elle ne répondit pas et demeurait immobile, inerte, comme si elle ne vivait plus qu'à peine, résignée à mes violences, prête aux coups.

J'étais maintenant debout tout près d'elle, contemplant avec stupeur les haillons qui la couvraient, ces loques de soie et de laine, grises de poussière, déchiquetées, sordides.

Je répétai, la main levée comme sur un chien :

« D'où viens-tu ? »

Elle murmura :

« De là-bas !

— D'où ?

— De la tribu !

— De quelle tribu ?

— De la mienne.

— Pourquoi es-tu partie ? »

Voyant que je ne la battais point, elle s'enhardit un peu, et, à voix basse :

« Il fallait... il fallait... je ne pouvais plus vivre dans la maison. »

Je vis des larmes dans ses yeux, et tout de suite, je fus attendri comme une bête. Je me penchai vers elle, et j'aperçus, en me retournant pour m'asseoir, Mohammed qui nous épiait, de loin.

Je repris très doucement :

« Voyons, dis-moi pourquoi tu es partie ? »

Alors elle me conta que depuis longtemps déjà

elle éprouvait en son cœur de nomade, l'irrésistible envie de retourner sous les tentes, de coucher, de courir, de se rouler sur le sable, d'errer avec les troupeaux, de plaine en plaine, de ne plus sentir sur sa tête, entre les étoiles jaunes du ciel et les étoiles bleues de sa face, autre chose que le mince rideau de toile usée et recousue à travers lequel on aperçoit des grains de feu quand on se réveille dans la nuit.

Elle me fit comprendre cela en termes naïfs et puissants, si justes, que je sentis bien qu'elle ne mentait pas, que j'eus pitié d'elle, et que je lui demandai :

« Pourquoi ne m'as-tu pas dit que tu désirais t'en aller pendant quelque temps ?

– Parce que tu n'aurais pas voulu...

– Tu m'aurais promis de revenir et j'aurais consenti.

– Tu n'aurais pas cru. »

Voyant que je n'étais pas fâché, elle riait, et elle ajouta :

« Tu vois, c'est fini, je suis retournée chez moi et me voici. Il me fallait seulement quelques jours de là-bas. J'ai assez maintenant, c'est fini, c'est passé, c'est guéri. Je suis revenue, je n'ai plus mal. Je suis très contente. Tu n'es pas méchant.

– Viens à la maison », lui dis-je.

Elle se leva. Je pris sa main, sa main fine aux doigts minces ; et triomphante en ses loques, sous la sonnerie de ses anneaux, de ses bracelets, de ses colliers et de ses plaques, elle marcha gravement vers ma demeure, où nous attendait Mohammed.

Avant d'entrer, je repris :

« Allouma, toutes les fois que tu voudras retour-

ner chez toi, tu me préviendras et je te le per-
mettrai. »

Elle demanda, méfiante :

« Tu promets ?

– Oui, je promets.

– Moi aussi, je promets. Quand j'aurai mal – et
elle posa ses deux mains sur son front avec un geste
magnifique – je te dirai : "Il faut que j'aille là-bas"
et tu me laisseras partir. »

Je l'accompagnai dans sa chambre, suivi de
Mohammed qui portait de l'eau, car on n'avait pu
prévenir encore la femme d'Abd el-Kader el-Hadara du retour de sa maîtresse.

Elle entra, aperçut l'armoire à glace et, la figure
illuminée, courut vers elle comme on s'élance vers
une mère retrouvée. Elle se regarda quelques secondes, fit la moue, puis d'une voix un peu fâchée,
dit au miroir :

« Attends, j'ai des vêtements de soie dans l'armoire. Je serai belle tout à l'heure. »

Et je la laissai seule, faire la coquette devant
elle-même.

Notre vie recommença comme auparavant et, de
plus en plus, je subissais l'attrait bizarre, tout
physique, de cette fille pour qui j'éprouvais en
même temps une sorte de dédain paternel.

Pendant six mois tout alla bien, puis je sentis
qu'elle redevenait nerveuse, agitée, un peu triste. Je
lui dis un jour :

« Est-ce que tu veux retourner chez toi ?

– Oui, je veux.

– Tu n'osais pas me le dire ?

– Je n'osais pas.

– Va, je permets ».

Elle saisit mes mains et les baisa comme elle

faisait en tous ses élans de reconnaissance, et, le lendemain, elle avait disparu.

Elle revint, comme la première fois, au bout de trois semaines environ, toujours déguenillée, noire de poussière et de soleil, rassasiée de vie nomade, de sable et de liberté. En deux ans elle retourna ainsi quatre fois chez elle.

Je la reprenais gaiement, sans jalousie, car pour moi la jalousie ne peut naître que de l'amour, tel que nous le comprenons chez nous. Certes, j'aurais fort bien pu la tuer si je l'avais surprise me trompant, mais je l'aurais tuée un peu comme on assomme, par pure violence, un chien qui désobéit. Je n'aurais pas senti ces tourments, ce feu rongeur, ce mal horrible, la jalousie du Nord. Je viens de dire que j'aurais pu la tuer comme on assomme un chien qui désobéit ! Je l'aimais en effet, un peu comme on aime un animal très rare, chien ou cheval, impossible à remplacer. C'était une bête admirable, une bête sensuelle, une bête à plaisir, qui avait un corps de femme.

Je ne saurais vous exprimer quelles distances incommensurables séparaient nos âmes, bien que nos cœurs, peut-être, se fussent frôlés, échauffés l'un l'autre, par moments. Elle était quelque chose de ma maison, de ma vie, une habitude fort agréable à laquelle je tenais et qu'aimait en moi l'homme charnel, celui qui n'a que des yeux et des sens.

Or, un matin, Mohammed entra chez moi avec une figure singulière, ce regard inquiet des Arabes qui ressemble au regard fuyant d'un chat en face d'un chien.

Je lui dis, en apercevant cette figure :

« Hein ? qu'y a-t-il ?

– Allouma il est parti. »

Je me mis à rire.

« Parti, où ça ?

– Parti tout à fait, moussié !

– Comment, parti tout à fait ?

– Oui, moussié.

– Tu es fou, mon garçon ?

– Non, moussié.

– Pourquoi ça parti ? Comment ? Voyons ? Explique-toi ! »

Il demeurait immobile, ne voulant pas parler ; puis, soudain, il eut une de ces explosions de colère arabe qui nous arrêtent dans les rues des villes devant deux énergumènes, dont le silence et la gravité orientale font place brusquement aux plus extrêmes gesticulations et aux vociférations les plus féroces.

Et je compris au milieu de ces cris qu'Allouma s'était enfuie avec mon berger.

Je dus calmer Mohammed et tirer de lui, un à un, des détails.

Ce fut long, j'appris enfin que depuis huit jours il épiait ma maîtresse qui avait des rendez-vous, derrière les bois de cactus voisins ou dans le ravin de lauriers-roses, avec une sorte de vagabond, engagé comme berger par mon intendant, à la fin du mois précédent.

La nuit dernière, Mohammed l'avait vue sortir sans la voir rentrer ; et il répétait, d'un air exaspéré :

« Parti, moussié, il est parti ! »

Je ne sais pourquoi, mais sa conviction, la conviction de cette fuite avec le rôdeur, était entrée en moi, en une seconde, absolue, irrésistible. Cela était absurde, invraisemblable et certain en vertu de l'irraisonnable qui est la seule logique des femmes.

Le cœur serré, une colère dans le sang, je cher-

chais à me rappeler les traits de cet homme, et je me
souvins tout à coup que je l'avais vu, l'autre semaine, debout sur une butte de terre, au milieu de
son troupeau et me regardant. C'était une sorte de
grand Bédouin dont la couleur des membres nus se
confondait avec celle des haillons, un type de brute
barbare aux pommettes saillantes, au nez crochu,
au menton fuyant, aux jambes sèches, une haute
carcasse en guenilles avec des yeux faux de chacal.

Je ne doutais point – oui – elle avait fui avec ce
gueux. Pourquoi ? Parce qu'elle était Allouma, une
fille du sable. Une autre, à Paris, fille du trottoir,
aurait fui avec mon cocher ou avec un rôdeur de
barrière.

« C'est bon, dis-je à Mohammed. Si elle est partie,
tant pis pour elle. J'ai des lettres à écrire. Laisse-moi
seul. »

Il s'en alla, surpris de mon calme. Moi, je me
levai, j'ouvris ma fenêtre et je me mis à respirer par
grands souffles qui m'entraient au fond de la
poitrine, l'air étouffant venu du Sud, car le sirocco
soufflait.

Puis je pensai : « Mon Dieu, c'est une... une
femme, comme bien d'autres. Sait-on... sait-on ce
qui les fait agir, ce qui les fait aimer, suivre ou
lâcher un homme ? »

Oui, on sait quelquefois, souvent, on ne sait pas.
Par moments, on doute.

Pourquoi a-t-elle disparu avec cette brute répu-
gnante ? Pourquoi ? Peut-être parce que depuis un
mois le vent vient du Sud presque régulièrement.

Cela suffit ! un souffle ! Sait-elle, savent-elles, le
plus souvent, même les plus fines et les plus compliquées, pourquoi elles agissent ? Pas plus qu'une
girouette qui tourne au vent. Une brise insensible

fait pivoter la flèche de fer, de cuivre, de tôle ou de bois, de même qu'une influence imperceptible, une impression insaisissable remue, et pousse aux résolutions le cœur changeant des femmes, qu'elles soient des villes, des champs, des faubourgs ou du désert.

Elles peuvent sentir, ensuite, si elles raisonnent et comprennent, pourquoi elles ont fait ceci plutôt que cela ; mais sur le moment elles l'ignorent, car elles sont les jouets de leur sensibilité à surprises, les esclaves étourdies des événements, des milieux, des émotions, des rencontres et de tous les effleurements dont tressaillent leur âme et leur chair !

M. Auballe s'était levé. Il fit quelques pas, me regarda, et dit en souriant :

« Voilà un amour dans le désert ! »

Je demandai :

« Si elle revenait ? »

Il murmura :

« Sale fille !... Cela me ferait plaisir tout de même.

— Et vous pardonneriez le berger ?

— Mon Dieu, oui. Avec les femmes il faut toujours pardonner... ou ignorer. »

Mouche

Souvenir d'un canotier

IL NOUS DIT :
En ai-je vu, de drôles de choses et de drôles de
filles aux jours passés où je canotais. Que de fois j'ai
eu envie d'écrire un petit livre, titré *Sur la Seine*,
pour raconter cette vie de force et d'insouciance, de
gaieté et de pauvreté, de fête robuste et tapageuse
que j'ai menée de vingt à trente ans.

J'étais un employé sans le sou ; maintenant je suis
un homme arrivé qui peut jeter des grosses sommes
pour un caprice d'une seconde. J'avais au cœur
mille désirs modestes et irréalisables qui me do-
raient l'existence de toutes les attentes imaginaires.
Aujourd'hui, je ne sais pas vraiment quelle fantaisie
me pourrait faire lever du fauteuil où je somnole.
Comme c'était simple, et bon, et difficile de vivre
ainsi, entre le bureau à Paris et la rivière à Argenteuil. Ma grande, ma seule, mon absorbante passion, pendant dix ans, ce fut la Seine. Ah ! la belle,
calme, variée, et puante rivière pleine de mirages et
d'immondices. Je l'ai tant aimée, je crois, parce
qu'elle m'a donné, me semble-t-il, le sens de la vie.

Ah ! les promenades le long des berges fleuries, mes
amies les grenouilles qui rêvaient, le ventre au frais,
sur une feuille de nénuphar et les lis d'eau coquets
et frêles, au milieu des grandes herbes fines qui
m'ouvraient soudain, derrière un saule, un feuillet
d'album japonais quand le martin-pêcheur fuyait
devant moi comme une flamme bleue ! Ai-je aimé
tout cela, d'un amour instinctif des yeux qui se
répandait dans tout mon corps en une joie naturelle et profonde !

Comme d'autres ont des souvenirs de nuits tendres, j'ai des souvenirs de levers de soleil dans les
brumes matinales, flottantes, errantes vapeurs,
blanches comme des mortes avant l'aurore, puis, au
premier rayon glissant sur les prairies, illuminées de
rose à ravir le cœur ; et j'ai des souvenirs de lune
argentant l'eau frémissante et courante, d'une
lueur qui faisait fleurir tous les rêves.

Et tout cela, symbole de l'éternelle illusion,
naissait pour moi sur de l'eau croupie qui charriait
vers la mer toutes les ordures de Paris.

Puis quelle vie gaie avec les camarades. Nous
étions cinq, une bande, aujourd'hui des hommes
graves ; et comme nous étions tous pauvres, nous
avions fondé, dans une affreuse gargote d'Argenteuil, une colonie inexprimable qui ne possédait
qu'une chambre-dortoir où j'ai passé les plus folles
soirées, certes, de mon existence. Nous n'avions
souci de rien, que de nous amuser et de ramer, car
l'aviron pour nous, sauf pour un, était un culte. Je
me rappelle de si singulières aventures, de si invrai-
semblables farces, inventées par ces cinq chena-
pans, que personne aujourd'hui ne les pourrait
croire. On ne vit plus ainsi, même sur la Seine, car

la fantaisie enragée qui nous tenait en haleine est morte dans les âmes actuelles.

À nous cinq nous possédions un seul bateau, acheté à grand-peine et sur lequel nous avons ri comme nous ne rirons plus jamais. C'était une large yole un peu lourde, mais solide, spacieuse et confortable. Je ne vous ferai point le portrait de mes camarades. Il y en avait un petit, très malin, surnommé « Petit-Bleu » ; un grand, à l'air sauvage, avec des yeux gris et des cheveux noirs, surnommé « Tomahawk » ; un autre, spirituel et paresseux, surnommé « La Tôque », le seul qui ne touchât jamais une rame sous prétexte qu'il ferait chavirer le bateau ; un mince, élégant, très soigné, surnommé « N'a-qu'un-Œil » en souvenir d'un roman alors récent de Cladel, et parce qu'il portait un monocle ; enfin moi qu'on avait baptisé « Joseph Prunier ». Nous vivions en parfaite intelligence avec le seul regret de n'avoir pas une barreuse. Une femme, c'est indispensable dans un canot. Indispensable parce que ça tient l'esprit et le cœur en éveil, parce que ça anime, ça amuse, ça distrait, ça pimente et ça fait décor avec une ombrelle rouge glissant sur les berges vertes. Mais il ne nous fallait pas une barreuse ordinaire, à nous cinq qui ne ressemblions guère à tout le monde. Il nous fallait quelque chose d'imprévu, de drôle, de prêt à tout, de presque introuvable, enfin. Nous en avions essayé beaucoup sans succès, des filles de barre, pas des barreuses, canotières imbéciles qui préféraient toujours le petit vin qui grise à l'eau qui coule et qui porte les yoles. On les gardait un dimanche, puis on les congédiait avec dégoût.

Or, voilà qu'un samedi soir, N'a-qu'un-Œil nous amena une petite créature fluette, vive, sautillante, blagueuse et pleine de drôlerie, de cette drôlerie qui tient lieu d'esprit aux titis mâles et femelles éclos sur le pavé de Paris. Elle était gentille, pas jolie, une ébauche de femme où il y avait de tout, une de ces silhouettes que les dessinateurs crayonnent en trois traits sur une nappe de café après dîner entre un verre d'eau-de-vie et une cigarette. La nature en fait quelquefois comme ça.

Le premier soir, elle nous étonna, nous amusa, et nous laissa sans opinion tant elle était inattendue. Tombée dans ce nid d'hommes prêts à toutes les folies, elle fut bien vite maîtresse de la situation, et dès le lendemain elle nous avait conquis.

Elle était d'ailleurs tout à fait toquée, née avec un verre d'absinthe dans le ventre, que sa mère avait dû boire au moment d'accoucher, et elle ne s'était jamais dégrisée depuis, car sa nourrice, disait-elle, se refaisait le sang à coups de tafia ; et elle-même n'appelait jamais autrement que « ma sainte famille » toutes les bouteilles alignées derrière le comptoir des marchands de vin.

Je ne sais lequel de nous la baptisa « Mouche » ni pourquoi ce nom lui fut donné, mais il lui allait bien, et lui resta. Et notre yole, qui s'appelait *Feuille-à-l'Envers*, fit flotter chaque semaine, sur la Seine, entre Asnières et Maisons-Laffitte, cinq gars, joyeux et robustes, gouvernés, sous un parasol de papier peint, par une vive et écervelée personne qui nous traitait comme des esclaves chargés de la promener sur l'eau, et que nous aimions beaucoup.

Nous l'aimions tous beaucoup, pour mille raisons d'abord, pour une seule ensuite. Elle était, à l'arrière de notre embarcation, une espèce de petit moulin à paroles, jacassant au vent qui filait sur l'eau. Elle bavardait sans fin, avec le léger bruit

continu de ces mécaniques ailées qui tournent dans
la brise ; et elle disait étourdiment les choses les
plus inattendues, les plus cocasses, les plus stupéfiantes. Il y avait dans cet esprit, dont toutes les
parties semblaient disparates à la façon de loques
de toute nature et de toute couleur, non pas
cousues ensemble, mais seulement faufilées, de la
fantaisie comme dans un conte de fées, de la
gauloiserie, de l'impudeur, de l'impudence, de
l'imprévu, du comique et de l'air, de l'air et du
paysage comme dans un voyage en ballon.

On lui posait des questions pour provoquer des
réponses trouvées on ne sait où. Celle dont on la
harcelait le plus souvent était celle-ci :

« Pourquoi t'appelle-t-on Mouche ? »

Elle découvrait des raisons tellement invraisem-
blables que nous cessions de nager pour en rire.

Elle nous plaisait aussi, comme femme ; et La
Tôque, qui ne ramait jamais et qui demeurait tout
le long des jours assis à côté d'elle au fauteuil de
barre, répondit une fois à la demande ordinaire :

« Pourquoi t'appelle-t-on Mouche ?

– Parce que c'est une petite cantharide ! »

Oui, une petite cantharide bourdonnante et
enfiévrante, non pas la classique cantharide empoi-
sonneuse, brillante et mantelée, mais une petite
cantharide aux ailes rousses qui commençait à
troubler étrangement l'équipage entier de la
Feuille-à-l'Envers.

Que de plaisanteries stupides, encore, sur cette
feuille où s'était arrêtée cette Mouche.

N'a-qu'un-Œil, depuis l'arrivée de Mouche dans
le bateau, avait pris au milieu de nous un rôle
prépondérant, supérieur, le rôle d'un monsieur qui
a une femme à côté de quatre autres qui n'en ont

pas. Il abusait de ce privilège au point de nous exaspérer parfois en embrassant Mouche devant nous, en l'asseyant sur ses genoux à la fin des repas et par beaucoup d'autres prérogatives humiliantes autant qu'irritantes.

On les avait isolés dans le dortoir par un rideau.

Mais je m'aperçus bientôt que mes compagnons et moi devions faire au fond de nos cerveaux de solitaires le même raisonnement : « Pourquoi, en vertu de quelle loi d'exception, de quel principe inacceptable, Mouche, qui ne paraissait gênée par aucun préjugé, serait-elle fidèle à son amant, alors que les femmes du meilleur monde ne le sont pas à leurs maris ? »

Notre réflexion était juste. Nous en fûmes bientôt convaincus. Nous aurions dû seulement la faire plus tôt pour n'avoir pas à regretter le temps perdu. Mouche trompa N'a-qu'un-Œil avec tous les autres matelots de la *Feuille-à-l'Envers*.

Elle le trompa sans difficulté, sans résistance, à la première prière de chacun de nous.

Mon Dieu, les gens pudiques vont s'indigner beaucoup ! Pourquoi ? Quelle est la courtisane en vogue qui n'a pas une douzaine d'amants, et quel est celui de ces amants assez bête pour l'ignorer ? La mode n'est-elle pas d'avoir un soir chez une femme célèbre et cotée, comme on a un soir à l'Opéra, au Français ou à l'Odéon, depuis qu'on y joue les demi-classiques ? On se met à dix pour entretenir une cocotte qui fait de son temps une distribution difficile, comme on se met à dix pour posséder un cheval de course que monte seulement un jockey, véritable image de l'amant de cœur.

On laissait par délicatesse Mouche à N'a-qu'un-Œil du samedi soir au lundi matin. Les jours de navigation étaient à lui. Nous ne le trompions qu'en semaine, à Paris, loin de la Seine, ce qui, pour des canotiers comme nous, n'était presque plus tromper.

La situation avait ceci de particulier, que les quatre maraudeurs des faveurs de Mouche n'ignoraient point ce partage, qu'ils en parlaient entre eux, et même avec elle, par allusions voilées qui la faisaient beaucoup rire. Seul, N'a-qu'un-Œil semblait tout ignorer, et cette position spéciale faisait naître une gêne entre lui et nous, paraissait le mettre à l'écart, l'isoler, élever une barrière à travers notre ancienne confiance et notre ancienne intimité. Cela lui donnait pour nous un rôle difficile, un peu ridicule, un rôle d'amant trompé, presque de mari.

Comme il était fort intelligent, doué d'un esprit spécial de pince-sans-rire, nous nous demandions quelquefois, avec une certaine inquiétude, s'il ne se doutait de rien.

Il eut soin de nous renseigner, d'une façon pénible pour nous. On allait déjeuner à Bougival, et nous ramions avec vigueur, quand La Tôque, qui avait, ce matin-là, une allure triomphante d'homme satisfait et qui, assis côte à côte avec la barreuse, semblait se serrer contre elle un peu trop librement à notre avis, arrêta la nage en criant : « Stop ! »

Les huit avirons sortirent de l'eau.

Alors, se tournant vers sa voisine, il demanda :

« Pourquoi t'appelle-t-on Mouche ? »

Avant qu'elle eût pu répondre, la voix de N'a-qu'un-Œil, assis à l'avant, articula d'un ton sec :

« Parce qu'elle se pose sur toutes les charognes. »

Il y eut d'abord un grand silence, une gêne, que

suivit une envie de rire. Mouche elle-même demeurait interdite.

Alors, La Tôque commanda :

« Avant partout. »

Le bateau se remit en route.

L'incident était clos, la lumière faite.

Cette petite aventure ne changea rien à nos habitudes. Elle rétablit seulement la cordialité entre N'a-qu'un-Œil et nous. Il redevint le propriétaire honoré de Mouche, du samedi soir au lundi matin, sa supériorité sur nous tous ayant été bien établie par cette définition, qui clôtura d'ailleurs l'ère des questions sur le mot « Mouche ». Nous nous contentâmes à l'avenir du rôle secondaire d'amis reconnaissants et attentionnés qui profitaient discrètement des jours de la semaine sans contestation d'aucune sorte entre nous.

Cela marcha très bien pendant trois mois environ. Mais voilà que tout à coup Mouche prit, vis-à-vis de nous tous, des attitudes bizarres. Elle était moins gaie, nerveuse, inquiète, presque irritable. On lui demandait sans cesse :

« Qu'est-ce que tu as ? »

Elle répondait :

« Rien. Laisse-moi tranquille. »

La révélation nous fut faite par N'a-qu'un-Œil, un samedi soir. Nous venions de nous mettre à table dans la petite salle à manger que notre gargotier Barbichon nous réservait dans sa guinguette, et, le potage fini, on attendait la friture quand notre ami, qui paraissait aussi soucieux, prit d'abord la main de Mouche et ensuite parla :

« Mes chers camarades, dit-il, j'ai une communication des plus graves à vous faire et qui va peut-être amener de longues discussions. Nous aurons le temps d'ailleurs de raisonner entre les plats.

« Cette pauvre Mouche m'a annoncé une désastreuse nouvelle dont elle m'a chargé en même temps de vous faire part.

« Elle est enceinte.

« Je n'ajoute que deux mots :

« Ce n'est pas le moment de l'abandonner et la recherche de la paternité est interdite. »

Il y eut d'abord de la stupeur, la sensation d'un désastre, et nous nous regardions les uns les autres avec l'envie d'accuser quelqu'un. Mais lequel ? Ah ! lequel ? Jamais je n'avais senti comme en ce moment la perfidie de cette cruelle farce de la nature qui ne permet jamais à un homme de savoir d'une façon certaine s'il est le père de son enfant.

Puis peu à peu une espèce de consolation nous vint et nous réconforta, née au contraire d'un sentiment confus de solidarité.

Tomahawk, qui ne parlait guère, formula ce début de rassérénement par ces mots :

« Ma foi, tant pis, l'union fait la force. »

Les goujons entraient apportés par un marmiton. On ne se jetait pas dessus, comme toujours, car on avait tout de même l'esprit troublé.

N'a-qu'un-Œil reprit :

« Elle a eu, en cette circonstance, la délicatesse de me faire des aveux complets. Mes amis, nous sommes tous également coupables. Donnons-nous la main et adoptons l'enfant. »

La décision fut prise à l'unanimité. On leva les bras vers le plat de poissons frits et on jura :

« Nous l'adoptons. »

Alors, sauvée tout d'un coup, délivrée du poids horrible d'inquiétude qui torturait depuis un mois

cette gentille et détraquée pauvresse de l'amour,
Mouche s'écria :

« Oh ! mes amis ! mes amis ! Vous êtes de braves
cœurs... de braves cœurs... de braves cœurs... Merci
tous ! » Et elle pleura, pour la première fois, devant
nous.

Désormais on parla de l'enfant dans le bateau
comme s'il était né déjà, et chacun de nous s'inté-
ressait, avec une sollicitude de participation exagé-
rée, au développement lent et régulier de la taille
de notre barreuse.

On cessa de ramer pour demander :

« Mouche ? »

Elle répondait :

« Présente.

– Garçon ou fille ?

– Garçon.

– Que deviendra-t-il ? »

Alors elle donnait essor à son imagination de la
façon la plus fantastique. C'étaient des récits interminables, des inventions stupéfiantes, depuis le
jour de la naissance jusqu'au triomphe définitif. Il
fut tout, cet enfant, dans le rêve naïf, passionné et
attendrissant de cette extraordinaire petite créature, qui vivait maintenant, chaste, entre nous cinq,
qu'elle appelait ses « cinq papas ». Elle le vit et le
raconta marin, découvrant un nouveau monde plus
grand que l'Amérique, général rendant à la France
l'Alsace et la Lorraine, puis empereur et fondant
une dynastie de souverains généreux et sages qui
donnaient à notre patrie le bonheur définitif, puis
savant dévoilant d'abord le secret de la fabrication
de l'or, ensuite celui de la vie éternelle, puis aéro-
naute inventant le moyen d'aller visiter les astres et
faisant du ciel infini une immense promenade pour

les hommes, réalisation de tous les songes les plus imprévus, et les plus magnifiques.

Dieu, fut-elle gentille et amusante, la pauvre petite, jusqu'à la fin de l'été !

Ce fut le 20 septembre que creva son rêve. Nous revenions de déjeuner à Maisons-Laffitte et nous passions devant Saint-Germain, quand elle eut soif et nous demanda de nous arrêter au Pecq.

Depuis quelque temps elle devenait lourde, et cela l'ennuyait beaucoup. Elle ne pouvait plus gambader comme autrefois, ni bondir du bateau sur la berge, ainsi qu'elle avait coutume de le faire. Elle essayait encore, malgré nos cris et nos efforts, et vingt fois, sans nos bras tendus pour la saisir, elle serait tombée.

Ce jour-là, elle eut l'imprudence de vouloir débarquer avant que le bateau fût arrêté, par une de ces bravades où se tuent parfois les athlètes malades ou fatigués.

Juste au moment où nous allions accoster, sans qu'on pût prévoir ou prévenir son mouvement, elle se dressa, prit son élan et essaya de sauter sur le quai.

Trop faible, elle ne toucha que du bout du pied le bord de la pierre, glissa, heurta de tout son ventre l'angle aigu, poussa un grand cri et disparut dans l'eau.

Nous plongeâmes tous les cinq en même temps pour ramener un pauvre être défaillant, pâle comme une morte et qui souffrait déjà d'atroces douleurs.

Il fallut la porter bien vite dans l'auberge la plus voisine, où un médecin fut appelé.

Pendant dix heures que dura la fausse couche elle supporta avec un courage d'héroïne d'abominables tortures. Nous nous désolions autour d'elle, enfiévrés d'angoisse et de peur.

Puis on la délivra d'un enfant mort, et pendant quelques jours encore nous eûmes pour sa vie les plus grandes craintes.

Le docteur, enfin, nous dit un matin : « Je crois qu'elle est sauvée. Elle est en acier, cette fille. » Et nous entrâmes ensemble dans sa chambre, le cœur radieux.

N'a-qu'un-Œil, parlant pour tous, lui dit :

« Plus de danger, petite Mouche, nous sommes bien contents. »

Alors, pour la seconde fois, elle pleura devant nous, et, les yeux sous une glace de larmes, elle balbutia :

« Oh ! si vous saviez, si vous saviez... quel chagrin... quel chagrin... je ne me consolerai jamais.

— De quoi donc, petite Mouche ?

— De l'avoir tué, car je l'ai tué ! oh ! sans le vouloir ! quel chagrin !... »

Elle sanglotait. Nous l'entourions, émus, ne sachant quoi lui dire.

Elle reprit :

« Vous l'avez vu, vous ? »

Nous répondîmes, d'une seule voix :

« Oui.

— C'était un garçon, n'est-ce pas ?

— Oui.

— Beau, n'est-ce pas ? »

On hésita beaucoup. Petit-Bleu, le moins scrupuleux, se décida à affirmer :

« Très beau. »

Il eut tort, car elle se mit à gémir, presque à hurler de désespoir.

Alors, N'a-qu'un-Œil, qui l'aimait peut-être le

plus, eut pour la calmer une invention géniale, et baisant ses yeux ternis par les pleurs :

« Console-toi, petite Mouche, console-toi, nous t'en ferons un autre. »

Le sens comique qu'elle avait dans les moelles se réveilla tout à coup, et à moitié convaincue, à moitié gouailleuse, toute larmoyante encore et le cœur crispé de peine, elle demanda, en nous regardant tous :

« Bien vrai ? »

Et nous répondîmes ensemble :

« Bien vrai. »

Les tombales

LES CINQ AMIS achevaient de dîner, cinq hommes du monde, mûrs, riches, trois mariés, deux restés garçons. Ils se réunissaient ainsi tous les mois, en souvenir de leur jeunesse, et après avoir dîné, ils causaient jusqu'à deux heures du matin. Restés amis intimes, et se plaisant ensemble, ils trouvaient peut-être là leurs meilleurs soirs dans la vie. On bavardait sur tout, sur tout ce qui occupe et amuse les Parisiens ; c'était entre eux, comme dans la plupart des salons d'ailleurs, une espèce de recommencement parlé de la lecture des journaux du matin.

Un des plus gais était Joseph de Bardon, célibataire et vivant la vie parisienne de la façon la plus complète et la plus fantaisiste. Ce n'était point un débauché ni un dépravé, mais un curieux, un joyeux encore jeune ; car il avait à peine quarante ans. Homme du monde dans le sens le plus large et le plus bienveillant que puisse mériter ce mot, doué de beaucoup d'esprit sans grande profondeur, d'un savoir varié sans érudition vraie, d'une compréhension agile sans pénétration sérieuse, il tirait de ses observations, de ses aventures, de tout ce qu'il voyait, rencontrait et trouvait, des anecdotes de roman comique et philosophique en même temps, et des remarques humoristiques qui lui faisaient par la ville une grande réputation d'intelligence.

C'était l'orateur du dîner. Il avait la sienne, chaque fois, son histoire, sur laquelle on comptait. Il se mit à la dire sans qu'on l'en eût prié.

Fumant, les coudes sur la table, un verre de fine champagne à moitié plein devant son assiette, engourdi dans une atmosphère de tabac aromatisée par le café chaud, il semblait chez lui tout à fait, comme certains êtres sont chez eux absolument, en certains lieux et en certains moments, comme une dévote dans une chapelle, comme un poisson rouge dans son bocal.

Il dit, entre deux bouffées de fumée :

« Il m'est arrivé une singulière aventure il y a quelque temps. »

Toutes les bouches demandèrent presque ensemble : « Racontez. »

Il reprit :

Volontiers. Vous savez que je me promène beaucoup dans Paris, comme les bibelotiers qui fouillent les vitrines. Moi je guette les spectacles, les gens, tout ce qui passe, et tout ce qui se passe.

Or, vers la mi-septembre, il faisait très beau temps à ce moment-là, je sortis de chez moi, une après-midi, sans savoir où j'irais. On a toujours un vague désir de faire une visite à une jolie femme quelconque. On choisit dans sa galerie, on les compare dans sa pensée, on pèse l'intérêt qu'elles vous inspirent, le charme qu'elles vous imposent et on se décide enfin suivant l'attraction du jour. Mais quand le soleil est très beau et l'air tiède, ils vous enlèvent souvent toute envie de visites.

Le soleil était beau, et l'air tiède ; j'allumai un cigare et je m'en allai tout bêtement sur le boulevard extérieur. Puis comme je flânais, l'idée me vint de pousser jusqu'au cimetière Montmartre et d'y entrer.

J'aime beaucoup les cimetières, moi, ça me repose et me mélancolise : j'en ai besoin. Et puis, il y a aussi de bons amis là-dedans, de ceux qu'on ne va plus voir ; et j'y vais encore, moi, de temps en temps.

Justement, dans ce cimetière Montmartre, j'ai une histoire de cœur, une maîtresse qui m'avait beaucoup pincé, très ému, une charmante petite femme dont le souvenir, en même temps qu'il me peine énormément, me donne des regrets... des regrets de toute nature... Et je vais rêver sur sa tombe... C'est fini pour elle.

Et puis, j'aime aussi les cimetières, parce que ce sont des villes monstrueuses, prodigieusement habitées. Songez donc à ce qu'il y a de morts dans ce petit espace, à toutes les générations de Parisiens qui sont logés là, pour toujours, troglodytes définitifs enfermés dans leurs petits caveaux, dans leurs petits trous couverts d'une pierre ou marqués d'une croix, tandis que les vivants occupent tant de place et font tant de bruit, ces imbéciles.

Puis encore, dans les cimetières, il y a des monuments presque aussi intéressants que dans les musées. Le tombeau de Cavaignac m'a fait songer, je l'avoue, sans le comparer, à ce chef-d'œuvre de Jean Goujon : le corps de Louis de Brézé, couché dans la chapelle souterraine de la cathédrale de Rouen ; tout l'art dit moderne et réaliste est venu de là, messieurs. Ce mort, Louis de Brézé, est plus vrai, plus terrible, plus fait de chair inanimée, convulsée encore par l'agonie, que tous les cadavres tourmentés qu'on tortionne aujourd'hui sur les tombes.

Mais au cimetière Montmartre on peut encore admirer le monument de Baudin, qui a de la grandeur ; celui de Gautier, celui de Mürger, où j'ai vu l'autre jour une seule pauvre couronne d'immortelles jaunes, apportée par qui ? par la dernière grisette, très vieille, et concierge aux environs, peut-être ? C'est une jolie statuette de Millet, mais que détruisent l'abandon et la saleté. Chante la jeunesse, ô Mürger !

Me voici donc entrant dans le cimetière Montmartre, et tout à coup imprégné de tristesse, d'une tristesse qui ne faisait pas trop de mal, d'ailleurs, une de ces tristesses qui vous font penser, quand on se porte bien : « Ça n'est pas drôle, cet endroit-là, mais le moment n'en est pas encore venu pour moi... »

L'impression de l'automne, de cette humidité tiède qui sent la mort des feuilles et le soleil affaibli, fatigué, anémique, aggravait en la poétisant la sensation de solitude et de fin définitive flottant sur ce lieu, qui sent la mort des hommes.

Je m'en allais à petits pas dans ces rues de tombes, où les voisins ne voisinent point, ne couchent plus ensemble et ne lisent pas de journaux. Et je me mis, moi, à lire les épitaphes. Ça, par exemple, c'est la chose la plus amusante du monde. Jamais Labiche, jamais Meilhac ne m'ont fait rire comme le comique de la prose tombale. Ah ! quels livres supérieurs à ceux de Paul de Kock pour ouvrir la rate que ces plaques de marbre et ces croix où les parents des morts ont épanché leurs regrets, les vœux pour le bonheur du disparu dans l'autre monde, et leur espoir de le rejoindre – blagueurs !

Mais j'adore surtout dans ce cimetière, la partie abandonnée, solitaire, pleine de grands ifs et de cyprès, vieux quartier des anciens morts qui redeviendra bientôt un quartier neuf, dont on abattra les arbres verts, nourris de cadavres humains, pour aligner les récents trépassés sous de petites galettes de marbre.

Quand j'eus erré là le temps de me rafraîchir l'esprit, je compris que j'allais m'ennuyer et qu'il fallait porter au dernier lit de ma petite amie l'hommage fidèle de mon souvenir. J'avais le cœur un peu serré en arrivant près de sa tombe. Pauvre chère, elle était si gentille, et si amoureuse, et si blanche, et si fraîche... et maintenant... si on ouvrait ça...

Penché sur la grille de fer, je lui dis tout bas ma peine, qu'elle n'entendit point sans doute, et j'allais partir quand je vis une femme en noir, en grand deuil, qui s'agenouillait sur le tombeau voisin. Son voile de crêpe relevé laissait apercevoir une jolie tête blonde, dont les cheveux en bandeaux semblaient éclairés par une lumière d'aurore sous la nuit de sa coiffure. Je restai.

Certes, elle devait souffrir d'une profonde douleur. Elle avait enfoui son regard dans ses mains, et rigide, en une méditation de statue, partie en ses regrets, égrenant dans l'ombre des yeux cachés et fermés le chapelet torturant des souvenirs, elle semblait elle-même être une morte qui penserait à un mort. Puis tout à coup je devinai qu'elle allait pleurer, je le devinai à un petit mouvement du dos pareil à un frisson de vent dans un saule. Elle pleura doucement d'abord, puis plus fort, avec des mouvements rapides du cou et des épaules. Soudain elle découvrit ses yeux. Ils étaient pleins de larmes et

charmants, des yeux de folle qu'elle promena
autour d'elle, en une sorte de réveil de cauchemar.
Elle me vit la regarder, parut honteuse et se cacha
encore toute la figure dans ses mains. Alors ses
sanglots devinrent convulsifs, et sa tête lentement se
pencha vers le marbre. Elle y posa son front, et son
voile se répandant autour d'elle couvrit les angles
blancs de la sépulture aimée, comme un deuil
nouveau. Je l'entendis gémir, puis elle s'affaissa, sa
joue sur la dalle, et demeura immobile, sans
connaissance.

Je me précipitai vers elle, je lui frappai dans les
mains, je soufflai sur ses paupières, tout en lisant
l'épitaphe très simple : « Ici repose Louis-Théodore
Carrel, capitaine d'infanterie de marine, tué par
l'ennemi, au Tonkin. Priez pour lui. »

Cette mort remontait à quelques mois. Je fus
attendri jusqu'aux larmes, et je redoublai mes soins.
Ils réussirent ; elle revint à elle. J'avais l'air très ému
– je ne suis pas trop mal je n'ai pas quarante ans. –
Je compris à son premier regard qu'elle serait polie
et reconnaissante. Elle le fut, avec d'autres larmes,
et son histoire contée, sortie par fragments de sa
poitrine haletante, la mort de l'officier tombé au
Tonkin, au bout d'un an de mariage, après l'avoir
épousée par amour, car, orpheline de père et de
mère, elle avait tout juste la dot réglementaire.

Je la consolai, je la réconfortai, je la soulevai, je
la relevai. Puis je lui dis :

« Ne restez pas ici. Venez. »

Elle murmura :

« Je suis incapable de marcher.

– Je vais vous soutenir.

– Merci, monsieur, vous êtes bon. Vous veniez
également ici pleurer un mort ?

« – Oui, madame.

– Une morte ?

– Oui, madame.

– Votre femme ?

– Une amie.

– On peut aimer une amie autant que sa femme, la passion n'a pas de loi.

– Oui, madame. »

Et nous voilà partis ensemble, elle appuyée sur moi, moi la portant presque par les chemins du cimetière. Quand nous en fûmes sortis, elle murmura défaillante :

« Je crois que je vais me trouver mal.

– Voulez-vous entrer quelque part, prendre quelque chose ?

– Oui, monsieur. »

J'aperçus un restaurant, un de ces restaurants où les amis des morts vont fêter la corvée finie. Nous y entrâmes. Et je lui fis boire une tasse de thé bien chaud qui parut la ranimer. Un vague sourire lui vint aux lèvres. Et elle me parla d'elle. C'était si triste, si triste d'être toute seule dans la vie, toute seule chez soi, nuit et jour, de n'avoir plus personne à qui donner de l'affection, de la confiance, de l'intimité.

Cela avait l'air sincère. C'était gentil dans sa bouche. Je m'attendrissais. Elle était fort jeune, vingt ans peut-être. Je lui fis des compliments qu'elle accepta fort bien. Puis, comme l'heure passait, je lui proposai de la reconduire chez elle avec une voiture. Elle accepta ; et, dans le fiacre, nous restâmes tellement l'un contre l'autre, épaule contre épaule, que nos chaleurs se mêlaient à travers les vêtements, ce qui est bien la chose la plus troublante du monde.

. Quand la voiture fut arrêtée à sa maison, elle murmura : « Je me sens incapable de monter seule mon escalier, car je demeure au quatrième. Vous avez été si bon, voulez-vous encore me donner le bras jusqu'à mon logis ? »

Je m'empressai d'accepter. Elle monta lentement, en soufflant beaucoup. Puis, devant sa porte, elle ajouta :

« Entrez donc quelques instants pour que je puisse vous remercier. »

Et j'entrai, parbleu.

C'était modeste, même un peu pauvre, mais simple et bien arrangé chez elle.

Nous nous assîmes côte à côte sur un petit canapé, et elle me parla de nouveau de sa solitude.

Elle sonna sa bonne, afin de m'offrir quelque chose à boire. La bonne ne vint pas. J'en fus ravi en supposant que cette bonne-là ne devait être que du matin : ce qu'on appelle une femme de ménage.

Elle avait ôté son chapeau. Elle était vraiment gentille avec ses yeux clairs fixés sur moi, si bien fixés, si clairs que j'eus une tentation terrible et j'y cédai. Je la saisis dans mes bras, et sur ses paupières qui se fermèrent soudain, je mis des baisers... des baisers... des baisers... tant et plus.

Elle se débattait en me repoussant et répétant : « Finissez... finissez... finissez donc. »

Quel sens donnait-elle à ce mot ? En des cas pareils, « finir » peut en avoir au moins deux. Pour la faire taire je passai des yeux à la bouche, et je donnai au mot « finir » la conclusion que je préférais. Elle ne résista pas trop, et quand nous nous regardâmes de nouveau, après cet outrage à la mémoire du capitaine tué au Tonkin, elle avait un air alangui, attendri, résigné, qui dissipa mes inquiétudes.

Alors, je fus galant, empressé et reconnaissant. Et après une nouvelle causerie d'une heure environ, je lui demandai :

« Où dînez-vous ?

– Dans un petit restaurant des environs.

– Toute seule ?

– Mais oui.

– Voulez-vous dîner avec moi ?

– Où ça ?

– Dans un bon restaurant du boulevard. »

Elle résista un peu. J'insistai : elle céda, en se donnant à elle-même cet argument : « Je m'ennuie tant... tant », puis elle ajouta : « Il faut que je passe une robe un peu moins sombre. »

Et elle entra dans sa chambre à coucher.

Quand elle en sortit, elle était en demi-deuil, charmante, fine et mince, dans une toilette grise et fort simple. Elle avait évidemment tenue de cimetière et tenue de ville.

Le dîner fut très cordial. Elle but du champagne, s'alluma, s'anima et je rentrai chez elle, avec elle.

Cette liaison nouée sur les tombes dura trois semaines environ. Mais on se fatigue de tout, et principalement des femmes. Je la quittai sous prétexte d'un voyage indispensable. J'eus un départ très généreux, dont elle me remercia beaucoup. Et elle me fit promettre, elle me fit jurer de revenir après mon retour, car elle semblait vraiment un peu attachée à moi.

Je courus à d'autres tendresses, et un mois environ se passa sans que la pensée de revoir cette petite amoureuse funéraire fût assez forte pour que j'y cédasse. Cependant je ne l'oubliais point... Son souvenir me hantait comme un mystère, comme un problème de psychologie, comme une de ces questions inexplicables dont la solution nous harcèle.

Je ne sais pourquoi, un jour, je m'imaginai que je la retrouverais au cimetière Montmartre, et j'y allai.

Je m'y promenai longtemps sans rencontrer d'autres personnes que les visiteurs ordinaires de ce lieu, ceux qui n'ont pas encore rompu toutes relations avec leurs morts. La tombe du capitaine tué au Tonkin n'avait pas de pleureuse sur son marbre, ni de fleurs, ni de couronnes.

Mais comme je m'égarai dans un autre quartier de cette grande ville de trépassés, j'aperçus tout à coup, au bout d'une étroite avenue de croix, venant vers moi, un couple en grand deuil, l'homme et la femme. Ô stupeur ! quand ils s'approchèrent, je la reconnus.

C'était elle.

Elle me vit, rougit et, comme je la frôlais en la croisant, elle me fit un tout petit signe, un tout petit coup d'œil qui signifiaient : « Ne me reconnaissez pas », mais qui semblaient dire aussi : « Revenez me voir, mon chéri. »

L'homme était bien, distingué, chic, officier de la Légion d'honneur, âgé d'environ cinquante ans.

Et il la soutenait, comme je l'avais soutenue moi-même en quittant le cimetière.

Je m'en allai stupéfait, me demandant ce que je venais de voir, à quelle race d'êtres appartenait cette sépulcrale chasseresse. Était-ce une simple fille, une prostituée inspirée qui allait cueillir sur les tombes les hommes tristes, hantés par une femme, épouse ou maîtresse, et troublés encore du souvenir des caresses disparues ? Était-elle unique ? Sont-elles plusieurs ? Est-ce une profession ?

Fait-on le cimetière comme on fait le trottoir ? Les tombales ! Ou bien avait-elle eu seule cette idée admirable, d'une philosophie profonde d'exploiter les regrets d'amour qu'on ranime en ces lieux funèbres ?

Et j'aurais bien voulu savoir de qui elle était veuve, ce jour-là ?

Chronologie

1850

Guy de Maupassant naît le 5 août, au château de Miromesnil près de Dieppe (affirment les uns), à Fécamp (assurent les autres). Difficile de savoir au juste. Son père (d'origine lorraine), Gustave de Maupassant, né en 1821, avait épousé Laure Le Poittevin (d'ascendance normande), née la même année, le 9 novembre 1846. Laure était la sœur du grand ami de jeunesse de Flaubert, Alfred Le Poittevin (décédé en 1848). Famille aisée, rentière. Particule récente.

Mort de Balzac. Déjà, sous le prince Louis-Napoléon Bonaparte, perce Napoléon III. Le second Empire est en marche.

1856

Naissance d'Hervé, frère de Guy, au château de Grainville-Ymauville, près du Havre, où la famille est installée depuis 1854. Marié, père d'une fille, Simone (en faveur de qui Guy fera son testament), Hervé mourra fou à Lyon, en 1889. Très impressionné, l'écrivain confiera alors : « Je crois que je mourrai fou moi-même. »

1857

Les Fleurs du mal de Baudelaire et *Madame Bovary* de Flaubert. Grands livres suivis de... procès pour immoralité. L'ordre moral, plus de vingt ans après, fera aussi joujou avec Maupassant (pour le poème *Une fille*).

1858-1863

Séparation de Gustave et Laure de Maupassant ; le jeune Guy supportait mal leurs fréquentes et violentes disputes. Laure part vivre avec ses deux fils à Étretat. Pour Guy, c'est l'époque de l'enfance libre et vagabonde. Il apprend bien et joue plus encore avec ses camarades, fils de pêcheurs et de paysans.

1863-1867

Guy devient élève au petit séminaire d'Yvetot ; malgré farces et vers licencieux (premiers clins d'œil du futur Maupassant), il s'y ennuie prodigieusement. En 1864, l'adolescent, en vacances chez sa mère, rencontre le poète anglais Charles Swinburne et sa... « main d'écorché ». Le fantastique ne fait qu'ouvrir le bal.

1868

Entré au lycée de Rouen, où il prépare avec succès le baccalauréat, Guy a pour correspondant Louis Bouilhet (qui mourra en 1869), poète et ami intime de Gustave Flaubert. C'est ainsi qu'il fait la connaissance de ce dernier et qu'il entame, pour le grand bonheur de sa mère, ses « classes littéraires » avec le maître de Croisset. *Le Petit Chose* de Daudet.

1870

Guerre franco-prussienne, qui marquera à jamais Maupassant. Mobilisé dans l'intendance, il se montre excellent soldat, profondément patriote. Les souvenirs qu'il garde de ces mois de déroute serviront de trame à quelques-uns de ses plus beaux contes.

1871

Armistice. Démobilisé, il part pour Étretat. Poursuite des travaux littéraires sous la direction de Flaubert, ami incomparable, à qui il devra ses rencontres avec Zola, Daudet, Edmond de Goncourt, Tourgueniev... Commune de Paris. Début de la IIIe République.

1872

Maupassant entre au ministère de la Marine et des Colonies et s'installe à Paris. Il fréquente les guinguettes et canote sur la Seine : « Ma grande, ma seule passion pendant dix ans, ce fut la Seine. »

1873

Si, rond-de-cuir, il gagne peu et s'ennuie fort, il observe aussi et sans pitié le petit monde des employés de bureau. On sait le parti littéraire qu'il en tirera.

1874

Plaisirs et peurs semblent l'habiter. L'eau – la mer, la rivière – le fascine corps et âme ; fascination qui ne le quittera plus.

1875

Première publication : *La Main d'écorché* (en revue).
Plus que jamais, Maupassant canote et se baigne en joyeuse compagnie. Représentation privée de sa pièce bouffonne et égrillarde : *À la feuille de rose, maison turque*. Sur scène, lui-même et Octave Mirbeau.

1876

Déménagement parisien. Maupassant participe au groupe de Médan qui se constitue autour de Zola. « Attention, trop de femmes et trop de sports », lui écrit par ailleurs Flaubert.

1877

Premiers troubles de santé, certainement dus à la syphilis. Et première cure, en Suisse. Dîner-baptême du « naturalisme », autour de Gustave Flaubert, Edmond de Goncourt et Émile Zola – qui vient de publier *L'Assommoir*.

1878

Maupassant donne sa démission du ministère de la Marine et, grâce à Flaubert, entre à celui de l'Instruction publique. Déteste toujours autant le métier de gratte-papier. Il s'impatiente de ne pouvoir « claquer la porte ».

1879

Publication de *L'Histoire du vieux temps* (théâtre).
Depuis l'année précédente, il passe beaucoup de temps à Étretat auprès de sa mère, nerveuse et malade. Par la suite, soucieux de son bien-être, il l'aidera à s'installer à Cannes, où il fera lui-même de nombreux séjours.
Nana de Zola.

1880

Publications : *Boule de Suif* dans *Les Soirées de Médan*, *Des vers* (recueil poétique).
Les Soirées de Médan : Maupassant y donne *Boule de Suif*, chef-d'œuvre de ce recueil collectif. Admiration de Flaubert ; grand succès. Le 8 mai, mort de Gustave Flaubert, foudroyé par une apoplexie ; immense chagrin de Maupassant. Le mois suivant, il quitte enfin l'administration. Il sent qu'il est lancé. Pour lui, une nouvelle vie commence. Premier voyage en Corse.

1881

Publication de *La Maison Tellier* (premier recueil de contes).
Voyage en Afrique du Nord. Maupassant souffre de névralgies contre lesquelles il lutte par l'usage et bientôt l'abus des drogues : éther, haschisch, morphine. L'ami Tourgueniev fait connaître ses premiers livres en Russie. Mort de Dostoïevski.

1882

Publication de *Mademoiselle Fifi* (recueil de contes).
Voyage estival en Bretagne. Souffre à présent de la vue,

au point qu'il pense à se tuer (« mes yeux qui grincent »). Maupassant collabore régulièrement à plusieurs périodiques parisiens, auxquels il donne articles et contes (le plus souvent sous les pseudonymes de Guy de Valmont et de Maufrigneuse) : *Le Gaulois, Gil Blas, Le Figaro, L'Écho de Paris, La Nouvelle Revue, La Revue littéraire et politique...*

1883

Publications : *Une vie* (premier roman), *Contes de la bécasse* (recueil de contes), *Clair de lune* (recueil de contes).
Grosse année pour Maupassant. Son premier roman paraît et s'impose. Il fait construire une maison, *La Guillette*, près d'Étretat. Prend François Tassart à son service comme valet de chambre. Et voit naître le premier de ses trois enfants naturels, tous de Joséphine Litzelmann. Mais pour lui, pas plus de mariage que plus tard de Légion d'honneur ou d'Académie française...
Mort de Tourgueniev.

1884

Publications : *Au soleil* (récit de voyage), *Miss Harriet* (recueil de contes), *Les Sœurs Rondoli* (recueil de contes), *Yvette* (recueil de contes).
Travail intense et frénétique ; Maupassant connaît ses plus riches années de production littéraire et journalistique. Début des troubles nerveux, pourtant. Il décide de suivre les cours de Charcot à la Salpêtrière.

1885

Publications : *Contes du jour et de la nuit* (recueil de contes), *Bel-Ami* (roman), *Monsieur Parent* (recueil de contes).
Voyage en Italie. Et déménagement parisien. Ce faux naturaliste joue le vrai décadent (grandes dames et logements de pacha). La Vénus rustique et le Bel-Ami s'en donnent à cœur joie...

Germinal de Zola. Morts de Jules Vallès et de Victor Hugo.

1886

Publications : *Toine* (recueil de contes), *La Petite Roque* (recueil de contes).
Voyage décevant en Angleterre, pays « trop froid » pour Maupassant. Il préfère naviguer en Méditerranée, sur son voilier *Bel-Ami*. Plus que jamais, il éprouve le besoin de fuir et de se fuir.

1887

Publications : *Mont-Oriol* (roman), *Le Horla* (recueil de contes).
Voyage-reportage en ballon. Que suit un long séjour en Afrique du Nord. C'est en homme d'affaires normand que Maupassant orchestre les succès de sa plume – qui font des jaloux.

1888

Publications : *Pierre et Jean* (roman) précédé de *Le Roman* (étude), *Sur l'eau* (journal de voyage), *Le Rosier de Mme Husson* (recueil de contes).
Nouveau voyage en Afrique du Nord. Écrivain notoire, Maupassant est lu dans toute l'Europe et en Amérique. Mais les hallucinations sont là et le mal empire.

1889

Publications : *La Main gauche* (recueil de contes), *Fort comme la mort* (roman).
Agonie de son frère Hervé, victime de la folie. Conduit par Guy à l'asile psychiatrique de Lyon-Bron, il lui aurait jeté : « Ah ! Guy ! Misérable ! Tu me fais enfermer ! C'est toi qui es fou, tu m'entends ! C'est toi le fou de la famille ! » La peur au ventre, Maupassant entreprend vers l'Italie une croisière sur *Bel-Ami II*.

1890

Publications : *La Vie errante* (récits de voyage), *L'Inutile Beauté* (recueil de contes), *Notre cœur* (dernier roman).
Ultime déménagement parisien. La dégradation de sa santé s'accentue terriblement. Consultations sur consultations, et tentatives répétées de cures et de repos. Maupassant est décidé à délaisser contes et chroniques au profit du roman.
Suicide de Van Gogh.

1891

Publication de *Musotte* (théâtre).
Cures successives et vaines. Maupassant attaque deux romans : *L'Âme étrangère* et *L'Angélus*. Peine perdue, ses facultés intellectuelles l'abandonnent irrémédiablement. Il va jusqu'à perdre le contrôle de soi. Dépressif, il admet ne plus pouvoir écrire, depuis un an au moins. Rédige son testament. Déjà le « météore », le « mauvais passant », le « taureau triste » ne sont plus...

1892

Tentatives de suicide. De Cannes, Maupassant est transporté à la clinique du Dr Blanche à Passy, maison de santé où fut interné, avant lui, Gérard de Nerval. Il n'en sortira plus. Une agonie de dix-huit mois commence, entrecoupée de délires et d'accalmies. Aucune visite familiale : son père et sa mère semblent l'ignorer, commencent même à liquider ses biens.

1893

Publication de *La Paix du ménage* (théâtre).
Le 6 juillet, mort de Guy de Maupassant, âgé de quarante-trois ans. Le 8, il est inhumé à même la terre, selon son vœu, au cimetière Montparnasse. Émile Zola prononce l'oraison funèbre.

1899

Publication : *Le Père Milon* (recueil posthume de contes inédits en volume).

1900

Publication : *Le Colporteur* (recueil posthume de contes inédits en volume, à l'exception de quatre).

G.B.

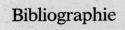

Bibliographie

Œuvres de Maupassant

Œuvres complètes, Librairie Paul Ollendorff, 1901-1912, 30 volumes.

Œuvres complètes, Librairie Conard, 1907-1910, édition Pol Neveux, 29 volumes.

Œuvres complètes, Librairie de France, 1934-1938, édition René Dumesnil, 15 volumes.

Contes et Romans, Albin Michel, 1956-1959, édition Albert-Marie Schmidt, 3 volumes.

Œuvres complètes, Rencontre, 1961-1962, édition Gilbert Sigaux, 16 volumes.

Œuvres complètes, Le Cercle du Bibliophile, 1969-1977, édition Pascal Pia, 17 volumes.

Contes et Nouvelles, Gallimard/La Pléiade, 1974-1979, édition Louis Forestier, 2 volumes.

Romans, Gallimard/La Pléiade, 1987, édition Louis Forestier, 1 volume.

Contes et Nouvelles, Laffont/Bouquins, 1988, édition Dominique Frémy, 2 volumes.

Contes et Romans, France Loisirs, 1992-1994, édition Georges Belle, 14 volumes.

Boule de Suif et autres contes normands, Classiques Garnier, 1971, édition Marie-Claire Bancquart.

Le Horla et autres contes cruels, Classiques Garnier, 1976, édition Marie-Claude Bancquart.

La Parure et autres contes parisiens, Classiques Garnier, 1984, édition Marie-Claire Bancquart.

Correspondance, Cercle du Bibliophile, 1973, édition Jacques Suffel, 3 volumes.

Correspondance Flaubert/Maupassant, Flammarion, 1993, édition présentée et annotée par Yvan Leclerc.

Chroniques, 10/18, 1980, édition Hubert Juin, 3 volumes.

Chroniques et récits de voyage, Editions Complexe, 1993, édition Henri Mitterand, 5 volumes.

Choses et autres (chroniques littéraires et mondaines), Le Livre de Poche, 1993, choix, introduction et notes de Jean Balsamo.

Au salon (chroniques picturales), Balland, 1993, édition établie par Vladimir Biaggi.

Sur l'eau (récit de voyage), Gallimard/Folio, 1993, édition présentée et annotée par Jacques Dupont.

La Paix du ménage (théâtre), Sauret, 1993.

Des vers (poésie), Ed. Ressouvenances, 1993.

Etudes critiques et biographies littéraires

MORAND, Paul, *Vie de Maupassant*, Flammarion, 1942.

DUMESNIL, René, *Guy de Maupassant*, Tallandier, 1947.

VIAL, André, *Guy de Maupassant et l'art du roman*, Nizet, 1954.

LEMOINE, Fernand, *Guy de Maupassant*, Editions universitaires, 1957.

SCHMIDT, Albert-Marie, *Maupassant par lui-même*, Seuil, 1962.

COGNY, Pierre, *Maupassant, l'homme sans dieu*, La Renaissance du Livre, 1968.

CASTELLA, Charles, *Structures romanesques et vision sociale chez Maupassant*, L'Age d'homme, 1972.

SAVINIO, Alberto, *Maupassant et l' « Autre »*, Gallimard, 1977.

LANOUX, Armand, *Maupassant le Bel-Ami*, Grasset, 1979.

CHESSEX, Jacques, *Maupassant et les autres*, Ramsay, 1981.

REDA, Jacques, *Album Maupassant*, Gallimard/La Pléiade, 1987.

TROYAT, Henri, *Maupassant*, Flammarion, 1989.

THUMEREL, Thérèse et Fabrice, *Maupassant*, Armand Colin, 1992.

GICQUEL, Alain-Claude, *Maupassant tel un météore*, Le Castor astral, 1993.

BROCHIER, Jean-Jacques, *Maupassant, une journée particulière : 1er février 1880*, J.-C. Lattès, 1993.

GIACCHETTI, Claudine, *Maupassant, espaces du roman*, Droz, 1993.

BOURLANGES, Angéline, et SOLDEVILLE, Alain, *Les Promenades de Maupassant*, Chêne, 1993.

BAYARD, Pierre, *Maupassant juste avant Freud*, Minuit, 1994.

Publications collectives

Europe, n° 47, avril-mai-juin 1969.

Magazine littéraire, n° 156, janvier 1980.

Magazine littéraire, n° 310, mai 1993.

Europe, n° 772, août-septembre 1993.

Maupassant et l'écriture, Actes du colloque de Fécamp, 21-22-23 mai 1993, Nathan, 1993.

Origine des textes

« Jadis », paru le 13 septembre 1880 dans *Le Gaulois*, est en recueil dans *Le Colporteur*.

« Une partie de campagne », paru les 2 et 9 avril 1881 dans *La Vie moderne*, est en recueil dans *La Maison Tellier*.

« Le gâteau », paru le 19 janvier 1882 dans *Gil Blas*, est en recueil dans *Le Père Milon*.

« La bûche », paru le 26 janvier 1882 dans *Gil Blas*, est en recueil dans *Mademoiselle Fifi*.

« Mots d'amour », paru le 2 février 1882 dans *Gil Blas*, est en recueil dans *Mademoiselle Fifi*.

« Marroca », paru le 2 mars 1882 dans *Gil Blas*, est en recueil dans *Mademoiselle Fifi*.

« Le lit » paru le 16 mars 1882 dans *Gil Blas*, est en recueil dans *Mademoiselle Fifi*.

« Un coq chanta », paru le 5 juillet 1882 dans *Gil Blas*, est en recueil dans les *Contes de la bécasse*.

« Le verrou », paru le 25 juillet 1882 dans *Gil Blas*, est en recueil dans *Les Sœurs Rondoli*.

« La rouille », paru le 14 septembre 1882 dans *Gil Blas*, est en recueil dans *Mademoiselle Fifi*.

« Une ruse », paru le 25 septembre 1882 dans *Gil Blas*, est en recueil dans *Mademoiselle Fifi*.

« Le baiser », paru le 14 novembre 1882 dans *Gil Blas*, n'a pas été édité en recueil par l'auteur.

« Le remplaçant », paru le 2 janvier 1883 dans *Gil Blas*, est en recueil dans *Mademoiselle Fifi*.

« La toux », paru le 28 janvier 1883 dans *Panurge*, n'a pas été édité en recueil.

« La serre », paru le 26 juin 1883 dans *Gil Blas*, est en recueil dans *Le Colporteur*.

« La fenêtre », paru le 10 juillet 1883 dans *Gil Blas*, est en recueil dans *Le Rosier de Mme Husson*.

« Enragée », paru le 7 août 1883 dans *Gil Blas*, est en recueil dans *Le Rosier de Mme Husson*.

« Les caresses », paru le 14 août 1883 dans *Gil Blas*, n'a pas été édité en recueil par l'auteur.

« L'ami Patience », paru le 4 septembre 1883 dans *Gil Blas*, est en recueil dans *Toine*.

« Au bord du lit », paru le 23 octobre 1883 dans *Gil Blas*, est en recueil dans *Monsieur Parent*.

« Un sage », paru le 4 décembre 1883 dans *Gil Blas*, est en recueil dans *Les Sœurs Rondoli*.

« Rose », paru le 29 janvier 1884 dans *Gil Blas*, est en recueil dans les *Contes du jour et de la nuit*.

« La patronne », paru le 1er avril 1884 dans *Gil Blas*, est en recueil dans *Les Sœurs Rondoli*.

« La confession », paru le 12 août 1884 dans *Gil Blas*, est en recueil dans *Le Rosier de Mme Husson*.

« Bombard », paru le 28 octobre 1884 dans *Gil Blas*, est en recueil dans *Toine*.

« La revanche », paru le 18 novembre 1884 dans *Gil Blas*, est en recueil dans *Le Rosier de Mme Husson*.

« La chambre 11 », paru le 9 décembre 1884 dans *Gil Blas*, est en recueil dans *Toine*.

« L'inconnue », paru le 27 janvier 1885 dans *Gil Blas*, est en recueil dans *Monsieur Parent*.

« Le moyen de Roger », paru le 3 mars 1885 dans *Gil Blas*, est en recueil dans *Toine*.

« Joseph », paru le 21 juillet 1885 dans *Gil Blas*, est en recueil dans *Le Horla*.

« La confidence », paru le 20 août 1885 dans *Gil Blas*, est en recueil dans *Monsieur Parent*.

« Imprudence », paru le 15 septembre 1885 dans *Gil Blas*, est en recueil dans *Monsieur Parent*.

« Sauvée », paru le 22 décembre 1885 dans *Gil Blas*, est en recueil dans *La Petite Roque*.

« Le signe », paru le 27 avril 1886 dans *Gil Blas*, est en recueil dans *Le Horla*.

« Une soirée », paru le 29 mars 1887 dans *Gil Blas*, est en recueil dans *Le Rosier de Mme Husson*.

« La baronne », paru le 17 mai 1887 dans *Gil Blas*, est en recueil dans *Le Rosier de Mme Husson*.

« Les épingles », paru le 10 janvier 1888 dans *Gil Blas*, est en recueil dans *La Main gauche*.

« Allouma », paru les 10 et 15 février 1889 dans *L'Écho de Paris*, est en recueil dans *La Main gauche*.

« Mouche », paru le 7 février 1890 dans *L'Écho de Paris*, est en recueil dans *L'Inutile Beauté*.

« Les tombales », paru le 9 janvier 1891 dans *Gil Blas*, est en recueil dans *La Maison Tellier*.

Table

IMPRIMÉ EN FRANCE PAR BRODARD ET TAUPIN
Usine de La Flèche (Sarthe).
LIBRAIRIE GÉNÉRALE FRANÇAISE - 6, rue Pierre-Sarrazin - 75006 Paris.
ISBN : 2 - 253 - 13678 - 6

❖ 31/3678/5